ÅSA LARSSON

La Piste noire

ROMAN TRADUIT DU SUÉDOIS PAR CAROLINE BERG

ALBIN MICHEL

Titre original :

SVART STIG
Publié par Albert Bonniers Förlag en 2006 à Stockholm, Suède.

ISBN : 978-2-253-08631-4 – 1re publication LGF

Vous vous souvenez ?

Rebecka Martinsson avait trouvé son ami allongé dans le gravier, mort, à Poikkijärvi. Le monde s'était fissuré de toutes parts. Et ils avaient dû la retenir pour l'empêcher de se jeter dans le fleuve.

Ce livre est le troisième.

Patiente Rebecka Martinsson. Extrait du dossier médical : 12 septembre 2003.

Motif d'hospitalisation : la patiente est admise à l'hôpital de Kiruna avec des blessures au visage et un traumatisme crânien suite à une chute. Elle est dans un état psychotique aigu à son arrivée. Les lésions au visage nécessitent une chirurgie plastique et la patiente est plongée dans un coma artificiel. Les symptômes de psychose étant toujours présents au réveil, une mesure d'internement sous contrainte est décidée en accord avec l'article § 3.O. La patiente est transférée dans l'unité fermée du service psychiatrique de l'hôpital Göran de Stockholm. Diagnostic provisoire : psychose. Traitement : Risperdal 8 mg/jour, Sobril 50 mg/jour.

C'est la fin.

Regardez-le venir, chevauchant les nuages, offert à la vue de tous.

C'est l'heure ultime.

L'heure du cavalier rouge qui, une lance à la main, incitera les hommes à s'entre-tuer.

Regardez ! Ils me tiennent par les bras ! Ils ne m'écoutent pas ! Ils refusent obstinément de lever les yeux et de voir le ciel qui s'ouvre au-dessus de leurs têtes.

C'est l'heure du cheval doré.

Il gratte le sol de son sabot tranchant. Envoie valser la terre d'une ruade et l'empêche de tourner.

Il y a eu un terrible séisme et le monde est devenu aussi noir qu'un sac en crin de cheval. La lune est écarlate, elle saigne.

Mais je suis encore là. Nous sommes nombreux à être encore là. Nous tombons à genoux à l'aube de notre voyage vers l'obscurité. De terreur, nous vidons nos intestins. Nous approchons d'un lac de feu et de soufre et c'est une autre mort. Il ne reste que quelques minutes. On s'agrippe au premier venu. On s'y accroche de toutes ses forces parce que c'est lui qui est là.

La voix du ciel tonne sept fois. Et enfin les mots deviennent clairs.

Ils disent que c'est l'heure. Ils disent que c'est la fin.

Mais personne n'écoute !

Patiente Rebecka Martinsson. Extrait du dossier médical : 27 septembre 2003.

Patiente réceptive, répond quand on lui parle, capable de raconter les événements qui ont déclenché la psychose `dépressive. Montre divers symptômes de dépression : perte de poids, découragement, sommeil irrégulier et réveils précoces. Tendance suicidaire prononcée. Traitement par électrochocs maintenu. Cipramil en comprimé 40 mg/jour.`

L'un de mes gardiens (c'est moi qui ai des gardiens, vous vous rendez compte ?) s'appelle Johan. Ou peut-être Jonas ? Ou Johnny ? Il m'emmène faire une promenade. Je n'ai pas le droit de sortir seule. Nous n'allons pas très loin mais cela me fatigue énormément. Je crois que sur le chemin du retour, il s'en rend compte. Pourtant, il fait comme si de rien n'était. Il parle. Il n'arrête pas de parler. C'est bien, ça m'évite de faire les frais de la conversation.

Il parle du combat du siècle entre Mohamed Ali et George Foreman, en 1974, au Zaïre :

« Il encaisse un nombre incroyable de coups ! Il n'arrive plus à sortir des cordes et Foreman le cogne, encore et encore. Une vraie brute, ce Foreman. On parle poids lourds, là. La plupart l'ont oublié mais avant le combat, les gens étaient inquiets pour Ali. Ils pensaient que Foreman allait le tuer. Et Ali qui reste là, comme un putain de… rocher ! Pendant sept rounds, il laisse l'autre lui mettre la raclée. Mais le champion du monde en titre est démoralisé. Au septième round, Ali se penche à son oreille et lui murmure : “Eh ben alors, George, c'est tout ce que t'as ?” et effectivement, c'était tout ce qu'il avait ! Au huitième round, Foreman arrive à peine à tenir sa garde et c'est là qu'Ali attaque : chtong, crochet du droit, Foreman s'abat comme un arbre. Craaac. »

Je marche en silence. Je remarque que les feuilles commencent à prendre les couleurs de l'automne. Et Johan ou Jonas ou Johnny continue de parler : Rumble in the Jungle. *I'm the greatest.* Thrilla in Manilla.

Puis il me raconte la Seconde Guerre mondiale. (Je me demande en mon for intérieur s'il a le droit d'évoquer ce genre de sujet devant moi. Je serais curieuse de savoir ce qu'en penserait le médecin. Est-ce que je ne suis pas censée être mentalement perturbée, fragile en tout cas ?)

« Les Japonais ! Voilà de vrais guerriers ! Si par exemple leurs avions de chasse tombaient en panne de kérosène en plein milieu du Pacifique et que les pilotes repéraient un porte-avions américain à proximité, ils allaient s'écraser dessus, bam ! Et sinon, ils se contentaient de réaliser un bel atterrissage sur le ventre, juste pour le plaisir de montrer quels pilotes exceptionnels ils étaient. Et quand ils survivaient, ils se jetaient à l'eau et s'enfonçaient un sabre dans la poitrine. Jamais les soldats japonais ne se laissaient capturer vivants par les forces ennemies. Même chose à la bataille de Guadalcanal. Quand ils ont compris qu'ils étaient vaincus, ils se sont jetés des falaises comme les moutons de Panurge. Et pendant ce temps-là, les Américains leur criaient de se rendre, avec leurs mégaphones. »

Quand nous rentrons, je crains qu'il me demande si la balade m'a plu et si j'ai envie de recommencer demain.

Je n'ai pas envie de répondre « oui » ou « volontiers ». Comme lorsque j'étais gosse et que certaines bonnes femmes du village me proposaient un verre de lait ou de sirop. Il fallait toujours qu'elles me disent : « C'est bon ? » alors qu'elles voyaient bien que je vidais le verre avec délice dans un silence recueilli. Mais elles attendaient quelque chose en retour. Une gratification. Il fallait que la pauvre petite gamine à moitié folle leur dise « Oui » et de préférence « Merci ». Mais je n'ai plus rien à donner en retour. Je suis vide. Et s'il me pose la question, je devrai dire non. Alors que c'était merveilleux de respirer l'air frais. Dans le service, ça sent la sueur médicamentée, la fumée, la crasse, l'hôpital et le détergent pour sol plastique.

Mais il ne me demande rien. Et le lendemain, il m'emmène à nouveau faire une promenade.

Patiente Rebecka Martinsson. Épicrise : extrait du 30 octobre 2003.

La patiente répond bien au traitement. La tendance suicidaire paraît avoir totalement disparu. Dernière quinzaine d'internement conformément à la loi. Patiente abattue mais pas dépressive. Autorisée à quitter l'hôpital et à réintégrer son domicile de Kurravaara, un village à proximité de Kiruna où elle a grandi. Suivi thérapeutique en ambulatoire dans le service psychiatrique de l'hôpital de Kiruna. Suivi médicamenteux, Cipramil 40 mg/jour.

Le médecin me demande comment je vais. Je lui réponds : « Bien. »

Il ne dit rien et me regarde. Il sourit, presque. Il est plein de compassion. Capable de se taire aussi longtemps qu'il le faudra. C'est son job. Mon silence ne le dérange pas. Je finis par dire : « Plutôt bien. » C'est la bonne réponse. Il hoche la tête.

Je ne peux plus rester ici. J'ai occupé un lit suffisamment longtemps. Il y a des femmes qui en ont plus besoin que moi. Des femmes qui mettent le feu à leurs cheveux. Qui pendant leur internement vont avaler des débris de miroir dans les toilettes et qu'il faut conduire aux urgences toutes les cinq minutes. Je parle, je réponds, je me lève le matin et je me brosse les dents.

Je le déteste parce qu'il ne m'oblige pas à rester ici indéfiniment. Je le déteste parce qu'il n'est pas Dieu.

Quelques heures plus tard je suis dans le train qui me conduit vers le nord. Le paysage défile par flashes. D'abord des arbres immenses aux feuillages rouges et jaunes. Un soleil d'automne et beaucoup de maisons. Partout les gens vivent leurs vies. Ils avancent tant bien que mal.

Une fois passé le village de Bastuträsk, la neige. Et enfin : la forêt, la forêt et encore la forêt. Je rentre chez moi. Les bouleaux serrés les uns contre les autres se découpent frêles et sombres contre tout ce blanc.

Je colle mon front et mon nez à la fenêtre.

Je vais bien, me dis-je. C'est comme ça aller bien.

Samedi 5 mars 2005

Sur le lac de Torneträsk, en cette saison qui n'existe qu'en pays sami et qui se situe entre l'interminable hiver polaire et le printemps tardif, la glace a plus d'un mètre d'épaisseur. Sur le plan d'eau long de soixante-dix kilomètres, s'égrènent des cabanes d'environ quatre mètres carrés, montées sur patins, que les habitants de Kiruna appellent arches et qu'ils attellent derrière leurs motoneiges à la fin de l'hiver pour y venir en villégiature.

Au milieu du plancher se trouve une trappe sous laquelle ils creusent un trou dans l'épaisse couche de glace. Un tube de PVC est relié à la trappe, empêchant le vent glacial de s'engouffrer dans la cabane. Les propriétaires de ces arches s'asseyent au bord de ce trou et ils pêchent, munis d'une canne courte.

Leif Pudas pêchait donc tranquillement en caleçon dans son arche. Il était huit heures et demie du soir. Il avait décapsulé quelques bières, vu qu'on était samedi. Le poêle à pétrole ronronnait. Il faisait bien chaud, plus de 25 °C. La pêche était bonne aussi, il avait attrapé quinze truites de montagne, petites mais quand même.

Il avait aussi mis de côté une lotte pour le chat de sa sœur.

Lorsque lui vint l'envie de pisser, il ne s'en agaça pas, de toute façon il avait trop chaud et il avait besoin de se rafraîchir un peu. Il enfila ses bottes de motoneige et sortit dans le froid et l'obscurité, toujours en caleçon.

Quand il ouvrit la porte, le vent faillit la lui arracher des mains.

La journée avait pourtant été calme et ensoleillée, mais le temps change vite en montagne. La tempête s'acharnait sur la porte tel un chien enragé. Soudain le vent s'arrêta de souffler, il gronda, sembla rassembler ses forces et puis il revint furieusement à l'attaque, au point que Leif Pudas se demanda si les gonds allaient résister. Il dut s'accrocher des deux mains à la poignée pour refermer la porte derrière lui. Il se dit qu'il aurait peut-être dû s'habiller. Et puis merde, il ne fallait pas trois heures pour pisser un coup.

Les rafales étaient chargées de neige. Pas une neige fine et douce, non, une neige à congères, froide et tranchante comme du diamant. Elle courait au ras du sol comme un chat à neuf queues, lui fouettant la peau à un rythme régulier et impitoyable.

Leif Pudas courut se mettre à l'abri derrière son arche et se mit à uriner. Il était protégé du vent mais pas du froid glacial. Ses couilles se rétractèrent en deux petites boules dures comme du bois. Il parvint à pisser quand même, s'attendant quasiment à ce que son urine gèle avant d'atteindre la surface du lac et se transforme en un arc de glace jaune.

Alors qu'il finissait, il entendit un rugissement et, tout à coup, sa cabane se mit à glisser, le heurtant par-derrière. Il faillit tomber. La seconde suivante elle filait à toute allure sur la glace.

Il mit une longue seconde à comprendre ce qui s'était passé. La tempête venait d'emporter son arche. Il regarda le carré de lumière chaude et orangée de la fenêtre s'éloigner dans la nuit polaire.

Il courut quelques mètres, mais les amarres avaient lâché et la cabane prenait de la vitesse. Il n'avait aucune chance de la rattraper à la vitesse où elle allait, lui à pied et elle sur ses patins.

Dans un premier temps, il ne pensa qu'à sa cabane. Il l'avait bâtie lui-même, en contreplaqué, il l'avait isolée et doublée de feuilles d'aluminium. Quand il la retrouverait demain, elle serait en miettes. Il n'avait plus qu'à espérer qu'elle ne provoquerait pas de dégâts sur son passage, sinon il allait avoir des ennuis.

Une forte rafale faillit le faire tomber à la renverse et c'est à cet instant seulement qu'il comprit qu'il était en danger. Avec toutes les bières qu'il avait dans le corps, il avait l'impression que son sang coulait juste sous sa peau. S'il ne trouvait pas très vite un endroit où s'abriter, il gèlerait sur place.

Il regarda autour de lui. La station touristique d'Abisko était à environ un kilomètre, c'était beaucoup trop loin, il n'avait que quelques minutes devant lui. Où se trouvait l'arche la plus proche ? Le blizzard l'empêchait de distinguer d'éventuelles lumières.

Réfléchis, se dit-il. Ne fais pas un pas de plus avant de t'être servi de ta tête. Il se concentra pendant trois secondes, sentit ses mains se pétrifier et les cala sous ses aisselles. Puis il s'écarta de quatre pas de l'endroit où il se trouvait et eut la chance de tomber sur son scooter. La clé était restée dans son arche envolée mais il put récupérer la boîte à outils qui se trouvait sous le siège.

Ensuite il pria quelqu'un, là-haut, de faire en sorte qu'il ait choisi la bonne direction pour arriver à l'arche de son plus proche voisin qui se trouvait à moins de vingt mètres. Il parcourut cette distance en pleurant comme un gosse. De terreur de passer à côté et de mourir.

Il fallait absolument qu'il trouve l'arche en fibre de verre de Persson. Il avançait les yeux plissés pour les protéger des cristaux tranchants, et une pellicule de glace se formait sur ses paupières qu'il devait sans cesse essuyer. Avec la neige et l'obscurité, il n'y voyait rien du tout.

Il pensa à sa sœur. Puis il pensa à son ex. Se dit qu'ils avaient été heureux ensemble.

Il faillit percuter la cabane de Persson avant de la voir. Les fenêtres étaient sombres, il n'y avait personne. Il sortit le marteau de sa boîte à outils, dut se servir de sa main gauche parce que la droite était complètement engourdie d'être restée crispée sur la poignée. Il trouva à tâtons la fenêtre de l'arche et la brisa.

La peur décuplait ses forces et il réussit à hisser ses cent kilos à travers l'ouverture. Il jura en s'écorchant le ventre sur le rebord métallique. Mais cela n'avait pas d'importance. Jamais encore la mort n'avait été aussi près de lui planter ses crocs dans la nuque.

Il était entré. À présent il s'agissait de se réchauffer. Il était à l'abri du vent, certes, mais il faisait presque aussi froid à l'intérieur.

Il fouilla dans les tiroirs et trouva des allumettes. Mais comment maîtriser une chose aussi petite quand on a les doigts pétrifiés ? Après avoir réchauffé ses doigts dans sa bouche, il réussit à les contrôler suffisamment pour allumer la lampe à gaz et le poêle. Il n'en finissait pas de trembler, il n'avait jamais eu aussi froid de sa vie. Un froid qui pénétrait jusqu'à la moelle des os.

« Putain qu'il fait froid, putain que j'ai froid », se répétait-il en boucle. Il se parlait à voix haute, une façon de ne pas céder à la panique, de se tenir compagnie en quelque sorte.

Le vent s'engouffrait comme un dieu malveillant à travers la fenêtre. Leif Pudas prit un gros oreiller qu'il parvint à coincer entre la tringle à rideau et le mur.

Il trouva une doudoune rouge qui devait appartenir à Mme Persson, dénicha un tiroir rempli de sous-vêtements, enfila deux caleçons longs, le premier sur les jambes et l'autre sur la tête.

Il se réchauffait peu à peu. Debout près du poêle, il sentait la douleur augmenter progressivement dans chaque parcelle de son corps. D'un côté de son visage, il ne sentait plus ni l'oreille ni la joue, ce qui n'était pas bon signe.

Sur la banquette était posé un épais tas de couvertures. Elles étaient complètement glacées bien sûr, mais cela ne l'empêcherait pas de s'enrouler dedans, au moins pour l'isolation.

J'ai survécu, se disait-il. Qu'est-ce que j'en ai à faire de perdre une oreille.

Il alla prendre une des couvertures, imprimées de grosses fleurs dans différentes nuances de bleu, une relique des années soixante-dix.

En la soulevant, il découvrit une femme, les yeux ouverts et congelés, blancs comme du verre recouvert de givre. Son menton et ses mains étaient souillés d'une sorte de gruau, peut-être du vomi. Elle était en tenue de sport. Et une tache rouge maculait son sweat-shirt.

Il ne hurla pas. Il ne fut même pas surpris. C'était comme s'il avait déjà usé toutes ses émotions après ce qu'il venait de vivre.

« Eh ben merde, alors ! » dit-il simplement.

Et le sentiment qui le traversa ressemblait plutôt à celui qu'on ressent quand un chiot pisse dans la maison pour la centième fois. Un découragement devant l'inéluctable.

Il résista à la tentation de reposer la couverture sur le corps de la femme et d'oublier ce qu'il venait de voir.

Il s'assit et réfléchit. Que faire à présent ? Il fallait évidemment qu'il aille à la station touristique. Mais s'y rendre en pleine nuit lui paraissait insurmontable. D'un autre côté, il n'avait pas le choix. Et il n'avait pas envie non plus d'attendre le lever du jour en compagnie d'un cadavre.

Il avait simplement besoin de rester encore un petit moment dans la cabane. Au moins jusqu'à ce qu'il ait un peu moins froid.

Ce fut comme si une forme de complicité s'installait entre eux. Elle lui tint compagnie pendant l'heure qu'il passa les mains tendues vers le poêle tandis que les différentes parties de son corps dégelaient dans la douleur.

Il ne disait rien. Elle non plus.

L'officier de police Anna-Maria Mella et son collègue Sven-Erik Stålnacke arrivèrent sur les lieux à minuit moins le quart. Ils avaient emprunté deux motoneiges à la station touristique d'Abisko. L'un des deux était équipé d'une luge. Un guide de montagne leur avait proposé son aide. Il conduisit les deux inspecteurs sur place dans le blizzard et la nuit.

L'homme qui avait découvert le corps attendait à la station touristique. Il avait déjà été entendu par la brigade mobile qui était arrivée la première.

La réception était fermée quand Leif Pudas avait rejoint la station. Le personnel du pub avait mis un certain temps à le prendre au sérieux. On était samedi soir et les serveurs avaient l'habitude de voir des touristes habillés n'importe comment. Il n'était pas rare qu'ils boivent une bière en sous-vêtements après avoir retiré leur combinaison. Leif Pudas avait débarqué vêtu d'une doudoune qui lui arrivait à peine au nombril et d'une paire de caleçons longs sur la tête en guise de turban.

Il avait fallu qu'il éclate en sanglots pour qu'ils comprennent que quelque chose de grave s'était produit. Ils l'avaient écouté raconter son histoire et l'avaient surveillé en attendant l'arrivée de la police.

Il prétendait avoir trouvé une femme morte. Il dut leur répéter plusieurs fois que ce n'était pas dans son arche qu'il l'avait trouvée. Ils pensèrent malgré tout qu'il s'agissait probablement d'un homme qui avait tué son épouse. Personne n'avait osé le regarder dans les yeux. Il était tout seul dans son coin en train de pleurer sans déranger personne quand la police était arrivée.

Il s'était avéré impossible de délimiter un périmètre autour de l'arche, la tempête emportait les bandes de plastique jaune et noir au fur et à mesure qu'on essayait de les fixer sur leurs piquets. Au lieu de cela, on avait dû les nouer autour de la cabane comme un paquet cadeau. Elles battaient maintenant furieusement au vent. Les experts de la police scientifique étaient arrivés et travaillaient à l'extérieur éclairés par les phares des scooters, et à l'intérieur dans la faible lumière dispensée par une lampe à gaz.

On ne pouvait pas rentrer à plus de deux dans la cabane. Pendant que les techniciens faisaient leur boulot, Anna-Maria Mella et Sven-Erik Stålnacke piétinaient dehors.

Ils ne pouvaient pas s'entendre à cause du blizzard et de leurs gros bonnets. Même Sven-Erik, qui mettait un point d'honneur à rester tête nue tout l'hiver, s'était résigné à porter une chapka à oreilles. Ils se parlaient en hurlant et en gesticulant comme deux gros bonshommes Michelin dans leurs combinaisons.

« Regarde ça. C'est dingue ! »

Elle ouvrit les bras comme on déploie une voile. C'était une petite femme et elle ne pesait pas très lourd. La glace avait fondu dans la journée et regelé dans la nuit pour se transformer en un miroir lisse. Le vent la poussa et elle commença lentement à glisser.

Sven-Erik éclata de rire et fit mine de la rattraper avant qu'elle ne s'en aille de l'autre côté du Torneträsk.

Les experts sortirent de l'arche.

« Une chose est sûre, elle n'a pas été tuée ici ! cria l'un d'eux, s'adressant à Anna-Maria. Arme blanche, à première vue. Il n'y a aucun signe que ça se soit passé dans cette cabane. Vous pouvez emporter le corps. On continuera demain quand on y verra quelque chose.

— Et quand on se gèlera un peu moins les fesses ! » hurla son collègue qui était loin d'être habillé assez chaudement.

Les techniciens allèrent s'asseoir dans la remorque du scooter et repartirent vers la station touristique.

Anna-Maria Mella et Sven-Erik Stålnacke entrèrent dans l'arche.

Elle était exiguë et glacée.

« Enfin, au moins on est à l'abri de cette foutue tempête, dit Sven-Erik en refermant la porte. Voilà, maintenant on va pouvoir se parler normalement. »

La table murale à rabat était recouverte d'une toile cirée avec un motif d'arbres. Quatre chaises en plastique blanc étaient empilées les unes sur les autres. Le coin cuisine était équipé d'une plaque de cuisson et d'un petit évier. Un rideau de bistrot à carreaux rouges et blancs était accroché devant la fenêtre en plexiglas, et un vase en céramique contenant un bouquet de fleurs artificielles en tissu était posé sur le rebord. Un oreiller coincé entre la fenêtre et la tringle empêchait tant bien que mal le vent d'entrer.

Sven-Erik ouvrit l'unique placard. Il n'y trouva qu'un réchaud à eau-de-vie. Il le referma.

« Bon. Celui-là on ne l'a pas vu », dit-il, laconique.

Anna-Maria regarda la femme allongée sur la banquette.

« Un mètre soixante-quinze ? » proposa-t-elle.

Sven-Erik acquiesça en cassant les petits glaçons collés dans sa moustache.

Anna-Maria sortit un dictaphone de sa poche. Elle eut un peu de mal à le mettre en marche parce que les piles étaient trop froides.

« Allez... », dit-elle en tenant l'appareil au-dessus du poêle qui luttait vaillamment pour tenter de réchauffer l'espace malgré la fenêtre ouverte et le gros courant d'air venant de la porte.

Lorsqu'elle réussit enfin à le faire fonctionner, elle enregistra un signalement.

« Femme, blonde, cheveux mi-longs coupés au carré, la quarantaine... Jolie. Enfin je trouve. Qu'en penses-tu ?

— Hmm, répondit Sven-Erik.

— Jolie. Un mètre soixante-quinze environ, mince, forte poitrine. Pas d'alliance. Pas de bijoux. Couleur des yeux difficile à définir en l'état, le médecin légiste pourra peut-être... Veste de jogging de couleur claire, modèle coupe-vent, taché, vraisemblablement avec du sang. Nous ne tarderons pas à le savoir. Bas de jogging assorti, chaussures de trail. »

Anna-Maria se pencha au-dessus de la femme.

« Maquillée. Rouge à lèvres, fard à paupières et mascara, poursuivit-elle dans le dictaphone. C'est un peu bizarre de se maquiller pour aller courir, non ? Et pourquoi est-ce qu'elle n'a pas de bonnet ?

— Il a fait beau aujourd'hui, et chaud. Hier aussi, répliqua Sven-Erik. Quand il n'y a pas de vent…

— Enfin on est quand même en hiver ! Il n'y a que toi pour ne pas porter de bonnet. Ses vêtements n'ont pas l'air bon marché en tout cas, et elle non plus, d'ailleurs. Elle a quelque chose de raffiné. »

Anna-Maria éteignit le dictaphone.

« Il faut que nous commencions à interroger les gens dès ce soir. À la station touristique et dans la partie est d'Abisko. Nous demanderons aux commerçants s'ils la connaissent. Quelqu'un a bien dû signaler sa disparition !

— J'ai l'impression de l'avoir déjà vue quelque part », dit Sven-Erik, pensif.

Anna-Maria hocha la tête.

« Elle vient peut-être de Kiruna. Tu penses avoir eu affaire à elle ? Une dentiste ? Quelqu'un qui tient une boutique ? Une banquière peut-être ? »

Sven-Erik secoua la tête.

« Arrête, dit-il. Ça reviendra tout seul si ça doit revenir.

— Il faudrait qu'on fasse la tournée des arches aussi, dit Anna-Maria.

— Bien sûr. Tu as vu le temps qu'il fait ?

— Il va falloir y aller quand même.

— Je sais. »

Ils échangèrent un long regard.

Anna-Maria trouvait que Sven-Erik avait l'air fatigué. Fatigué et déprimé aussi. Les cadavres de femmes lui faisaient souvent cet effet-là. Évidemment, la plupart du temps il s'agissait de morts tragiques. On les retrouvait assassinées dans leur cuisine pendant que leur mari sanglotait dans la chambre à coucher, et encore, on avait de la chance quand ils n'avaient pas sur les lieux de jeunes enfants ayant assisté au drame.

Elle était en général moins affectée. Sauf quand il s'agissait d'enfants. D'enfants ou d'animaux. Ça, elle ne s'y habituerait jamais. Mais ce genre de meurtre… Cela ne l'amusait pas, bien sûr. Elle n'aimait pas que les gens se fassent tuer. Mais une affaire comme celle-là… ça mettait du piment dans sa vie. Et elle en avait besoin.

Elle rit intérieurement de la moustache de Sven-Erik. On aurait dit un petit animal écrasé sur la route. Elle se demanda s'il se sentait seul. Sa fille habitait à Luleå avec sa famille, maintenant. Ils ne devaient pas se voir très souvent.

Et puis Manne, son chat, avait disparu un an et demi auparavant. Anna-Maria avait essayé de le convaincre d'en prendre un autre, mais il n'avait jamais voulu. « Ça n'apporte que des problèmes, avait-il répliqué. On ne peut pas bouger quand on a un animal domestique. » Mais elle n'était pas dupe. Il voulait surtout éviter d'avoir du chagrin à nouveau. Il avait été tellement inquiet pour Manne à l'époque. Il s'était longtemps demandé ce qui avait pu lui arriver. Finalement il avait perdu espoir et avait cessé d'en parler.

Anna-Maria avait de la peine pour lui. Sven-Erik était un brave homme. Il pouvait faire le bonheur d'une femme. Et il était le meilleur maître dont un animal pouvait rêver. Anna-Maria et lui s'entendaient bien mais il ne leur serait pas venu à l'idée de se fréquenter en privé. Pas seulement parce qu'il était beaucoup plus âgé qu'elle. Ils n'avaient tout simplement pas grand-chose en commun. Quand il leur arrivait de se croiser en ville ou en faisant leurs courses, ils avaient toujours du mal à trouver un sujet de conversation. À l'inverse, dans le boulot, ils bavardaient de tout et de rien et s'entendaient comme larrons en foire.

Sven-Erik regarda Anna-Maria. C'était vraiment un tout petit bout de femme. Elle ne devait pas mesurer plus d'un mètre cinquante. Elle disparaissait pratiquement dans la grosse combinaison de motoneige. Ses longs cheveux blonds étaient aplatis à cause du bonnet. Mais elle s'en fichait. Elle n'aimait pas le maquillage et ce genre de choses. Ou alors elle n'avait pas le temps avec quatre enfants et un mari qui n'avait pas l'air de participer beaucoup aux tâches ménagères. À part ça, Robert était un chic type et Anna-Maria et lui avaient l'air d'être heureux ensemble. C'est juste qu'il avait un poil dans la main.

D'un autre côté, Sven-Erik ne se souvenait pas d'avoir aidé beaucoup à la maison du temps où Hjördis et lui étaient mariés. Il se rappelait en revanche qu'il avait eu du mal à s'habituer à faire la cuisine quand il s'était retrouvé seul.

« Bon, dit Anna-Maria. Toi et moi on va aller affronter la tempête pour interroger les gens dans les arches et on laissera les autres s'occuper de la ville et de la station touristique, qu'en penses-tu ? »

Son collègue ricana.

« Pourquoi pas ? Mon samedi soir est gâché de toute façon. »

En réalité il n'était pas gâché du tout. Qu'est-ce qu'il aurait fait ce soir s'il avait été chez lui ? Regardé la télé et profité du sauna chez son voisin. Comme toutes les semaines.

« Ce n'est pas faux », dit Anna-maria sans conviction. Elle remonta la fermeture éclair de sa combinaison.

Pour elle la soirée était loin d'être gâchée. Un preux chevalier ne passe pas sa vie dans le cocon familial. Il deviendrait fou. Il a besoin de sortir son épée du fourreau. Ensuite il peut rentrer chez lui, fatigué et sevré d'aventures, et se ficher de trouver les cartons de pizza vides et les bouteilles en plastique entassés sur la table du salon. Est-ce que ce n'était pas ça, la vraie vie ? Aller frapper aux portes, sur la glace au milieu de la nuit ?

« J'espère qu'elle n'avait pas d'enfants », dit Anna-Maria avant qu'ils retournent dans le blizzard.

Sven-Erik s'abstint de répondre. Il avait un peu honte. Il n'avait pas pensé à d'éventuels enfants. Il avait seulement espéré qu'il n'y avait pas dans un appartement quelque part un chat enfermé en train d'attendre sa maîtresse.

Novembre 2003

Rebecka Martinsson a quitté l'hôpital psychiatrique de Saint Göran. Elle est partie pour Kiruna. En ce moment, elle est assise dans un taxi garé devant la maison de sa grand-mère paternelle à Kurravaara.

Depuis la mort de celle-ci, la maison est devenue la propriété indivise de Rebecka et de son oncle Affe. C'est une maison grise avec un toit en fibrociment, construite sur un terrain au bord du fleuve. Le parquet est recouvert d'un linoléum usé et des fleurs de salpêtre poussent sur les murs.

Avant, la maison sentait le vieux mais elle était habitée. Elle sentait les bottes en caoutchouc mouillées, l'étable, la cuisine et le pain. L'odeur rassurante de sa grand-mère. Et de son père, bien sûr, à l'époque. Maintenant la maison sent le renfermé et l'abandon. La cave est pleine de laine de verre pour empêcher le froid de remonter.

Le chauffeur de taxi porte sa valise. Il lui demande s'il doit la déposer au rez-de-chaussée ou à l'étage.

« En haut », répond-elle.

Sa grand-mère et elle vivaient au premier.

Son père occupait le rez-de-chaussée. Ses meubles sont encore là, dormant paisiblement sous de grands draps, d'un étrange sommeil hors du temps. Inga-Britt, la femme de l'oncle Affe, utilise l'appartement du bas comme garde-meuble. Le nombre de cartons remplis de livres et de vêtements augmente sans cesse. Il y a aussi des vieilles chaises qu'Inga-Britt a achetées pour une bouchée de pain et qu'elle se propose de restaurer un jour. Les meubles de son père, sous leurs draps blancs, sont repoussés de plus en plus loin contre les murs.

Mais pour Rebecka cela ne change rien que cet appartement ne ressemble plus à ce qu'il était avant. Il restera toujours « l'appartement du bas ».

Son père est mort depuis plusieurs années, mais chaque fois qu'elle entre dans cette maison, elle le revoit comme il était jadis, assis sur la banquette de la cuisine. C'est l'heure de prendre le petit déjeuner au premier, chez grand-mère. Il a entendu qu'elle descendait l'escalier et s'empresse de se remettre en position assise. Il porte une chemise de flanelle à carreaux rouges et noirs et un gros pull norvégien Helly Hansen. Le bas de son pantalon de travail bleu en beaver nylon est rentré dans de grosses chaussettes en laine, tricotées par grand-mère. Il a les yeux un peu gonflés. Quand elle entre dans la pièce, il frotte son menton mal rasé et sourit.

Beaucoup de choses lui échappaient en ce temps-là. Mais peut-être les remarquait-elle déjà sans les comprendre ? Ce geste de la main dans les poils de barbe, à présent elle sait qu'il exprimait la gêne. Et alors ? Quelle importance qu'il ne se soit pas rasé ? Et qu'il ait dormi tout habillé ? Elle s'en fiche. Il est beau. Il est tellement beau.

Et le cruchon de bière sur le plan de travail. Le métal lisse et patiné. Il y a bien longtemps qu'il ne contient plus de bière. Il boit autre chose à présent, mais il préfère que les gens pensent que c'est de la bière blonde.

Elle aimerait lui dire que ça lui était égal, à elle. C'était maman qui faisait des histoires. Je t'aimais très fort, papa. Très, très fort.

Le taxi est reparti. Elle a fait du feu dans la cheminée et allumé les radiateurs.

Elle est couchée par terre dans la cuisine sur l'un des tapis de chiffons de grand-mère. Elle regarde voler une mouche. Elle vrombit avec une obstination désespérée. Se cogne au plafond avec un bruit sourd, comme si elle était aveugle. Elles réagissent toujours comme ça quand elles sont réveillées par le changement de température dans la maison. Leur bourdonnement devient forcé et fébrile, leur vol maladroit et lent. La mouche se pose sur le mur et se déplace mollement et de manière erratique. Elle est à moitié engourdie. Rebecka pourrait la tuer à main nue si elle voulait. Ne serait-ce que pour pouvoir profiter du silence. Mais elle a la flemme de se lever. Préfère rester allongée à la regarder. De toute façon, elle sera bientôt morte. Elle la jettera après.

Décembre 2003

On est mardi. Le mardi, Rebecka se rend en ville pour son rendez-vous avec la psychiatre chez qui elle va chercher sa dose hebdomadaire de Cipramil. Sa thérapeute a la quarantaine. Rebecka fait tout ce qu'elle peut pour ne pas lui montrer le dédain qu'elle ressent pour elle. Mais elle ne peut pas s'empêcher de mépriser ses chaussures bon marché et sa veste mal coupée.

Mais le mépris est un sentiment dangereux. Il a vite fait de se retourner contre vous : et toi alors ? Tu n'es même pas fichue de travailler.

La psychiatre lui demande de lui parler de son enfance.

« Pourquoi ? réplique Rebecka. Cela n'a rien à voir avec ce qui m'amène ici, si ?

— Pourquoi êtes-vous ici, à votre avis ? »

Cette manie de répondre aux questions par d'autres questions l'agace prodigieusement. Elle baisse les yeux pour cacher son irritation.

Que dire ? Le moindre mot est un bouton rouge. Qui sait ce qui arriverait si on appuyait dessus ? On se souvient d'avoir bu un verre de lait et puis tout le reste déboule.

Je n'ai aucune envie d'aller me vautrer dans tout cela, songe-t-elle avec un regard haineux pour la boîte de mouchoir jetable toujours posée sur le bureau, entre la psy et elle.

Elle se regarde avec un regard extérieur. Incapable de travailler. Assise le matin sur la lunette glacée des toilettes, pressant sa tablette de comprimés, terrifiée par ce qui arriverait si elle ne les prenait pas.

Ce ne sont pourtant pas les mots qui manquent. Pénible, pathétique, misérable, répugnante, dégoûtante, encombrante, folle, malade, meurtrière.

Il faut qu'elle se montre un peu plus gentille avec la psychiatre. Plus docile. Moins compliquée. En voie de guérison.

Je lui raconterai un truc, se promet-elle. La prochaine fois.

Elle pourrait mentir. Elle l'a déjà fait.

Elle pourrait dire : C'est à cause de ma mère. Je crois qu'elle ne m'aimait pas. Et ce ne serait pas réellement un mensonge. Ce serait même un peu vrai. Mais cette vérité en cache une autre :

Je n'ai pas pleuré quand elle est morte. J'avais onze ans et je ne ressentais rien du tout. Il y a quand même quelque chose qui ne tourne pas rond chez moi.

Nuit de la Saint-Sylvestre 2003

Rebecka réveillonne avec Bella, la chienne de Sivving Fjällborg. Sivving est son voisin. Sa grand-mère et lui étaient amis quand Rebecka était petite.

Il a proposé à Rebecka de venir avec lui dans la famille de sa fille Lena. Elle a hésité un peu mais a fini par refuser. Du coup il lui a laissé la chienne. En général cela ne lui pose pas de problème d'emmener Bella. Mais cette fois il a prétendu qu'il avait besoin de quelqu'un pour la garder. En réalité, c'est surtout Rebecka qui a besoin qu'on la garde. Quoi qu'il en soit, Rebecka est contente qu'elle soit là.

Bella est une drahthaar pleine de vie. Elle est obsédée par la nourriture, comme tous les chiens de cette race, et elle serait ronde comme une saucisse si elle ne se dépensait pas autant. Sivving la laisse courir autant qu'elle veut sur le fleuve gelé et la confie parfois à des gens de la ville qui l'emmènent à la chasse. Dans la maison elle ne tient pas en place et elle vous tourne autour des jambes à vous rendre cinglée. Elle se lève et aboie au moindre bruit. À cause de cette activité permanente, elle est maigre comme un clou et on lui voit les côtes.

En général c'est une punition pour elle de rester couchée. Mais en ce moment, Bella est en train de ronfler sur le lit. Rebecka vient de faire une balade de plusieurs heures en ski de fond le long du fleuve. Au début c'était Bella qui la traînait au bout de sa laisse. Ensuite, Rebecka l'a lâchée et la chienne a couru comme une folle, faisant voler la neige autour d'elle. Sur le chemin du retour, elle trottait, ravie, dans les traces de Rebecka.

Vers dix heures du soir, Rebecka reçoit un coup de téléphone de Måns, le patron du cabinet d'avocats dans lequel elle travaillait avant son hospitalisation.

Elle passe la main dans ses cheveux en entendant sa voix. Comme s'il pouvait la voir.

Elle pense à lui. Souvent. Elle croit savoir qu'il a appelé l'hôpital pour prendre de ses nouvelles. Mais elle n'en est pas sûre. Elle ne se souvient plus très bien mais elle pense avoir répondu à l'infirmière qu'elle ne voulait pas lui parler. Les électrochocs la plongeaient dans la confusion. Sa mémoire immédiate avait tendance à disparaître. Elle était devenue comme ces vieilles personnes qui répètent plusieurs fois la même chose en l'espace de cinq minutes. Elle préférait ne parler à personne tant qu'elle était comme ça. Et surtout pas à Måns.

« Comment ça va ? lui demande-t-il.

— Ça va, répond-elle avec l'impression d'avoir tout à coup un tambourin dans la poitrine, au simple son de sa voix. Et toi ?

— Super. Je vais super bien. »

C'est à son tour de dire quelque chose. Elle essaye de trouver une idée spirituelle, de préférence humoristique, mais ses neurones ont cessé de fonctionner.

« Je suis dans une chambre d'hôtel à Barcelone, reprend-il finalement.

— Moi je regarde la télévision avec la chienne de mon voisin. Il fête la nouvelle année avec sa fille. »

Måns ne répond pas immédiatement. Il attend une seconde. Rebecka écoute. Ensuite elle repensera à cette seconde comme si elle était une adolescente. Comment fallait-il l'interpréter ? Était-elle l'expression d'une petite pointe de jalousie à l'égard de ce voisin inconnu, propriétaire d'un chien ?

« Et c'est qui ? lui demande Måns.

— Oh, c'est juste Sivving. Un retraité qui habite de l'autre côté de la route. »

Elle se met à parler de Sivving. Raconte qu'il habite dans sa chaufferie avec son chien. Parce que c'est plus pratique et qu'il a tout ce dont il a besoin sur place, un réfrigérateur, une douche et une plaque de cuisson. Et puis parce qu'il y a moins de ménage à faire quand on ne se disperse pas dans toute la maison. Elle lui explique aussi comment lui est venu son prénom. À l'origine, il s'appelait Erik, mais sa mère, extrêmement fière que son fils soit ingénieur civil, un titre qui est une traduction de l'anglais *civil engineer*, avait cru bon d'ajouter « Civ. Eng. » devant son nom dans l'annuaire. Seulement, dans ces petites communautés où l'humilité est la plus grande des vertus, il l'avait payé très cher. À dater de ce jour, où qu'il aille, on ne manquait pas de l'accueillir avec la formule : « N'est-ce pas monsieur Civ. Eng. qui nous fait l'honneur de sa visite ? » Avec le temps Civeng était devenu Sivving.

Måns éclate de rire. Elle aussi. Puis ils éclatent de rire à nouveau à défaut de trouver autre chose à se dire.

Il lui demande s'il fait froid. Elle grimpe sur le canapé pour regarder le thermomètre.

« Moins trente-deux.

— Quelle horreur ! »

Le silence s'installe à nouveau. Un peu trop longtemps. Soudain Måns dit :

« Je voulais juste te souhaiter une bonne année… Je suis toujours ton patron, après tout. »

Qu'est-ce qu'il veut dire par là ? se demande Rebecka. Est-ce qu'il appelle tous ses collaborateurs pour leur souhaiter une bonne année ? Ou uniquement ceux dont il sait qu'ils n'ont pas de vie sociale ? Ou bien est-ce parce qu'il l'aime bien ?

« Bonne année à toi aussi », répond-elle. Et comme sa phrase ressemble un peu à une réponse de politesse, elle s'autorise à mettre un peu plus de douceur dans sa voix que depuis le début de la conversation.

« Bon… Je crois que je vais aller voir les feux d'artifice…, dit Måns.

— De toute façon il faut que je sorte le chien… », dit Rebecka.

Après qu'ils ont raccroché, elle reste un long moment le téléphone à la main. Était-il seul à Barcelone ? Probablement pas ! Il avait raccroché un peu trop vite. Est-ce qu'elle n'avait pas entendu une porte s'ouvrir et se refermer ? Quelqu'un était-il entré dans sa chambre d'hôtel ? Était-ce pour cela qu'il avait interrompu leur conversation aussi précipitamment ?

Juin 2004

Le procureur Alf Björnfot dut supplier pour qu'on engage Rebecka Martinsson. Heureusement, elle n'était pas là pour l'entendre, car sa fierté naturelle l'aurait empêchée d'accepter le poste.

Il a rendez-vous pour dîner de bonne heure après le travail avec le juge Margareta Huuva, sa supérieure hiérarchique. Il choisit un restaurant avec des serviettes en coton et des fleurs fraîches dans les vases.

Tout ceci met Margareta Huuva de bonne humeur, d'autant plus que le serveur écarte obligeamment sa chaise quand elle va s'asseoir et lui fait un compliment.

On dirait un rendez-vous galant entre deux personnes qui se sont rencontrées sur le tard. Tous deux ont plus de soixante ans.

Mme la juge Huuva est petite et plutôt ronde. Sa coupe courte et seyante met en valeur ses cheveux gris argent, et son rouge à lèvres rose est assorti au polo qu'elle porte sous sa veste bleu marine.

En s'asseyant, Alf Björnfot note que le pli de son pantalon a pratiquement disparu à la hauteur des genoux et que, comme d'habitude, il a enfoncé les rabats des poches de sa veste.

« Arrête de toujours fourrer des trucs dans tes poches », lui reproche régulièrement sa fille en lissant les rabats froissés.

Margareta Huuva demande à Alf Björnfot de lui expliquer pourquoi il tient tant à travailler avec Rebecka Martinsson.

« J'ai besoin dans ma circonscription d'une personne qui s'y connaisse en criminalité financière, répond-il. La S/A Luossavaara-Kirunavaara vend de plus en plus par adjudication. De nombreuses sociétés commencent à s'implanter dans la région et nous sommes plus fréquemment confrontés à des affaires de criminalité économique qu'avant. Si nous réussissons à convaincre Rebecka Martinsson de nous rejoindre, nous en aurons pour notre argent. C'est une juriste exceptionnelle. Elle faisait partie de l'un des meilleurs cabinets d'affaires de Suède avant de venir s'installer chez nous.

— Avant de tomber malade et d'être internée, tu veux dire, répliqua sévèrement Margareta Huuva. Qu'est-ce qui lui est arrivé exactement ?

— Je ne me suis pas occupé de l'enquête mais elle a tué ces trois types à Jiekajärvi il y a un peu plus de deux ans. C'était clairement de la légitime défense et il n'y a jamais eu l'ombre d'une mise en accusation à son endroit. Ensuite… eh bien, il y a eu cette histoire à Poikkijärvi alors qu'elle commençait à peine à reprendre pied. Lars-Gunnar Vinsa l'a enfermée dans sa cave avant de tuer son fils et de se donner la mort. C'est en voyant le cadavre du gamin qu'elle a craqué.

— Et qu'elle a atterri dans un service fermé à l'hôpital psychiatrique.

— Oui, à ce moment-là elle ne savait plus du tout où elle en était. »

Alf Björnfot se tait et se souvient de ce que les inspecteurs Anna-Maria Mella et Sven-Erik Stålnacke lui ont raconté. Qu'elle hurlait comme une forcenée. Qu'elle s'était mise à voir des choses et des gens qui n'étaient pas là. Qu'ils avaient été forcés de l'immobiliser pour l'empêcher de se jeter dans le fleuve.

« Et tu voudrais que je nomme cette femme procureur adjoint ?

— Elle est guérie maintenant. Il y a peu de risques qu'elle soit à nouveau exposée à une situation comme celle-là. Si ça ne lui était pas arrivé, en ce moment elle serait à Stockholm en train de gagner plein de fric. Mais elle a préféré rentrer chez elle. Et je ne crois pas qu'elle ait envie de retourner travailler dans un cabinet d'avocats.

— D'après Calle von Post, elle n'a pas fait d'étincelles à l'époque où elle représentait Sanna Strandgård.

— Il l'a embauchée pour faire le café ! C'est un phallocrate ! Il ne faut pas croire ce qu'il dit ! Il se prend pour Dieu sur terre, ce type-là ! »

Margareta Huuva sourit et baisse les yeux sur son assiette. Personnellement elle n'a rien à reprocher à Calle von Post. C'est un garçon qui sait caresser ses supérieurs dans le sens du poil. Mais elle n'est pas assez naïve pour ne pas se rendre compte qu'au fond, c'est un petit con imbu de lui-même.

« Six mois. Pour commencer. »

Le procureur gémit.

« Non. Ce n'est pas possible. Elle est avocate et gagne au moins le double de ce que je gagne. Je ne peux pas lui proposer une période d'essai.

— Avocate ou pas, pour l'instant on ne sait même pas si elle est capable de trier les fruits dans un supermarché. Ce sera une période d'essai ou rien. »

La décision est prise et ils passent à des sujets de conversation plus anodins, échangeant des ragots sur leurs confrères, quelques policiers, un ou deux juges et les politiciens locaux.

Une semaine plus tard, le procureur Alf Björnfot est assis avec Rebecka sur les marches du perron devant sa maison de Kurravaara.

Les hirondelles traversent le ciel comme projetées par un lanceur de couteaux. Elles font un drôle de cliquetis au moment où elles plongent sous l'avant-toit de la grange. Elles réapparaissent presque aussitôt. On entend leurs petits qui pépient, impatients.

Rebecka observe Alf Björnfot à la dérobée. C'est un homme d'une soixantaine d'années, mal habillé, avec une paire de lunettes de lecture pendues autour du cou par un cordon en cuir. Il est sympathique. Elle se demande s'il est bon dans ce qu'il fait.

Ils boivent du café dans des mugs et elle lui offre des biscuits anglais directement dans le paquet. Il est venu lui proposer un poste de procureur adjoint à Kiruna.

« J'ai besoin de quelqu'un de compétent, dit-il avec simplicité. Et qui voudra rester. »

Tandis qu'elle lui donne sa réponse, il l'écoute, les yeux fermés et le visage tourné vers le soleil. Il n'a plus beaucoup de cheveux et il commence à avoir des taches de vieillesse sur le crâne.

« Je ne sais pas si je suis encore capable de faire ce genre de travail, lui dit Rebecka. Je ne fais plus confiance à ma tête.

— Mais ce serait quand même dommage de ne pas essayer, riposte-t-il sans ouvrir les yeux. Donnez-vous six mois. Si ça ne marche pas, ça ne marche pas.

— Je suis devenue folle, vous le saviez ?

— Oui, je connais les officiers de police qui vous ont retrouvée. »

À nouveau il fallait qu'on lui rappelle ça. Qu'elle était un sujet de conversation.

Le procureur Björnfot a toujours les yeux clos. Il se demande s'il a bien fait de dire ce qu'il vient de dire. C'était peut-être maladroit ? Non, décide-t-il. Avec une femme comme elle, il vaut mieux jouer la carte de la franchise, il le sent.

« Ce sont eux qui vous ont dit que j'étais revenue m'installer ici ?

— Exact. L'un d'eux a une cousine à Kurravaara. »

Rebecka rit. Un rire bref et sans joie.

« Il n'y a que moi qui ne sache rien sur personne, finalement. J'ai craqué, poursuit-elle au bout de quelques secondes. Je n'ai pas supporté de voir le cadavre de Nalle allongé dans la cour. Je l'aimais beaucoup. Quant à son père… j'ai cru qu'il allait me tuer. »

Alf Björnfot grogne. Ne fais pas de commentaire. Garde les yeux fermés. Rebecka en profite pour lui jeter un coup d'œil furtif. C'est plus facile pour elle de parler quand on ne la regarde pas.

« On croit que ce genre de choses n'arrive qu'aux autres. Au début, j'avais tout le temps peur que cela m'arrive à nouveau. J'étais terrifiée de devoir vivre le restant de mes jours dans un cauchemar.

— Et maintenant, vous pensez encore que cela peut se reproduire ?

— Vous voulez dire n'importe quand ? On traverse la rue et… bam ! »

Elle ferme le poing, l'ouvre, écarte les doigts, comme pour illustrer un feu d'artifice de démence meurtrière.

« J'avais besoin de la folie à ce moment-là. La réalité était trop lourde à gérer.

— Tout cela m'est égal », déclare Alf Björnfot. Et cette fois, il la regarde.

« J'ai besoin de procureurs talentueux. »

Il se tait un instant. Puis il continue. Plus tard, Rebecka se rappellera ce qu'il a dit ce jour-là et elle se dira qu'il savait exactement ce qu'il faisait. Comment il devait s'y prendre avec elle. Elle réalisera qu'il connaît bien la nature humaine.

« Je comprends que vous hésitiez. Le poste à pourvoir est à Kiruna. Vous risquez de vous sentir un peu seule. Les autres procureurs sont à Gällivare et à Luleå et ils ne viennent que lorsqu'ils ont une audience au tribunal. L'idée est que vous vous chargiez de la plupart des auditions. Une secrétaire juridique viendrait une fois par semaine pour s'occuper de poster les assignations à comparaître et ce genre de choses. »

Elle promet de réfléchir à sa proposition. Mais la perspective de travailler seule l'aide à se décider. Ne pas être obligée de côtoyer des gens. Et aussi le coup de fil qu'elle a reçu de sa mutuelle la semaine dernière pour lui parler de stages et de réinsertion progressive sur le marché du travail. L'idée de se retrouver avec de pauvres salariés victimes de burn-out dans des séances de pensée positive ou des formations de remise à niveau informatique l'avait tétanisée.

« La trêve est terminée, annonce-t-elle à Sivving ce soir-là. Il n'y a pas de raison que le métier de procureur soit pire qu'un autre. »

Sivving est en train de retourner des tranches de boudin dans une poêle.

« Arrête de donner des morceaux de pain à la chienne sous la table. Tu crois que je ne te vois pas ? Et ton métier d'avocate ?

— Plus jamais. »

Elle pense à Måns. Elle va devoir lui donner sa démission. Dans un sens cette idée lui fait plaisir. Elle avait le sentiment d'être un poids pour le cabinet depuis longtemps. Mais évidemment en faisant cela elle renonce à lui pour toujours.

C'est mieux comme ça, songe-t-elle. À quoi ressemblerait la vie avec lui ? Est-ce qu'elle ne se retrouverait pas à fouiller ses poches pendant qu'il dort pour s'assurer qu'il n'est pas allé boire au pub ? D'autres qu'elle étaient passées par là. Måns était incapable de vivre en couple. Il ne voyait presque plus ses enfants adultes. Il était divorcé. Il n'avait que des aventures éphémères.

Elle a beau faire la liste de ses défauts, cela ne l'aide guère.

Quand elle travaillait avec lui, il arrivait qu'il pose la main sur son épaule. « C'est du bon travail,

Martinsson. » Il lui prenait le bras. Lui caressait fugitivement les cheveux.

Il faut que j'arrête de penser à lui, s'ordonne-t-elle. C'est obsessionnel. Passer son temps à penser à un homme, à ses mains, à sa bouche. Se le représenter cent fois par jour, de face, de dos et j'en passe. Ça devient ridicule.

Dimanche 6 mars 2005

La femme morte flottait dans la nuit sous le regard de l'inspecteur Anna-Maria Mella. Elle planait comme si un prestidigitateur avait jeté sa cape sur elle et l'avait fait léviter, allongée sur le dos, les bras le long du corps.

Qui es-tu ? lui demandait Anna-Maria dans son rêve.

Sa peau blanche et ses yeux de verre givré lui donnaient l'air d'une statue. Ses traits étaient ceux d'une déesse antique sculptée dans le marbre. Le nez commençait très haut, entre les sourcils, formant avec le front une ligne continue lorsqu'on la regardait de profil.

Gustav, le fils d'Anna-Maria, âgé de trois ans, se tourna dans son sommeil et lui donna une série de coups de pied dans les côtes. Elle empoigna son petit corps musclé et le retourna résolument, le dos contre elle. Elle l'attira à elle et lui caressa le ventre avec des mouvements circulaires sous la veste du pyjama, fourra le nez dans ses cheveux humides de transpiration et l'embrassa. Il soupira de bien-être sans se réveiller.

Il est si doux et si sensuel le temps qu'on passe avec ses enfants quand ils sont bébés. Après ils grandissent et c'en est fini des câlins et des baisers. Anna-Maria appréhendait le moment où il n'y aurait plus de petits à la maison. Elle espérait avoir un jour des petits-enfants. Il ne lui restait plus qu'à espérer que Marcus, son aîné, s'y mettrait de bonne heure.

Elle aurait toujours Robert, évidemment, se dit-elle en souriant avec un regard vers son mari endormi. Il y avait tout de même des avantages à garder le même homme depuis le départ. Je pourrai devenir toute flasque et avoir autant de rides que je voudrai, il verra toujours en moi la fille qu'il a rencontrée dans sa jeunesse.

Ou alors il faudrait qu'elle prenne un chien ou deux qui auraient le droit de dormir dans le lit avec leurs pattes sales.

Elle lâcha Gustav et prit son portable sur la table de nuit pour voir l'heure : quatre heures et demie.

Elle avait une sensation de brûlure sur une joue. Elle avait dû geler un peu la nuit précédente quand Sven-Erik et elle étaient allés frapper aux portes sur le lac glacé. Personne dans les arches voisines n'avait vu quoi que ce soit. Ses collègues et elle avaient interrogé les employés de la station, réveillé les touristes et empêché les clients des bars de rentrer chez eux. Aucun ne connaissait la victime. On avait même mis la main sur les propriétaires de l'arche dans laquelle on l'avait trouvée. Ils s'étaient montrés sincèrement choqués et avaient affirmé ne pas reconnaître la femme sur la photographie qu'on leur avait présentée.

Anna-Maria réfléchissait à un scénario plausible. Elle est allée courir. On a le droit de se maquiller pour aller courir. Ou alors elle est en train de marcher au bord de la Norgevägen. Une voiture s'arrête. Au volant, quelqu'un qu'elle connaît. La personne lui propose de la conduire quelque part. Ensuite, quoi ? Elle monte à bord et on lui donne un coup sur la tête ? Ou elle monte dans la voiture, va au sauna, se fait violer, résiste, prend un coup de couteau.

Ou bien le chauffeur est quelqu'un qu'elle ne connaît pas. Elle fait un jogging le long de la Norgevägen. Un homme passe à côté d'elle en voiture. Il fait demi-tour un peu plus loin. Peut-être qu'il la renverse et qu'il la charge sur la banquette arrière, ce qui expliquerait qu'elle ne se soit pas défendue. Il n'y a personne alentour. Il l'emmène dans une cabane…

Anna-Maria se retourne dans le lit et se dit qu'elle devrait essayer de se rendormir.

Elle n'a peut-être pas été violée, songe-t-elle tout à coup. Elle est partie courir sur le Torneträsk dans les traces de scooter. Elle croise un taré bourré de toutes sortes de drogues. Il a un couteau dans la poche. Il y en a partout des comme ça. Y compris sur le lac. C'est le cauchemar de toutes les femmes. Se trouver sur la trajectoire d'un type de ce genre au moment où il pète les plombs.

Arrête, se sermonne-t-elle. Ça ne sert à rien de te fourrer un tas d'idées préconçues dans la tête avant de savoir quoi que ce soit.

Il faut qu'elle parle au légiste, Lars Pohjanen. Il est arrivé de Luleå hier soir. La question est de savoir s'ils ont pu faire quelque chose avec le corps congelé.

Inutile de rester au lit plus longtemps. Pourquoi se rendormir ? Elle n'est pas fatiguée. Sa tête est pleine de petites cellules grises en train de jouer aux devinettes.

Elle se lève et se rhabille. Elle a l'habitude de le faire dans le noir, vite et sans bruit.

Il est cinq heures cinq lorsque Anna-Maria Mella gare sa Ford Escort rouge devant l'hôpital. L'agent de la sécurité la laisse entrer dans le souterrain qui mène à la morgue. Conduits de ventilation bourdonnants sous le plafond. Couloirs déserts. Linoléum usé au sol et bruit des portes qui s'ouvrent automatiquement devant elle. Elle rencontre un gardien en trottinette, mais à part lui tout est parfaitement calme et tranquille.

L'antre du médecin légiste est plongé dans le noir. Comme elle l'espérait, elle trouve le docteur Lars Pohjanen endormi dans le vieux canapé des années soixante-dix du fumoir. Il a le dos tourné et son maigre corps s'élève et s'abaisse au rythme d'une respiration difficile.

Il y a quelques années, il a été opéré d'un cancer de la gorge. Son assistante, le médecin légiste Anna Granlund, assure désormais une part importante de son travail. Elle ouvre les cages thoraciques, extrait les organes, effectue les analyses nécessaires, rapporte les organes, recoud les ventres, va chercher les affaires de Pohjanen chez lui, répond au téléphone, filtre les appels, ne lui communiquant que les plus importants, c'est-à-dire ceux de Mme Pohjanen, garde la salle d'autopsie propre et nette. Elle lave aussi sa blouse entre deux gardes et recopie ses rapports.

Ses pauvres sabots éculés sont rangés sous le canapé. Ils ont été blancs à une époque. Anna-Maria imagine Anna Granlund en train de border le vieux médecin avec le plaid synthétique à carreaux, de poser bien proprement ses sabots l'un à côté de l'autre, de retirer le mégot de ses lèvres et d'éteindre la lumière avant de partir.

Anna-Maria retire sa veste et s'assied dans le fauteuil recouvert du même tissu que le canapé.

Trente ans de poussière et de fumée de cigarette. Beurk, se dit-elle en tirant sa veste sur elle en guise de couverture.

Et elle s'endort comme une masse.

Une demi-heure plus tard, elle est réveillée par la toux de Pohjanen. Il est assis, penché en avant, au bord du divan, et elle craint un instant de voir la moitié de ses poumons atterrir sur ses genoux.

Anna-Maria se sent brusquement mal à l'aise et stupide. Quelle idée elle a eue d'entrer comme ça, en douce, et de s'endormir à côté de lui. Pourquoi ne pas aller se coucher dans le lit du bonhomme, tant qu'elle y est ?

Cracher ses bronches au réveil pendant que la grande faucheuse vous tient les épaules, ce n'est pas un spectacle qu'on a envie de montrer à n'importe qui.

Maintenant il est fâché.

La crise de toux de Pohjanen s'arrête enfin dans un raclement douloureux. La main monte à la poche de poitrine par automatisme pour vérifier que le paquet de cigarettes est toujours là.

« Qu'est-ce que tu veux ? Je ne l'ai même pas encore commencée. Elle était encore congelée quand elle est arrivée hier soir.

— J'avais besoin d'un endroit où dormir, dit Anna-Maria. Chez moi c'est plein de mômes qui se couchent en travers du lit, qui donnent des coups de pied et qui m'embêtent. »

Il la regarde, amusé malgré lui.

« Et Robert pète en dormant », ajoute-t-elle.

Pohjanen grogne un peu pour ne pas montrer à Anna-Maria qu'il n'est plus en colère, il se lève et lui fait un signe de tête pour l'inviter à le suivre.

Anna Granlund vient d'arriver. Ils la trouvent dans la salle technique en train de vider le lave-vaisselle comme la première ménagère venue. À part que ce lave-vaisselle-là contient des couteaux, des tenailles, des pinces, des scalpels et des cuvettes en inox au lieu de couverts et d'assiettes en porcelaine.

« C'est un vrai roquet ! dit Pohjanen à Anna Granlund en parlant d'Anna-Maria.

— Elle est tenace », ajoute-t-il en voyant qu'Anna Granlund ne comprend pas ce qu'il veut dire.

Anna Granlund adresse à Anna-Maria un sourire réservé. Elle l'aime bien mais elle n'apprécie pas qu'on bouscule son patron.

« Elle est décongelée ?

— Pas tout à fait, répond Anna Granlund.

— Repasse cet après-midi, tu auras un rapport provisoire, dit Pohjanen à Anna-Maria. Les analyses prennent plus ou moins de temps, tu sais ce que c'est.

— Tu ne peux rien me dire maintenant ? » quémande Anna-Maria au risque de donner raison à Pohjanen.

Le légiste secoue la tête comme s'il n'avait d'autre choix que de céder quand Anna-Maria a une idée dans la tête.

« Je suppose qu'on peut aller jeter un coup d'œil », soupire-t-il.

La femme est allongée sur la table d'autopsie. Anna-Maria remarque qu'un liquide s'écoule du cadavre et se déverse lentement par la bonde sous la table.

Anna-Maria se demande où l'écoulement s'en va ensuite.

Pohjanen suit son regard.

« Elle dégivre, dit-il. Elle ne va pas être facile à examiner. Le tissu musculaire squelettique est relâché et il commence à se décomposer. »

Il lui montre la poitrine de la morte.

« En tout cas on a un orifice d'entrée ici, dit-il. C'est probablement la cause du décès.

— Un couteau ?

— Non, plutôt un objet cylindrique, pointu.

— Un outil ? Un pic à glace ? »

Pohjanen hausse les épaules.

« Trop tôt pour le dire. Quoi qu'il en soit la blessure est parfaitement placée. Il n'y a pas beaucoup de sang sur les vêtements. La pointe a traversé un cartilage de la cage thoracique et traversé le ventricule, ce qui a provoqué une tamponnade cardiaque.

— Une tamponnade ? »

Pohjanen s'énerve.

« Tu n'as encore rien appris, depuis le temps ? Si le sang n'est pas sorti du corps, à ton avis, où est-ce qu'il est allé ? S'il y a un épanchement de sang entre les deux feuillets du péricarde, la pression dans le cœur fait qu'il ne peut plus se remplir pendant la diastole. La mort intervient très vite. La tension diminue et c'est ce qui fait qu'on saigne moins. C'est pareil pour les poumons. Un litre de liquide dans le poumon et bonsoir tout le monde. Et au fait, l'objet du crime devait être plus long qu'un pic à glace. Il y a un orifice de sortie dans le dos, je pense plutôt à un genre de tisonnier.

— Le truc a traversé de part en part ! Beurk !

— Je continue. Pas de traces apparentes de viol. Regarde toi-même. »

Il éclaire l'entrejambe de la femme avec une lampe de poche.

« Pas d'ecchymose, pas de griffure. Elle a été frappée au visage, ici… Il y a du sang dans les narines et son nez est un peu enflé. On lui a essuyé la lèvre supérieure. Pas de trace de strangulation, pas de trace de contention autour des poignets. En revanche, là, il y a un truc bizarre. »

Il montre à Anna-Maria la cheville de la morte.

« Qu'est-ce que c'est ? demande-t-elle. Une brûlure ?

— Exact. Elle a une étroite bande de peau brûlée tout autour de la cheville. Et puis il y a une autre chose assez remarquable.

— Oui ?

— Sa langue. Elle l'a déchiquetée avec ses dents. C'est un phénomène qu'on observe souvent dans les accidents de la route. Quand les victimes ont subi un choc violent. Mais c'est tout à fait inhabituel chez quelqu'un qui a été tué à l'arme blanche. Et s'il s'agit d'une tamponnade et que la mort est intervenue très vite… je dirais que nous sommes confrontés à un petit mystère, là.

— Je peux voir ? supplie Anna-Maria.

— Il n'y a rien à voir. C'est juste du steak haché, intervient Anna Granlund qui est en train de mettre des gants de chirurgie à sécher sur le fil à linge. Je vais faire du café, vous en voulez ? »

Anna-Maria Mella et le légiste acceptent sa proposition tandis que Pohjanen éclaire l'intérieur de la bouche de la victime.

« Ouh ! s'exclame Anna-Maria. Ce ne serait donc pas le coup de tisonnier qui aurait causé la mort ? Quoi, alors ?

— Je te dirai ça cet après-midi. Je maintiens que le coup de tisonnier est mortel. Mais la chronologie des événements est surprenante. Et puis regarde ça. »

Il montre à Anna-Maria la paume de la femme.

« Là encore on peut penser à un choc. Tu vois ces marques. Elle a serré les poings et elle a enfoncé ses ongles dans la paume de ses mains. »

Pohjanen tient la main de la femme en souriant pour lui-même.

C'est pour ça que j'aime bien travailler avec lui, songea Anna-Maria. Son métier l'amuse toujours autant. Et plus c'est compliqué et difficile à comprendre, plus il est heureux.

Elle sent une petite pointe de culpabilité parce qu'elle n'a pas pu s'empêcher de comparer le médecin légiste à Sven-Erik.

Mais c'est vrai que Sven-Erik s'est ramolli avec les années, se défend-elle. Et qu'est-ce que je peux y faire ? Je dépense assez d'énergie chez moi à motiver mes gosses.

Ils vont boire le café dans le fumoir. Pohjanen allume une cigarette en faisant mine d'ignorer le regard d'Anna Granlund.

« C'est bizarre quand même cette histoire de langue. Tu dis que cela se produit en situation de choc ? Et aussi cette marque étrange autour de la cheville… Mais le coup de tisonnier a traversé les vêtements. Elle était donc habillée quand on l'a tuée ?

— Je ne crois pas qu'elle était allée courir, dit Anna Granlund. Vous avez vu son soutien-gorge ?

— Non.

— Un modèle de luxe. Dentelle et armatures. De la marque Aubade. Ça vaut une fortune.

— Comment le savez-vous ?

— Parce qu'il m'arrivait de m'offrir ce genre de frivolités, à l'époque où j'avais encore de l'espoir dans un certain domaine.

— Pas un soutien-gorge pour faire du sport, donc ?

— Pas du tout !

— Si seulement on pouvait découvrir qui elle est, soupire Anna-Maria Mella.

— Son visage me dit quelque chose », dit Anna Granlund.

Anna-Maria se redresse sur sa chaise.

« Sven-Erik a dit la même chose ! s'exclame-t-elle. Vous ne voulez pas essayer de vous souvenir ? Au supermarché ? À la clinique dentaire ? Dans une émission de télé-réalité ? »

Anna Granlud secoue la tête, pensive.

Lars Pohjanen écrase sa cigarette.

« Allez, Anna-Maria, fiche le camp et va déranger quelqu'un d'autre, dit-il. Je l'ouvrirai dans la journée, nous verrons si nous pouvons trouver une explication à cette brûlure autour de sa cheville.

— Qui veux-tu que j'aille embêter, se plaint Anna-Maria. À sept heures moins dix un dimanche matin. Il n'y a que vous deux pour être debout à cette heure-ci.

— C'est encore mieux, riposte Pohjanen. Comme ça, tu auras en plus la satisfaction de les sortir du lit.

— Bonne idée, Lars, dit-elle, le plus sérieusement du monde. Je vais faire ça. »

Avant de s'engager dans le couloir du commissariat, le procureur Alf Björnfot tapa des pieds pour débarrasser soigneusement ses semelles de la neige qui y était restée collée. Trois ans auparavant, il y était entré précipitamment sans avoir pris cette précaution. Il avait glissé et s'était fait mal à la hanche en tombant. Il avait dû bouffer des antalgiques toute la semaine suivante.

C'est le signe que je vieillis, songea-t-il. Je commence à avoir peur de me faire mal.

En général, il ne travaillait pas le week-end. Et encore moins le dimanche matin de bonne heure. Mais l'inspecteur Anna-Maria Mella l'avait appelé la veille pour lui parler de la femme morte retrouvée dans une arche sur le lac et il avait organisé une réunion de débriefing sur l'affaire dès le lendemain.

Le bureau du procureur était installé à l'étage supérieur du commissariat de police. Le procureur jeta un coup d'œil coupable vers l'escalier et appuya sur le bouton de l'ascenseur.

En passant devant le bureau de Rebecka Martinsson, il eut pour une raison ou une autre l'impression qu'il y avait quelqu'un à l'intérieur. Au lieu de continuer jusqu'à son propre bureau, il fit demi-tour, frappa à sa porte et entra.

Rebecka, assise à sa table de travail, leva la tête vers lui.

Elle a pourtant dû entendre le bruit de l'ascenseur et mes pas dans le couloir, se dit Alf Björnfot. Et pourtant, elle ne signale pas sa présence. Elle reste dans son coin, comme une petite souris, espérant qu'on ne la remarquera pas.

Il n'avait pas le sentiment de lui être antipathique. Et elle n'était pas misanthrope, bien qu'elle soit incroyablement solitaire. Il supposa qu'elle préférait qu'on ne sache pas qu'elle travaillait autant.

« Il est sept heures, dit-il en entrant. Il déplaça une pile de dossiers qui encombrait le siège du visiteur et s'assit face à elle.

— Bonjour. Entrez. Mettez-vous à l'aise.

— Vous savez, ici on travaille les portes ouvertes. Nous sommes dimanche matin. Vous vous êtes installée ici ?

— C'est ça. Je vous offre un café ? J'en ai dans mon thermos. Il est meilleur que les eaux usées de l'usine de bouletage qu'on trouve dans la machine à café. »

Elle lui en versa un mug.

Il l'avait parachutée du jour au lendemain dans le job de substitut. Elle n'était pas du genre à démarrer en douceur. Il ne lui serait jamais venu à l'idée de passer plusieurs semaines à observer les autres. Il l'avait compris immédiatement quand ils étaient allés ensemble à Gällivare, où travaillaient les autres substituts du district. Elle avait dit gentiment bonjour à tout le monde mais elle était visiblement mal à l'aise et elle avait eu l'air de s'ennuyer.

Dès le deuxième jour, il lui avait tendu une pile de documents.

« Voici quelques affaires sans difficulté, lui avait-il dit. Vous avez juste à décider de la procédure et à saisir le tribunal. Ensuite vous communiquez les pièces au secrétariat qui se chargera de fixer les dates d'audience et de convoquer les parties. Si vous avez des questions, vous m'appelez. »

Il pensait lui avoir donné de quoi s'occuper une semaine.

Le lendemain, elle venait déjà lui réclamer d'autres affaires.

Son rythme de travail suscita une certaine inquiétude parmi ses collègues.

Les autres substituts lui demandaient en riant si elle avait l'intention de les mettre au chômage. Derrière son dos, ils disaient qu'elle ne devait pas avoir de vie privée sans parler de vie sexuelle.

Au secrétariat, ces dames étaient stressées. Elles se plaignirent à leur supérieur que la petite nouvelle ne pouvait pas espérer les voir traiter toutes les demandes de conciliations sous lesquelles elle était en train de les noyer. Il fallait qu'elle comprenne qu'elles avaient autre chose à faire.

« Ah bon ? Qu'est-ce qu'elles ont d'autre à faire ? avait répliqué Rebecka quand le procureur Björnfot lui avait exposé le problème avec le tact qui le caractérisait. Surfer sur la Toile ? Jouer au solitaire sur l'ordinateur ? » Puis elle avait levé une main pour l'arrêter avant qu'il ait eu le temps de répondre.

« Ne vous inquiétez pas, je m'occuperai de la paperasse. »

Alf Björnfot la laissa agir à sa guise. Elle serait sa propre secrétaire.

« C'est plutôt bien, non ? dit-il à la secrétaire en chef du parquet. Cela vous évitera de vous rendre aussi souvent à Kiruna. »

La secrétaire en chef du parquet n'était pas d'accord avec lui. Comment pourrait-elle continuer à se sentir indispensable si Rebecka Martinsson se passait aussi facilement de ses services ? Elle se vengea en confiant à Rebecka trois affaires pénales par semaine. Deux auraient déjà été une de trop.

Rebecka Martinsson ne s'en plaignit pas.

Le procureur Alf Björnfot n'aimait pas les conflits. Il savait que c'était le personnel administratif, sous la houlette de sa secrétaire en chef, qui dirigeait son district. Il trouva reposante l'humeur égale de Rebecka et se débrouilla pour trouver des raisons afin de venir travailler plus souvent à Kiruna qu'à Gällivare.

Il pianota sur le mug. Le café était bon.

D'un autre côté, il ne voulait pas non plus qu'elle se tue à la tâche. Il voulait qu'elle se sente bien. Et qu'elle reste.

« Vous travaillez beaucoup », lui dit-il.

Rebecka Martinsson poussa un soupir, recula son fauteuil et retira ses chaussures.

« J'ai l'habitude de travailler comme ça, dit-elle. Ne vous faites pas de souci. Le travail n'a jamais été mon problème.

— Je sais, mais…

— Je n'ai pas d'enfant. Pas de famille. Je n'ai même pas de plantes vertes dont je doive m'occuper. J'aime travailler beaucoup. Ne m'en empêchez pas. »

Alf Björnfot haussa les épaules. Il était soulagé. Au moins, il aurait essayé.

Rebecka but une gorgée de café et pensa à Måns Wenngren. Au cabinet, tout le monde travaillait énormément. Personnellement, cela ne la dérangeait pas. Elle n'avait rien d'autre à faire.

J'étais complètement dingue, songea-t-elle. J'aurais travaillé des nuits entières pour un simple « Bien » ou un hochement de tête appréciateur de sa part.

Arrête de penser à lui, se tança-t-elle.

« Qu'est-ce que vous venez faire ici, un dimanche ? » demanda-t-elle.

Alf Björnfot lui parla de la femme retrouvée dans l'arche.

« Je ne trouve pas tellement bizarre qu'elle n'ait pas été portée disparue, dit Rebecka. S'il s'agit d'un type qui a tué sa femme, il doit être chez lui en train de se saouler la gueule en pleurant sur son sort. Et personne d'autre n'a eu le temps de se rendre compte qu'elle manquait à l'appel.

— C'est une possibilité. »

On frappa, on poussa la porte et la tête de l'inspecteur Anna-Maria Mella apparut.

« Ah, c'est là que vous vous cachez ? dit-elle gaiement au procureur. Nous sommes en réunion pour faire un point sur l'affaire. Tout le monde est là. Vous voulez venir ? »

La dernière partie de sa phrase s'adressait à Rebecka Martinsson.

Rebecka secoua la tête. Anna-Maria Mella et elle se croisaient de temps en temps. Elles se disaient bonjour, mais c'était à peu près tout. Anna-Maria Mella et son collègue Sven-Erik Stålnacke étaient les deux policiers qui l'avaient trouvée le jour où elle était devenue folle. Sven-Erik Stålnacke l'avait tenue dans ses bras jusqu'à l'arrivée de l'ambulance. Elle y pense de temps en temps. Au fait que quelqu'un la tenait dans ses bras. Et ça lui fait du bien.

En revanche, elle a du mal à parler avec eux. Que leur dire ? En regardant par la fenêtre avant de rentrer chez elle, elle aperçoit tantôt l'un, tantôt l'autre sur le parking, et elle attend toujours qu'ils soient partis pour s'en aller.

« Quoi de neuf ? demanda Alf Björnfot.

— Rien depuis notre dernière conversation, répondit Anna-Maria Mella. Personne n'a rien vu. Nous ne savons toujours pas qui elle est.

— Je peux voir à quoi elle ressemble ? » fit Alf Björnfot en tendant la main.

Anna-Maria Mella lui donna la photo de la morte.

« J'ai l'impression de la connaître, dit Alf Björnfot.

— Vous permettez ? » demanda Rebecka.

Le procureur lui tendit le cliché et en profita pour la regarder.

Elle était en jean et en pull-over. Il ne l'avait pas revue en tenue décontractée depuis le jour où elle avait commencé à travailler pour lui. Mais on était dimanche, bien sûr. D'habitude elle portait un tailleur bien coupé et relevait ses cheveux. C'était un drôle d'oiseau. Les autres magistrats ne mettaient un tailleur ou un costume que pour une négociation. Lui-même ne mettait une veste que dans les cas exceptionnels. Il se contentait de donner un coup de fer au col de sa chemise et il enfilait un pull.

Rebecka était apprêtée et simple à la fois avec ses tailleurs anthracite ou noirs portés sur un chemisier blanc.

Il eut soudain un déclic. Cette femme. Il l'avait vue en tailleur.

« Je ne la connais pas », dit Rebecka.

Comme Rebecka. Chemisier blanc et tailleur. Cette femme aussi était un drôle d'oiseau.

Différente des autres.

Mais de quels autres ?

L'image d'une femme politique s'imposa à lui. Tailleur et col du chemisier par-dessus. Cheveux blonds au carré, courts. Entourée d'hommes en costume.

L'image se dérobait encore, comme le brochet dans les roseaux. Sommet de l'UE ? Conférence de l'ONU ?

Non. Ce n'était pas une femme politique.

« Ça y est, ça me revient, dit-il tout à coup. J'ai vu un reportage aux infos. Il y avait un groupe de types en costard-cravate qui posaient pour la caméra dans la neige, ici, à Kiruna. Je n'arrive plus à me souvenir de ce qu'ils fichaient là. Je me rappelle avoir rigolé parce qu'ils étaient loin d'être habillés assez chaudement. Pas de manteau. Des chaussures noires en cuir fin. Ils étaient debout dans la neige et ils levaient les pieds, comme une bande de cigognes. C'était à crever de rire. Elle y était aussi… »

Il se donna un coup sur le front comme si cela pouvait aider ses souvenirs à remonter à la surface.

Rebecka Martinsson et Anna-Maria Mella attendaient patiemment.

« Ah, voilà, ça me revient…, dit-il en claquant des doigts. C'était à propos de ce type qui a grandi à Kiruna et qui est à la tête de ces nouvelles exploitations minières. Le sujet est passé à l'occasion d'une assemblée générale qui s'est tenue à la mine ou quelque chose comme ça… C'est pas vrai, je perds la tête ou quoi ! Allez ! Aidez-moi un peu ! ajouta-t-il, appelant les deux femmes à la rescousse de sa mémoire défaillante. C'est passé aux infos avant Noël.

— Moi, je m'endors sur le canapé juste après les émissions pour enfants, s'excusa Anna-Maria.

— Argh ! s'exclama Alf Björnfot. Je demanderai à Fred Olsson. Il va se rappeler, lui. »

L'inspecteur Fred Olsson avait trente-cinq ans et il était l'expert informatique incontesté de la maison. C'était lui qu'on appelait chaque fois qu'un ordinateur plantait ou quand on voulait télécharger un morceau de musique sur le Net. Il n'avait pas de famille non plus et il venait avec plaisir donner un coup de main à ses collègues le soir, chez eux, quand ils avaient un problème avec leur PC.

Et puis il connaissait bien Kiruna et ses habitants. Il savait où vivaient les voyous et aussi ce qu'ils fabriquaient. De temps en temps, il les invitait à boire un café, pour se tenir informé de ce qui se passait en ville. La subtile toile d'araignée du pouvoir n'avait pas non plus de secret pour lui. Il savait qui protégeait qui et si c'était à cause de liens de sang, de dossiers compromettants ou d'ascenseurs à renvoyer.

Alf Björnfot se leva et s'élança au pas de charge dans le couloir, dévalant l'escalier qui menait aux locaux de la police.

Anna-Maria fit signe à Rebecka de la suivre et elles lui emboîtèrent le pas.

Avant d'arriver au bureau de Fred Olsson, Alf Björnfot se retourna subitement vers elles et s'écria :

« Kallis. Il s'appelle Mauri Kallis ! C'est un enfant du pays, en fait, même si ça fait un moment qu'il est parti. »

Puis il se dirigea vers le bureau de l'inspecteur Olsson.

« Qu'est-ce qu'on en a à f… de Mauri Kallis ! grommela Anna-Maria à l'intention de Rebecka. La victime est une femme, pas un homme. »

Ils étaient arrivés tous les trois sur le seuil du bureau de Fred Olsson.

« Fredde ! dit le procureur, essoufflé. Mauri Kallis ! Tu peux me confirmer qu'il a organisé une réunion en décembre, ici, avec un tas de grosses huiles ?

— Je confirme, répondit Fred Olsson. Kallis Mining possède une société minière ici, à Kiruna, appelée S/A Northern Explore. C'est l'une de ses rares sociétés cotées en bourse. Une société d'investissement canadienne a vendu tous ses actifs dans le groupe à la fin de l'année dernière, ce qui a donné lieu à un important turnover au sein du conseil d'administration…

— Tu pourrais me retrouver une photo de cette réunion ? » demanda Alf Björnfot.

Fred Olsson tourna le dos à ses trois visiteurs impromptus et se mit à pianoter sur son ordinateur pendant qu'ils attendaient sagement.

« Il y a un type de Kiruna qui est entré au comité de direction, un dénommé Sven Israelsson, je vais plutôt faire une recherche sur lui. Si je tape le nom de Mauri Kallis, je risque d'avoir plusieurs milliers de réponses.

— Je me souviens d'une photo avec des gens en costume dans la neige, dit Alf Björnfot. Je crois que la femme retrouvée dans l'arche y figurait. »

Fred Olssen tapa sur son clavier pendant un petit moment, puis il dit : « Et voilà. Vous aviez raison, c'est bien elle. »

Sur l'écran était apparu un groupe d'hommes en costumes. Et au milieu de l'image, une femme.

« Oui, dit Anna-Maria. On reconnaît son nez de statue antique. Il a l'air de commencer entre ses deux sourcils.

— "Inna Wattrang, responsable de l'information", lut le procureur Björnfot.

— Super ! dit Anna-Maria Mella. Faisons-la identifier. Contactons sa famille. Essayons de savoir comment elle a atterri sur le lac de Torneträsk.

— Kallis Mining est propriétaire d'un chalet à Abisko, signala Fred Olsson.

— Tu plaisantes ! s'écria Anna-Maria.

— Si, je t'assure ! Je le sais parce que l'ex de ma sœur est plombier. Il a participé aux travaux quand ils ont fait construire. D'ailleurs, on ne peut pas vraiment parler de chalet. C'est plutôt une villa de remise en forme, ou quelque chose de ce genre. »

Anna-Maria se tourna vers Alf Björnfot.

« Bien sûr, dit-il avant qu'elle ait eu le temps de le lui demander. Je vous délivre tout de suite un mandat de perquisition. Vous voulez que je mandate Benny, serrurier et spécialiste des alarmes ?

— Oui, merci. On file là-bas ! dit-elle en se précipitant dans son bureau pour prendre son blouson. On fera la réunion cet après-midi. »

On l'entendit crier dans son bureau.

« Fred et Sven-Erik, vous venez avec moi ! »

Une minute plus tard, ils avaient disparu. Un calme dominical envahit la maison. Dans le couloir, il ne resta plus que Rebecka et le procureur Alf Björnfot.

« Bon, dit ce dernier. Où en étions-nous, déjà ?

— Nous buvions un café, répliqua Rebecka en souriant. Nous nous apprêtions à nous en verser une deuxième tasse. »

« Que c'est joli ! s'exclama Anna-Maria Mella. On dirait une carte postale. » Ils roulaient dans sa Ford Escort rouge sur la Norgevägen. Sur leur droite s'étendait le lac de Torneträsk. Le ciel était d'un bleu pur. Le soleil brillait et la neige scintillait. Le plan d'eau gelé était envahi de petites cabanes de pêche de toutes les formes et de toutes les couleurs. Sur la rive opposée s'élevait la montagne.

La tempête s'était calmée mais il faisait toujours aussi froid. Regardant au travers des bouleaux, Anna-Maria se disait que le manteau neigeux devait être ferme et que c'était le moment d'aller faire une randonnée en luge-patinette dans la forêt.

« Tu ne veux pas regarder la route, plutôt ? » s'inquiéta Sven-Erik, assis à la place du mort.

Le chalet de montagne de la S/A Kallis Mining était une grande maison en rondins idéalement située au bord du lac. Juste en face, de l'autre côté, se dressait le massif de Nuolja.

« L'ex de ma sœur nous a beaucoup parlé de cette maison à l'époque où il travaillait sur le chantier, expliqua Fred Olsson. Son père a aidé à la construction. Le chalet a été bâti à partir de deux étables de la région de Hälsingland qu'on a transportées jusqu'ici. Le bois a plus de deux cents ans. Le sauna se trouve sur la berge. »

En arrivant, ils trouvèrent Benny, le serrurier, assis au volant de son fourgon devant le chalet. Il baissa sa vitre et leur cria :

« J'ai ouvert ! Il faut que je me sauve ! » Il leva la main en un bref salut et partit.

Les trois policiers entrèrent. Anna-Maria songea qu'elle n'avait jamais vu une maison comme celle-là. Sur les murs en bois taillé à la main et grisé par le temps, étaient suspendues de petites huiles représentant des paysages de montagne et d'imposants miroirs entourés de cadres dorés à la feuille d'or. D'immenses armoires de style indien peintes en vieux rose et turquoise contrastaient avec le bois naturel. Les plafonds étaient hauts et les poutres apparentes. De grands tapis de chiffons ornaient le plancher à larges lattes dans toutes les pièces. Sauf devant la cheminée du séjour où était étalée une peau d'ours blanc avec la gueule ouverte.

« Nom de Dieu ! » s'exclama Anna-Maria.

La cuisine, l'entrée et le séjour étaient une seule grande pièce. D'un côté, de vastes baies donnaient sur le lac, et de l'autre la lumière tombait au travers de vitraux au plomb, en verre soufflé de différentes couleurs.

Sur la table de la cuisine étaient posés une brique de lait et un paquet de muesli, une assiette utilisée et une cuillère. De la vaisselle et des couverts sales étaient empilés au bord de l'évier.

« Beurk », dit Anna-Maria en secouant le carton de lait dans lequel flottait du lait caillé.

Sa propre demeure n'était certes pas un exemple de propreté, mais l'idée qu'on puisse disposer d'un endroit pareil et ne pas l'entretenir avait quelque chose de choquant. Elle, en tout cas, ferait en sorte que ce soit toujours propre si elle devait vivre dans une maison comme celle-ci un jour. Et quand elle aurait fini le ménage, elle enfilerait une paire de skis juste devant la porte et elle irait faire de longues promenades sur le lac. Ensuite elle rentrerait se préparer à dîner. Elle écouterait la radio en faisant la vaisselle ou bien elle se laisserait aller à ses pensées en silence, les mains plongées dans l'eau chaude. Et pour finir, elle s'allongerait dans le canapé du séjour et écouterait les flammes crépiter dans la cheminée.

« Ces gens-là ne doivent pas souvent faire la vaisselle, commenta Sven-Erik Stålnacke. Ils doivent avoir quelqu'un pour nettoyer derrière eux.

— Alors il va falloir que nous mettions la main sur cette personne-là », dit Anna-Maria.

Elle ouvrit la porte des quatre chambres à coucher. Lits king size et couvre-lits en patchwork. Au-dessus des têtes de lit étaient accrochées des peaux de rennes, poils gris argent se détachant sur le fond en bois gris des murs.

« Joli, dit Anna-Maria. Pourquoi est-ce que ce n'est pas comme ça chez moi ? »

Il n'y avait pas de placards dans les chambres. Au lieu de ça on avait posé de grandes malles cabines et des coffres anciens pour ranger les vêtements. Des cintres étaient suspendus à de jolis paravents indiens, des patères en fer forgé ou des cornes d'animaux. Il y avait un sauna, une buanderie et une grande armoire sèche-linge. À côté du sauna se trouvait un vestiaire réservé aux équipements de ski.

Dans l'une des chambres, ils trouvèrent une valise ouverte. Les vêtements étaient éparpillés à la fois dans la valise et en dehors. Le lit n'avait pas été fait.

Anna-Maria souleva quelques affaires.

« Il y a un peu de désordre mais pas de trace de lutte ni d'effraction, fit remarquer Fred Olsson. Aucune tache de sang, rien d'anormal. Je vais jeter un coup d'œil dans les toilettes.

— Rien n'indique que cela se soit passé dans cette maison en tout cas », conclut Sven-Erik Stålnacke.

Anna-Maria jura intérieurement. Cela les aurait arrangés d'avoir un lieu du crime.

« Je me demande ce qu'elle est venue faire ici, dit-elle en examinant une robe qui avait l'air d'avoir coûté cher et une paire de bas en soie. Ce ne sont pas exactement des vêtements de sport d'hiver. »

Anna-Maria hocha la tête, l'air pensif, et fit une grimace à son collègue pour exprimer sa déception.

Fred Olsson revint dans la chambre. Il avait un sac de dame à la main. Un sac en cuir noir avec des chaînes dorées.

« Il était dans la salle de bains, dit-il. Prada. Dix ou quinze mille couronnes.

— En liquide ? demanda Sven-Erik.

— Non. C'est ce qu'il vaut. »

Fred Olsson versa le contenu du sac sur le lit. Il ouvrit le portefeuille et brandit sous le nez d'Anna-Maria le permis de conduire d'Inna Wattrang.

Elle hocha la tête à nouveau. C'était bien elle. Il n'y avait plus de doute.

Elle jeta un coup d'œil aux autres objets qui étaient tombés du sac. Des tampons, une lime à ongles, un rouge à lèvres, une paire de lunettes de soleil, un poudrier, un tas de reçus de titres de transport de couleur jaune, un tube de comprimés d'aspirine.

« Pas de téléphone », remarqua-t-elle.

Fred Olsson et Sven-Erik acquiescèrent. Il n'y avait aucun téléphone nulle part. Cela pouvait vouloir dire qu'elle connaissait son assassin et que les coordonnées de celui-ci étaient enregistrées dans son répertoire.

« On va emporter ses affaires au commissariat, dit Anna-Maria. Et mettre les scellés sur le chalet. »

Son regard se posa à nouveau sur le sac à main.

« Il est mouillé, dit-elle.

— J'allais vous en parler, dit Fred Olsson. Je l'ai trouvé dans le lavabo. Le robinet devait goutter. »

Ils échangèrent un regard surpris.

« Bizarre, non ? » dit Anna-Maria.

La grosse moustache de Sven-Erik s'agita d'avant en arrière, de haut en bas.

« Vous pouvez aller inspecter l'extérieur ? Moi je vais refaire un tour de la maison. »

Fred Olsson et Sven-Erik Stålnacke s'éclipsèrent. Anna-Maria reprit la visite pièce par pièce.

Si elle n'est pas morte ici, se dit-elle, en tout cas son meurtrier y est venu, en admettant que ce soit lui qui ait pris son téléphone. Mais bien sûr, elle peut l'avoir emporté avec elle quand elle est allée courir ou faire je ne sais quoi. Elle devait l'avoir dans la poche.

Elle regarda le lavabo dans lequel Fred Olsson avait découvert le sac. Qu'est-ce qu'il faisait là-dedans ? Elle ouvrit l'armoire à pharmacie. Complètement vide. C'était typiquement le genre de chalet qu'on utilise pour y inviter des gens, en faire bénéficier ses employés ou le louer. Il n'y avait pas le moindre objet personnel.

Je peux donc considérer que tous les objets que nous avons trouvés ici appartiennent à la victime, songea Anna-Maria.

Le réfrigérateur recelait quelques repas précuisinés à réchauffer au micro-ondes. Trois des chambres n'avaient pas été utilisées.

Il n'y a plus rien à voir ici, se dit-elle en retournant dans le séjour.

Sur un bureau blanc dans l'entrée était posée une vieille lampe. Elle aurait eu l'air kitsch n'importe où ailleurs mais Anna-Maria trouva qu'elle s'accordait bien avec le style de la maison. Le pied était en porcelaine peinte d'un motif inspiré des Alpes germaniques, une chaîne de montagnes en arrière-plan et un cerf majestueux au premier plan. L'abat-jour à franges avait la couleur ocre du cognac. L'interrupteur était en dessous de l'ampoule à incandescence.

Anna-Maria essaya de l'allumer. En vain. Elle s'aperçut que ce n'était pas l'ampoule qui était grillée mais le fil qui manquait.

Sur le pied de la lampe il n'y avait plus qu'un trou à l'endroit où aurait dû se trouver le fil électrique.

Où est-ce qu'il est passé ? se demanda-t-elle.

La lampe avait peut-être été achetée en l'état dans quelque vide-greniers ou chez un brocanteur. On l'avait posée sur le bureau en se disant qu'on la réparerait bientôt, et c'en était resté à l'état de projet.

Anna-Maria avait chez elle des tas de choses du même acabit. Des objets qu'on se promet de restaurer un jour. Et puis on s'habitue aux défauts. La façade du lave-vaisselle par exemple. À l'origine, elle était assortie aux tiroirs du mobilier de la cuisine intégrée, mais elle s'était détachée il y a une éternité, et du coup, la porte de l'appareil ménager était trop légère pour le mécanisme de fermeture. Et toute la famille Mella avait pris l'habitude de remplir et vider la machine en gardant un pied posé sur la porte afin d'éviter qu'elle ne se referme d'elle-même. Elle faisait la même chose chez les autres, sans y penser. La sœur de Robert se moquait d'elle chaque fois qu'elle lui donnait un coup de main pour débarrasser.

Peut-être qu'on avait changé la lampe de place et que la prise avait été arrachée parce qu'elle s'était trouvée coincée entre le mur et un meuble. C'était dangereux. Si le fil était resté branché et s'il traînait par terre.

Elle songea au risque d'incendie et par association d'idée, elle pensa à Gustav, son fils de trois ans et demi, et à tous les cache-prise qu'ils avaient installés dans la maison pour s'assurer qu'il ne lui arriverait rien.

Elle imagina Gustav à huit mois en train de courir partout à quatre pattes. Une vision d'horreur. Un fil électrique mal isolé. Les fils dénudés et le cuivre accessible. La bouche de Gustav à laquelle allait sa préférence quand il s'agissait de découvrir le monde. Elle s'empressa de chasser cette image.

Soudain cela s'imposa à elle comme une évidence. Un électrochoc. Elle avait déjà vu ça au cours de sa carrière. Elle se rappela ce gamin mort il y a cinq ans. Elle s'était rendue sur place et avait conclu à un accident. Pieds nus dans l'évier, il avait voulu réparer un plafonnier. La plante de ses pieds était gravement brûlée.

Inna Wattrang avait une brûlure autour de la cheville.

Quelqu'un aurait pu arracher le fil d'une lampe, se dit Anna-Maria. Par exemple celui d'une lampe avec un cerf dessus. Ce quelqu'un aurait pu diviser le fil en deux, le dénuder et enrouler le cuivre autour de sa cheville.

Elle ouvrit brutalement la porte d'entrée et appela Fred et Sven-Erik. Ils la rejoignirent à grandes enjambées dans la neige profonde.

« Putain de merde ! jura-t-elle. Elle a été tuée ici ! J'en suis sûre ! Faites venir Tintin et Krister Eriksson. »

L'inspecteur et maître-chien Krister Eriksson arriva sur les lieux à peine une heure après l'appel de ses collègues. Ils avaient de la chance. Le plus souvent il était en déplacement avec Tintin.

Tintin était une chienne berger allemand noire. Elle n'avait pas son pareil pour suivre une piste et flairer un cadavre. Un an et demi auparavant, elle avait permis à la police de retrouver un pasteur assassiné, saucissonné dans une chaîne et jeté au fond du lac de Nedre Vuolusjärvi.

Krister Eriksson ressemblait à un extraterrestre. Son visage portait des cicatrices de brûlures sévères suite à un accident dans son enfance. Les pavillons de ses oreilles n'étaient pas plus grands que ceux d'une petite souris. Il n'avait ni cheveux, ni cils, ni sourcils et de ce qui avait été son nez, il ne restait plus que deux trous. Quant à ses yeux, ils avaient un drôle d'air parce qu'il devait ses paupières à la chirurgie plastique.

En voyant sa peau de petit cochon, Anna-Maria songea à la cheville brûlée d'Inna Wattrang.

Il faut que j'appelle Pohjanen, se dit-elle.

Krister Eriksson mit sa laisse à Tintin. La chienne tourna autour de ses jambes, impatiente, aboyant furieusement.

« Elle est toujours surexcitée, dit Krister, tournant en sens inverse pour se dégager de la laisse. Je dois constamment la retenir, sinon elle se jette trop vite dans la quête et elle risque de passer à côté de quelque chose. »

Krister et Tintin entrèrent seuls dans la maison. Sven-Erik Stålnacke et Fred Olsson coururent se poster derrière la maison pour les regarder travailler par la fenêtre.

Anna-Maria alla s'asseoir dans la voiture pour téléphoner à Lars Pohjanen. Elle lui parla du fil électrique manquant.

« Alors ? s'enquit-elle au bout d'un moment.

— Tu as raison, la brûlure autour de sa cheville pourrait provenir d'un fil de cuivre et d'une décharge électrique, confirma Pohjanen.

— Un fil dénudé enroulé autour de sa jambe, par exemple ?

— C'est ça. Et on a relié l'autre bout à une prise de courant.

— Tu crois qu'on l'a torturée ?

— C'est possible. Il peut aussi s'agir d'un jeu sexuel qui aurait mal tourné. C'est assez rare, mais ça arrive. Il y a autre chose.

— Je t'écoute.

— Elle a des traces de ruban adhésif aux poignets et aux chevilles. Tu devrais demander à tes experts d'examiner les meubles dans la maison. Elle a été ligotée. Il est possible qu'on ait simplement attaché ses pieds et ses mains ensemble. Mais elle a aussi pu être attachée à un meuble, le pied d'un lit, une chaise ou quelque chose comme ça… Attends une seconde… »

La seconde dura une bonne minute. Puis elle entendit à nouveau la voix rocailleuse du légiste.

« J'ai remis mes gants. Je l'examine pendant que je te parle, dit-il. Elle a une trace légère mais parfaitement visible autour du cou.

— Une autre trace de fil électrique ? dit Anna-Maria.

— Tu m'as parlé d'un fil de lampe, n'est-ce pas ?

— Mmm.

— Dans ce cas, je devrais trouver des restes de cuivre fondu sur l'épiderme. Je vais faire un examen histologique des tissus avant de te donner une réponse définitive. Mais c'est sûrement ce qui s'est passé. En tout cas, elle a eu le cœur secoué. Et elle est tombée en état de choc. Cela expliquerait la langue mâchée et les traces de ses ongles dans les paumes de ses mains. »

Sven-Erik Stålnacke tapa à la vitre de la voiture et fit un signe en direction de la maison.

« Il faut que je te laisse, dit Anna-Maria au médecin légiste. Je te rappelle. »

Elle sortit de la voiture.

« Tintin a trouvé quelque chose », dit Sven-Erik.

Krister Eriksson était avec la chienne dans la cuisine. Elle tirait sur sa laisse, aboyait et grattait frénétiquement le sol.

« Elle marque précisément ici », dit son maître en désignant un point situé entre l'évier et la cheminée. Je ne vois rien mais elle a l'air très convaincue.

Anna-Maria regarda Tintin qui gémissait à présent, frustrée de ne pas avoir le droit de retourner à l'endroit repéré.

Un revêtement en linoléum turquoise à motifs orientaux recouvrait le parquet. Anna-Maria s'approcha et l'examina méticuleusement. Sven-Erik Stålnacke et Fred Olsson la rejoignirent.

« Je ne vois rien, dit Anna-Maria.

— Moi non plus, dit Fred Olsson en secouant la tête.

— Vous croyez qu'il y a quelque chose en dessous du lino ? demanda Anna-Maria.

— Il y a quelque chose, c'est sûr, dit le maître-chien qui avait toutes les peines du monde à faire tenir Tintin tranquille.

— Bon, dit Anna-Maria en regardant sa montre. On a le temps d'aller manger un bout à la station en attendant les experts. »

À deux heures et demie de l'après-midi, les techniciens de la police scientifique avaient enlevé le revêtement de sol de la cuisine. Quand les trois inspecteurs revinrent à la maison, ils le trouvèrent enroulé dans l'entrée et enveloppé dans un morceau de papier.

« Regardez ça », dit l'un des techniciens à Anna-Maria Mella en lui montrant une petite encoche dans une latte du plancher qui se trouvait sous le linoléum. Dans l'encoche elle remarqua une substance brune qui ressemblait à du sang séché.

« Cette chienne doit avoir un flair exceptionnel.

— Oui. Elle est très forte.

— C'est probablement du sang, vu la réaction de Tintin, dit l'expert. Le lino est un matériau incroyable. Ma mère en avait dans sa cuisine. Il a tenu plus de trente ans. Il cicatrise tout seul.

— Qu'est-ce que vous voulez dire ?

— Eh bien que s'il est abîmé, par un coup de couteau ou quelque chose comme ça, les lèvres de la plaie, si j'ose dire, se resserrent d'elles-mêmes et on ne voit plus rien. On dirait qu'un objet tranchant est allé se ficher dans le plancher en traversant le tapis. Et le sang a coulé à travers la fente. Ensuite le lino s'est contracté et il a suffi de le laver pour qu'il n'y ait plus la moindre trace. On va envoyer le sang, si c'est bien du sang, au labo. On verra si c'est celui d'Inna Wattrang.

— J'en mettrais ma main à couper, dit Anna-Maria. Elle a été tuée dans cette maison. »

À huit heures du soir, Anna-Maria enfila sa veste et appela Robert pour lui dire qu'elle avait fini sa journée. Il ne lui parut ni fâché, ni fatigué. Il lui demanda si elle avait mangé et lui dit qu'il y avait une assiette qui l'attendait, prête à réchauffer. Gustav dormait, ils étaient allés faire de la luge. Même Petter était venu avec eux, lui qui préférait en général rester à la maison. Jenny était chez une copine, lui dit-il, ajoutant qu'elle était sur le chemin du retour, avant même qu'Anna-Maria ait eu le temps de penser que « demain il y avait école ».

Anna-Maria se sentit presque euphorique. Ils étaient sortis, ils s'étaient dépensés et ils avaient pris l'air. Ses enfants avaient passé une bonne journée. Robert était un bon père. Tant pis s'il y avait des vêtements qui traînaient dans l'entrée et si la table n'était qu'à moitié débarrassée. Elle serait heureuse de ranger derrière eux.

« Marcus est là ? » demanda-t-elle.

Marcus était leur fils aîné. Il était en terminale.

« Non. Je crois qu'il dort chez Hanna. Et toi, comment ça va ?

— Bien. Très bien. L'enquête avance. La victime a été retrouvée il y a vingt-quatre heures et nous savons déjà qu'il s'agit d'Inna Wattrang, une grosse légume de chez Kallis Mining. Ce sera dans le journal demain. Nous avons trouvé le lieu du crime bien que celui qui a fait ça ait nettoyé derrière lui et essayé d'effacer ses traces. Même si la police criminelle nationale reprend l'affaire, on ne pourra pas nous accuser de ne pas avoir fait notre boulot.

— Elle a été poignardée ?

— Oui. Mais pas seulement. Son meurtrier l'a électrocutée. Les techniciens de la scientifique étaient là ce soir. Ils ont trouvé des traces de chatterton sur une chaise de cuisine, pieds et accoudoirs. On a trouvé les mêmes traces de colle sur ses chevilles et ses poignets.

Quelqu'un l'a attachée à la chaise de cuisine et l'a électrocutée.

— Merde ! Avec quoi ?

— Avec un simple fil de lampe, je crois. Il a retiré la gaine en plastique, séparé les câbles, enroulé une moitié autour de sa cheville et l'autre autour de son cou, et il a branché la prise.

— Et ensuite il l'a poignardée ?

— Oui.

— On sait pourquoi ?

— Non. Un fou. Une vengeance. Un jeu sexuel, peut-être… qui a mal tourné pour une raison ou pour une autre, sauf qu'il n'y avait aucune trace de sperme dans le vagin, ni ailleurs. Il y avait un truc gluant sur sa bouche, mais c'était du vomi. »

Robert poussa une exclamation dégoûtée.

« Promets-moi que tu ne me quitteras jamais, dit-il. Tu te rends compte si je suis obligé d'aller au pub pour en trouver une autre… et que je tombe sur une nana qui veut que je l'électrocute une fois que je l'ai ramenée chez moi.

— Il vaut mieux une fille comme moi qui se contente de la position du missionnaire.

— Rien de tel qu'une bonne partie de jambes en l'air à l'ancienne. »

Anna-Maria gloussa.

« Je suis bien d'accord. D'ailleurs si les enfants dorment tout à l'heure…

— Je te connais. Tu vas manger et puis tu vas t'endormir sur le canapé devant *Six pieds sous terre*. On devrait peut-être se renouveler un peu ?

— Achetons le *Kamasutra*. »

Robert éclata de rire à l'autre bout de la ligne. Cela fit plaisir à Anna-Maria. Elle le faisait rire. Et ils parlaient de sexe ensemble.

Il faut que je fasse ça plus souvent, songea-t-elle. Flirter et plaisanter avec lui.

« Excellente idée, continua Robert. On essayera des positions comme le vol de la grue sur la Voie lactée, tu sais, celle où moi je fais le pont et toi le grand écart au-dessus.

— OK. Ça marche. J'arrive. »

Elle venait de raccrocher quand le téléphone sonna à nouveau. C'était le procureur Alf Björnfot.

« Bonjour, dit-il. Je voulais simplement vous informer que Mauri Kallis sera à Kiruna demain.

— Mauri Kallis de Kallis Mining ?

— En personne. Sa secrétaire vient de m'appeler pour me le dire. Et j'ai eu aussi mes confrères de Stockholm au téléphone. Ils ont annoncé la nouvelle aux parents d'Inna Wattrang qui étaient bouleversés, bien entendu. Apparemment ils ignoraient qu'elle était allée à Abisko. Inna Wattrang et son frère Diddi travaillent tous les deux pour Kallis Mining, et ils vivent dans la propriété que Mauri Kallis a achetée au bord du lac Mälar. Les parents ont demandé à mes confrères de faire venir Mauri Kallis pour l'identification.

— Demain ! gémit Anna-Maria. Je m'apprêtais à rentrer chez moi.

— Rentre.

— Je ne peux pas. Il va falloir que je me renseigne avant de lui parler d'Inna Wattrang et de son rôle dans la société Kallis Mining, tout ça. Je ne sais absolument rien. Il va nous prendre pour des demeurés.

— Rebecka Martinsson a des choses à faire demain. Elle est sûrement encore dans son bureau. Demande-lui de faire une recherche sur Kallis Mining et de te faire un topo d'une demi-heure demain matin.

— Je ne peux pas lui demander ça. Elle a… »

Anna-Maria s'interrompit. Elle était sur le point de dire que Rebecka avait une vie, elle aussi. Ce qui restait à prouver. Le bruit courait qu'elle habitait toute seule à la campagne et qu'elle ne fréquentait personne.

« … besoin de dormir, comme tout le monde, dit-elle à la place.

— Comme tu veux. »

Anna-Maria pensa à Robert qui l'attendait à la maison.

« Enfin, je ne sais pas. Tu crois vraiment que je peux lui demander ça ? »

Alf Björnfot rit.

« En tout cas, moi je vais aller m'écrouler devant *Six pieds sous terre*.

— Oui. Il y a ça aussi », dit Anna-Maria, au premier degré.

Elle acheva sa conversation avec le procureur et regarda par la fenêtre. Effectivement, la voiture de Rebecka Martinsson était encore garée sur le parking.

Anna-Maria alla frapper à la porte de son bureau.

« Écoutez, je sais que vous avez beaucoup de travail, dit-elle en guise de préambule. Et que ce que je vais vous demander ne fait pas partie de votre boulot. Je comprendrais très bien que vous refusiez… »

Elle regarda la pile de dossiers sur la table de Rebecka.

« Laissez tomber, dit-elle. Vous êtes visiblement débordée.

— Dites toujours ? répliqua Rebecka. Si c'est en rapport avec Inna Wattrang, surtout, ne vous gênez pas. Je trouve qu'un meurtre, c'est... »

Elle s'arrêta.

« J'allais dire qu'un meurtre, c'était cool, mais ce n'était évidemment pas le fond de ma pensée.

— Ça ne fait rien, dit Anna-Maria. Je comprends. Une enquête pour meurtre a quelque chose de spécial. Je n'ai pas envie non plus que les gens se fassent assassiner, mais quand cela arrive, je veux aider à trouver le coupable. »

Rebecka Martisson eut l'air soulagé.

« C'est le genre de choses dont je rêvais à l'époque où j'ai commencé à l'école de police. Vous aussi, j'imagine, quand vous avez démarré vos études de droit ?

— Je ne sais pas. Je suis partie de Kiruna et je me suis mise à bosser parce que je m'étais brouillée avec mon entourage. J'ai fait des études de droit par hasard. Et comme j'étais bosseuse et plutôt douée, j'ai trouvé du travail rapidement. Les choses se sont enchaînées. Je n'ai jamais rien décidé, je crois. À part revenir vivre ici. »

Leur conversation était devenue personnelle sans qu'elles l'aient fait exprès. Mais elles ne se connaissaient pas assez bien pour continuer sur cette voie et s'interrompirent.

Rebecka remarqua avec une certaine gratitude que ce silence n'avait rien de pesant.

« Alors, demanda Rebecka avec un sourire. Qu'est-ce que vous vouliez me demander ? »

Anna-Maria sourit également. Elle avait toujours ressenti un léger malaise en présence de Rebecka Martinsson. Après tout, ce n'était pas parce qu'on avait sauvé la vie de quelqu'un qu'on devait en faire un ami. Mais tout à coup, ce fut comme si la tension qui existait entre elles s'était évanouie.

« Mauri Kallis, le patron d'Inna Wattrang, arrive ici demain. »

Rebecka émit un sifflement.

« Je ne plaisante pas, reprit Anna-Maria. Il faut évidemment que je lui parle. Le problème c'est que je ne sais absolument rien sur la société qu'il dirige, ni ce qu'Inna Wattrang y faisait.

— Je suppose qu'on peut trouver tout ça sur Internet.

— Justement », répliqua Anna-Maria avec un air douloureux.

Elle détestait lire. Les maths et le suédois étaient les matières qu'elle avait le plus détestées quand elle était au lycée. Elle avait tout juste réussi à obtenir la moyenne qu'il fallait pour rentrer à l'école de police.

« Je vois, dit Rebecka. Je vais vous faire un résumé pour demain. Soyez là à sept heures et demie, je suis au tribunal toute la journée et la première audience est à neuf heures.

— Vous êtes sûre ? C'est un gros boulot.

— Oui, mais c'est celui que je fais le mieux. Concentrer une énorme masse d'informations sur deux pages A4.

— Et en plus vous êtes au tribunal toute la journée demain. Vous n'avez pas des choses à préparer ? »

Rebecka eut un sourire moqueur.

« Est-ce que je ne décèle pas un peu de culpabilité dans votre question ? Vous voulez que je vous rende un service mais vous voulez aussi que je vous donne l'absolution, si j'ai bien compris.

— Laissez tomber pour l'absolution, dit Anna-Maria. Je préfère avoir mauvaise conscience que de me coltiner tout ça. Et d'ailleurs, c'est du droit d'entreprise, finalement…

— Mmm, Kallis Mining est une entreprise internationale, pas une société anonyme. On pourrait plutôt parler de compagnie. Je tâcherai de vous expliquer aussi la structure de la société. Ce n'est pas très compliqué en réalité.

— Je vous crois sur parole mais les simples mots de structure de société et de compagnie internationale me donnent des boutons. Je vous suis infiniment reconnaissante de bien vouloir vous en occuper. Et je vous promets de penser à vous ce soir quand je m'écroulerai dans mon canapé devant la télévision. Trêve de plaisanteries, vous ne voulez pas que j'aille vous acheter une pizza ou quelque chose ? Parce que j'imagine que vous allez rester ici ?

— Non, rassurez-vous. Je vais rentrer chez moi. Et j'ai bien l'intention de me caler dans mon fauteuil et de regarder la télévision. Mais cela ne m'empêchera pas de faire cette recherche en même temps.

— Vous êtes qui ? Superwoman ?

— C'est ça. Allez retrouver votre télé. Et je crois savoir aussi que vous avez un tas d'enfants qui attendent leur câlin du soir.

— Bof. Les deux grands ne veulent plus de câlins. Et la fille préfère ceux de son père.

— Mais le plus jeune…

— Gustav. Il a trois ans. Vous avez raison, lui a encore besoin de sa vieille maman. »

Rebecka sourit. Un sourire gentil et plein de tendresse traversé d'un bref nuage de tristesse qui adoucit ses traits.

La pauvre, songea Anna-Maria un peu plus tard dans sa voiture. Elle en a vu de toutes les couleurs.

Elle eut un peu mauvaise conscience d'avoir parlé de ses enfants à Rebecka qui n'en avait pas.

Mais je n'y peux rien, se défendit-elle ensuite, comme s'il y avait eu quelqu'un à côté d'elle dans la voiture pour l'accuser. Ils sont une grande partie de ma vie. Si je ne devais plus parler d'eux, je n'aurais plus grand-chose à dire !

Robert avait débarrassé la table et nettoyé la cuisine. Elle fit chauffer les brochettes de poisson et la purée dans le micro-ondes et but un verre de vin blanc. Elle fut heureuse de constater que la purée avait été faite avec de vraies pommes de terre et se dit qu'elle avait une vie de rêve.

Oui. Je suis superwoman, se dit Rebecka Martinsson en sortant de la voiture devant sa maison de Kurravaara. J'étais l'une des meilleures avocates de Suède. Ou en tout cas en passe de le devenir. Mais bien sûr, c'est le genre de choses qu'on ne peut dire à personne. Ni même penser.

Elle avait téléchargé sur son ordinateur portable tout ce qu'elle avait pu trouver à propos de Kallis Mining. Elle savait qu'elle allait adorer ça. Cela la changerait agréablement des infractions au code de la route, des cambrioleurs et des maltraitances.

La lumière de la lune se dessinait comme un fleuve argenté sur la surface lisse de la neige. Et dans ce miroir se reflétaient les silhouettes bleues des arbres. La rivière dormait sous la glace.

Elle posa une couverture en laine sur le pare-brise pour éviter d'avoir à gratter la glace le lendemain.

Il y avait de la lumière à la fenêtre de la maison en ciment gris de sa grand-mère. Comme si quelqu'un l'attendait. Mais en réalité, c'était elle qui avait laissé une lampe allumée.

Ils étaient là, il n'y a pas si longtemps. Son père et sa grand-mère. En ce temps-là j'avais tout. Tout le monde ne pouvait en dire autant.

Elle resta un moment appuyée à sa voiture, submergée par le chagrin. Comme si la maison était un être de chair et de sang qui attendait simplement qu'elle entre pour se jeter sur elle. C'était chaque fois la même chose. Et chaque fois elle se laissait surprendre.

Pourquoi est-ce que je ne peux pas être simplement contente ? Contente de les avoir eus auprès de moi tant qu'ils étaient là. Rien ne dure éternellement. Il y a si longtemps qu'ils sont partis. On ne peut pas pleurer les gens éternellement. Il y a vraiment quelque chose qui ne tourne pas rond chez moi.

Elle se remémora les mots du psychiatre : « Vous n'avez peut-être jamais fait votre deuil, maintenant il est temps de le faire. »

Elle était heureuse d'en avoir fini avec la psychothérapie. Mais le Cipramil lui manquait. Elle n'aurait sans doute pas dû interrompre le traitement. Elle gérait mieux ce genre de pensées avec. Les sentiments les plus douloureux n'atteignaient jamais la surface. C'était confortable de ne pas se sentir aussi fragile qu'une coquille d'œuf.

Elle retira un gant et se passa la main sur la joue. Elle ne pleurait pas. Elle respirait juste un peu trop vite. Comme si elle venait de courir très vite et d'inhaler de l'air glacé.

Calme-toi, se raisonna-t-elle. Calme-toi. Cela ne sert à rien d'aller te réfugier chez Sivving et Bella. Ils ne peuvent rien pour toi.

Elle savait qu'elle devait rentrer dans la maison mais elle restait là sans se rappeler si elle avait refermé la portière de la voiture, si elle avait un sac à prendre ou à quoi pouvait servir la clé dans sa main. Ça va passer, se disait-elle pour se rassurer. Tu dois résister à l'envie de te coucher dans la neige. Ça finit toujours par passer.

Mais pas cette fois, lui murmurait une voix dans sa tête. Cette fois, l'obscurité est là.

C'était la clé de la voiture qu'elle avait dans la main. Elle réussit à penser à l'ordinateur et au porte-documents Mulberry posés sur le siège passager. Elle claqua la portière et se dirigea vers la maison.

En montant l'escalier qui menait à la terrasse, elle ramassa une poignée de neige sur la rambarde et s'en frotta le visage. La clé de la maison était dans son sac. La faire entrer dans la serrure. Donner un tour. Ressortir la clé. Ouvrir la porte.

Elle était rentrée.

Une demi-heure plus tard elle se sentait mieux. Elle avait allumé le feu et écouté le tirage dans la cheminée et le crépitement du bois qui commençait à prendre.

Elle s'était fait une tasse de thé avec du miel. S'était installée avec l'ordinateur sur les genoux dans le canapé.

Elle essaya de se remémorer ce qui avait déclenché la crise. Elle allait bien maintenant et ne parvenait pas à se rappeler ses idées noires, malgré tous ses efforts. Et elle en faisait réellement. Sans tricher. Elle laissa sa mère prendre forme dans ses souvenirs.

Et il ne se passa rien de particulier. Elle la vit comme si elle se trouvait dans la pièce. Ses yeux gris pâle, son maquillage qui sentait si bon, sa jolie mise en plis, ses dents blanches et régulières.

Rebecka se rappela le manteau en peau de mouton qu'elle s'était acheté et sourit à ce souvenir. Les voisins grinçaient des dents et se demandaient pour qui elle se prenait. Un manteau de fourrure, voyez-vous ça !

Qu'est-ce qu'elle avait bien pu lui trouver, à son père ? Elle avait dû se dire qu'elle avait besoin d'un point d'ancrage. Pourtant, ce n'était pas dans sa nature. Sa mère était le genre de femme à hisser les voiles et affronter les tempêtes, cheveux au vent. La terre ferme n'était pas faite pour elle.

Rebecka essaya de se rappeler ce qu'elle avait ressenti quand sa mère les avait quittés.

Son père était revenu vivre ici, à Kurravaara, dans la maison de sa mère. Il vivait au rez-de-chaussée et elle au premier étage avec grand-mère. Elle passait son temps à monter et à descendre l'escalier. Et puis il y avait Jussi. Un chien très intelligent. Quand elle était arrivée dans cette maison, il avait saisi sa chance et amélioré ses conditions de couchage. Il s'était installé au pied de son lit. Grand-mère ne voulait pas en entendre parler. Mais comment aurait-elle pu s'y opposer. Sa petite fille se sentait si rassurée quand Jussi montait sur son lit et qu'elle pouvait lui parler pendant que grand-mère était avec les vaches pour la traite du soir.

Sa mère travaillait pour les wagons-lits avant d'être promue au wagon-restaurant. Elle avait troqué son T3 pour un T2. Rebecka avait dû habiter avec elle de temps en temps dans cet appartement avant la mort de son père, mais elle ne s'en souvenait plus.

Grand-mère dans le deux-pièces de maman. Elle a mis son beau manteau mais maman a honte d'elle quand même, elle trouve que grand-mère devrait s'en acheter un autre. Elle l'a dit à Rebecka. Mais c'est sa mère qui devrait avoir honte. Grand-mère regarde autour d'elle. De l'endroit où elle se trouve, elle aperçoit un homme dans la chambre à coucher. Le lit de maman est défait. Il n'y a pas de draps sur celui de Rebecka. Sa mère est fatiguée tout le temps. Elle téléphone souvent à son travail pour dire qu'elle est malade. Grand-mère vient quelquefois dans l'appartement de maman pour faire le ménage, la vaisselle, la lessive et le repas. Mais pas cette fois-là.

« J'emmène la petite », déclare-t-elle.

Sa voix est calme mais n'admet pas la contradiction.

Sa maman ne proteste pas mais quand Rebecka veut l'embrasser pour lui dire au revoir, elle la repousse.

« Allez, dépêche-toi, dit-elle sans regarder Rebecka. Grand-mère n'a pas que ça à faire. »

Rebecka regarde ses pieds en descendant l'escalier. Boum, boum. Ses pieds pèsent une tonne. Elle aurait dû chuchoter à l'oreille de sa maman : « C'est toi que je préfère. » Parfois cela suffit à arranger les choses. Elle a toute une collection de phrases gentilles. « Tu es la meilleure des mamans. » « La maman de Katti sent la transpiration. » Un long regard et puis : « Tu es si jolie. »

Il faudra que je demande à Sivving de me raconter, songea Rebecka. Il les a connues toutes les deux. Parce qu'un jour, il disparaîtra lui aussi et je n'aurai plus personne à qui le demander.

Elle ouvrit l'ordinateur. Inna Wattrang sur une autre photo de groupe. Sur celle-là elle porte un casque et elle pose devant une mine de zinc au Chili.

C'est une étrange occupation, se dit Rebecka. Faire connaissance avec des gens qui sont morts.

Lundi 17 mars 2005

Rebecka Martinsson retrouva Anna-Maria Mella et Sven-Erik Stålnacke dans la salle de réunion du commissariat à sept heures et demie le lundi matin.

« Comment ça va ? Vous avez eu le temps de regarder la télé hier soir ? lui demanda Anna-Maria.

— Pas vraiment. Et vous ?

— Moi non plus. Je me suis endormie. »

En réalité, Robert et elle avaient fait tout à fait autre chose devant la télé, mais cela ne regardait personne.

« Moi aussi », mentit Rebecka à son tour.

Elle avait veillé et lu tout ce qu'elle avait pu trouver sur Inna Wattrang et la société Kallis Mining, jusqu'à deux heures et demie du matin. Lorsque le réveil de son téléphone avait sonné à six heures, elle avait ressenti le malaise familier après une nuit trop courte.

Cela n'avait pas grande importance. À vrai dire cela n'en avait aucune. Un peu de retard de sommeil n'avait jamais tué personne. Aujourd'hui, elle avait un emploi du temps chargé. D'abord le compte rendu aux deux inspecteurs, ensuite le tribunal. Elle aimait avoir du travail par-dessus la tête.

« Mauri Kallis est parti de rien, commença Rebecka. Il est l'incarnation du rêve américain, version suédoise.

Il est né en 1964 à Kiruna. Vous êtes née quand, vous ?

— 62, répondit Anna-Maria. Je ne l'ai pas connu. Il était peut-être dans un autre collège que moi. Et au lycée, on ne traîne pas avec les plus jeunes.

— Arrêté à l'âge de douze ans pour un cambriolage. Pas de condamnation mais maison de correction et placement en famille d'accueil. C'est à partir de là que s'opère la métamorphose. Une assistante sociale réussit à lui donner envie de se mettre à étudier. Il entre dans une école de commerce à Stockholm en 1984 et commence à jouer avec la bourse tout en suivant le cursus. C'est là qu'il rencontre Inna Wattrang et son frère Diddi. Après son examen, il travaille deux ans pour une société de courtage électronique pendant que son propre portefeuille d'actions continue de grandir. Il achète du H&M au tout début, vend ses actions Fermenta Biotech avant le krach, bref il a constamment une longueur d'avance. Il quitte Optionsmäklarna et se consacre à la spéculation boursière à plein temps. À cette époque il s'agissait de placements à haut risque, d'abord dans les matières premières puis, de plus en plus, dans le rachat de concessions aussi bien pétrolières que minières.

— Concessions ? demanda Anna-Maria.

— On achète le droit de creuser pour extraire des ressources naturelles, pétrole, gaz, minéraux. Quelquefois on en trouve et au lieu d'exploiter soi-même le gisement, on revend la concession.

— On peut tout gagner, mais aussi perdre beaucoup, c'est ça ? dit Sven-Erik.

— On peut tout perdre, même. Il faut être un vrai joueur quand on se lance dans ce genre d'affaires. Et il lui est arrivé de se retrouver à sec. Inna et Diddi travaillaient déjà avec lui à cette époque. Il semble que ce soit eux qui aient amené les investisseurs à participer à ses divers projets.

— Parce que évidemment il fallait trouver des gens qui étaient prêts à miser gros, dit Anna-Maria.

— Exactement. Les banques ne prêtent pas d'argent pour ce genre d'opérations. Il faut mettre la main sur des financiers qui soient prêts à prendre des risques. Et apparemment le frère et la sœur savaient où les dénicher. »

Rebecka reprit son exposé :

« Ces trois dernières années, Kallis Mining a conservé certaines concessions et même acheté plusieurs mines qu'elle a exploitées. La presse suédoise considère son passage du marché des actions à l'achat-revente de concessions comme le grand virage de sa carrière. Je ne suis pas d'accord. Je trouve qu'être passé de la spéculation sur les concessions à l'exploitation minière, être devenu un industriel était…

— Il a peut-être voulu lever le pied, suggéra Anna-Maria. Prendre moins de risques.

— Je ne crois pas, répliqua Rebecka. Il n'a pas choisi d'aller creuser dans les régions les plus faciles. L'Indonésie, par exemple. Ou l'Ouganda. Il y a quelque temps, la presse attaquait systématiquement toutes les exploitations minières qui avaient des intérêts dans les pays en voie de développement.

— Pourquoi ?

— Pour toutes sortes de raisons ! Parce que les pays pauvres n'osent pas voter des lois environnementales qui feraient fuir les investisseurs étrangers, alors on y pollue la terre et on y empoisonne les gens qui meurent de cancers et de maladies chroniques du foie ou de je ne sais quoi encore. Les sociétés qui s'implantent dans ces pays collaborent avec des régimes corrompus, au milieu de guerres civiles dans lesquelles l'armée tire contre la population.

— Et tout cela est vrai ? s'enquit Sven-Erik qui comme la plupart des policiers avait une méfiance instinctive envers les médias.

— Probablement. Plusieurs sociétés appartenant au groupe Kallis Mining ont été blacklistées par des organisations comme Greenpeace et Human Rights Watch. Pendant plusieurs années, Mauri Kallis a été considéré comme un véritable paria. Il n'avait plus aucune affaire en Suède. Les investisseurs ne voulaient plus prendre le risque de voir leurs noms associés au sien. Mais il y a un an environ, le vent a tourné. Il s'est retrouvé en couverture de l'hebdomadaire *BusinessWeek* dans lequel figurait un article sur l'exploitation minière. Et peu de temps après, il a eu droit à un long portrait sur le site en ligne de Dagens Nyheter.

— Pourquoi ce revirement ? demanda Anna-Maria. La compagnie s'est racheté une conduite, ou quoi ?

— Je ne crois pas. Je pense que c'est juste dû au fait que de plus en plus d'entreprises ont à présent des intérêts dans ces pays-là et plus ou moins les mêmes pratiques. Quand il n'y a plus que des canailles, il n'y a plus de canailles du tout, si vous voyez ce que je veux dire. La presse en a eu assez de taper sur Mauri

Kallis et elle s'est mise à encenser l'homme d'affaires qui réussissait magnifiquement tout ce qu'il touchait.

— C'est comme dans la télé-réalité, fit remarquer Anna-Maria. Il y a un candidat que tout le monde adore détester, la presse publie un tas d'articles sur la méchante qui fait pleurer ses partenaires et on a droit à un véritable lynchage médiatique. Et ensuite, du jour au lendemain, les gens se lassent de la détester et on en fait une sainte, elle n'a plus rien d'une garce et elle devient une icône du Girl Power.

— Sans compter que l'histoire de Mauri Kallis est une authentique *success story*. L'homme a bâti sa fortune à partir de rien. Il a aussi mal démarré dans la vie qu'il était possible de le faire. Et aujourd'hui, il possède une propriété luxueuse dans le Södermanland, le comté de Stockholm, et il est marié avec une aristocrate. Ebba von Uhr. Bien sûr, elle a dû renoncer à son titre de noblesse en l'épousant.

— Je vois ! dit Anna-Maria, ironique, le gène nobiliaire n'est dominant que chez les hommes. Des enfants ?

— Deux. Dix et douze ans. »

Anna-Maria se réveilla tout à coup.

« OK. On voit avec le service des cartes grises. Je veux savoir ce qu'il conduit comme voiture. Et de manière générale, je veux la liste de tous les véhicules immatriculés à son nom.

— Ce n'est pas un jeu, dit Sven-Erik avec autorité en se tournant vers Rebecka et en lui accordant toute son attention. Je voudrais en revenir à cette histoire d'exploitation minière… Pourquoi dites-vous qu'il y a une énorme différence entre le fait de se lancer dans l'industrie minière et celui d'acheter des concessions et d'effectuer des forages tests ?

— Parce que exploiter un gisement implique tout un tas de choses. Il faut connaître les lois environnementales, le droit de l'entreprise, le droit du travail, le droit administratif et la réglementation fiscale du pays dans lequel on veut s'implanter.

— Pitié ! dit Anna-Maria en levant la main devant son visage comme pour parer un coup.

— On peut se retrouver dans une impasse simplement parce que l'administration d'un pays manque de souplesse ou qu'elle fonctionne différemment de ce que nous connaissons dans le monde occidental. On peut avoir des problèmes avec les syndicats, les entrepreneurs. On peut rencontrer des difficultés à obtenir des permis auprès des officiels. On doit faire face à la corruption. On n'a pas forcément les bonnes personnes…

— Des permis pour quoi faire ?

— Des permis pour tout. Pour forer. Pour polluer l'eau. Pour construire des routes, des bâtiments… absolument pour tout. Il faut créer des structures complètement différentes. Et on se retrouve avec une vraie responsabilité de chef d'entreprise. Comment vous expliquer ça… On devient membre d'une communauté, on appartient au pays dans lequel on démarre son entreprise. Et on est à l'origine de l'édification d'une nouvelle communauté autour de l'exploitation qu'on a créée. On fait vivre des familles entières. Dans le meilleur des cas, on va jusqu'à fonder des écoles pour scolariser les enfants de ses employés. Je trouve intéressant que Mauri Kallis se soit soudain lancé dans une entreprise comme celle-là…

— Quel rôle jouait Inna Wattrang dans la société ? demanda Anna-Maria.

— Elle était employée par la maison mère du groupe Kallis Mining, mais elle travaillait pour l'ensemble de la compagnie. Elle faisait partie du conseil d'administration d'un grand nombre de filiales. C'est une juriste et elle a aussi étudié l'économie d'entreprise, mais je n'ai pas l'impression qu'elle se soit occupée de droit des sociétés au sein de Kallis Mining. Pour ça, ils ont un avocat d'affaires canadien au siège. Le type a plus de trente ans d'expérience dans le domaine de l'exploitation pétrolière et minière.

— Vous dites qu'elle était juriste. Vous ne l'aviez jamais rencontrée ?

— Non, non. Elle était plus âgée que moi et nous sommes plusieurs centaines à sortir de la fac de droit chaque année. Et puis elle a fait ses études à Stockholm, et moi à Uppsala.

— Alors, elle faisait quoi exactement comme travail ? insista Anna-Maria.

— Communication d'entreprise et financement.

— Ça consiste en quoi ?

— OK, disons que Mauri Kallis trouve une concession à acheter, c'est-à-dire le droit de faire des forages tests pour trouver des diamants ou de l'or ou autre chose. Ce genre d'essais peut se révéler extrêmement couteux. Chercher des minéraux est pour lui une entreprise à haut risque puisqu'il peut avoir beaucoup d'argent un jour et très peu le lendemain. Il n'a pas la capacité de lever lui-même les capitaux nécessaires, et comme je vous l'ai dit tout à l'heure, aucune banque au monde n'accepte en principe de prêter de l'argent pour ce type de business. Il lui faut donc trouver des financements privés. Des gens ou des sociétés d'investissement qui souhaitent être associés dans l'affaire. Il faut donc littéralement partir en tournée de promotion pour vendre l'idée. Et avoir une excellente réputation dans son domaine. Inna Wattrang l'aidait à construire cette réputation et à diffuser la bonne parole de Kallis Mining. Elle avait visiblement un don pour la finance. Son frère Diddi Wattrang est aussi un financier. Quant à Mauri Kallis, il est plutôt à l'origine des projets. Il renifle les affaires intéressantes, négocie, signe les contrats. Et depuis peu, il est aussi responsable de l'aspect industriel, l'exploitation minière à proprement parler.

— Je me demande quel genre d'homme il est », dit Anna-Maria, subitement un peu nerveuse à l'idée de le rencontrer dans quelques heures.

Arrête ça, se dit-elle. Ce n'est pas Dieu sur terre, non plus.

« J'ai téléchargé une interview de lui sur Internet, vous devriez y jeter un coup d'œil, dit Rebecka. Elle est chouette. Inna Wattrang répond aussi à quelques questions. Sinon, je n'ai pas trouvé grand-chose sur elle. Elle est beaucoup moins connue que Kallis. »

L'émission dure une heure. Il s'agit d'une interview datant de septembre 2004. Malou von Sivers rencontre Mauri Kallis. Malou von Sivers a de quoi être fière. Elle-même est interviewée avant l'entretien et elle exprime son contentement. Ça fait partie du marketing. On apprend que TV4 a vendu l'émission à pas moins de douze chaînes de télévision étrangères. De nombreux journalistes ont essayé d'obtenir un entretien avec Mauri Kallis, mais depuis 1995, il s'y refuse.

On demande à Malou comment elle l'a convaincu. Elle répond que plusieurs facteurs sont entrés en jeu. D'une part, Mauri Kallis a senti que c'était le moment. Sa notoriété grandissante l'y obligeait d'une certaine manière. Et même s'il croyait à l'adage : « Pour vivre heureux, vivons cachés », il n'avait rien à cacher. Et puis il avait envie de donner une interview en Suède. Par loyauté envers le pays qui l'avait vu naître.

En outre Malou von Sivers avait la réputation de traiter ses invités avec respect, ce qui avait certainement fait peser la balance de son côté.

« Je sais qu'il me considère comme une professionnelle sérieuse qui se documente avant de préparer ses questions », dit-elle sans fausse modestie.

Le journaliste qui l'interroge est un peu agacé par son assurance et il lui demande si, à son avis, le fait d'avoir demandé à une femme de mener l'entretien n'était pas calculé. Une façon d'apporter une note légère aux dures réalités du sujet ? L'exploitation minière est comme chacun sait un monde d'hommes et un univers assez… comment dire… brutal. Malou von Sivers garde le silence. Elle ne sourit pas.

« Ou alors il m'a choisie parce que j'étais la meilleure », dit-elle au bout d'un moment.

Au début du reportage on voit Malou von Sivers, Inna Wattrang et son frère Diddi assis dans un salon du domaine de Regla, le haras acheté par la famille Kallis, treize ans auparavant.

Mauri Kallis est en retard, l'avion privé de la compagnie, un Beech 200, n'a pas pu décoller à l'heure prévue de l'aéroport d'Amsterdam. Malou von Sivers a décidé de commencer l'interview avec les frère et sœur Wattrang. Cela donnera du rythme à l'émission.

Ils sont confortablement installés dans leurs fauteuils respectifs. Tous les deux portent des chemises blanches aux manches retroussées et l'un comme l'autre une grosse montre masculine au poignet. Ils se ressemblent beaucoup avec leur nez caractéristique dont la racine commence très haut sur le visage, entre les yeux. Tous deux ont les cheveux blonds et une coupe au carré. Ils ont les mêmes gestes aussi, et la même façon de repousser sur le côté la mèche qui leur tombe devant les yeux.

Rebecka songea en les regardant qu'il y avait dans cette façon de passer les doigts dans les cheveux, de la racine jusqu'à la pointe, une sensualité subtile mais flagrante. Pour revenir sur les genoux de leur propriétaire ou le bras du fauteuil, la main effleurait le menton ou la bouche.

Anna-Maria observait leurs gestes en se disant : ils n'arrêtent pas de se toucher la figure ces deux-là. Ils se droguent, ou quoi ?

« Vous voulez que j'aille faire du café avant de me sauver ? » proposa Rebecka.

Sven-Erik et Anna-Maria hochèrent la tête sans quitter l'écran des yeux.

Je devrais essayer ce genre de langage corporel, songeait Rebecka en regardant l'écran. C'est ça mon problème. Je ne dégage aucune sensualité.

Elle éclata de rire intérieurement. Si elle faisait ce genre de choses devant Måns Wenngren, il penserait qu'elle tripotait ses boutons d'acné.

Les mains de Malou von Sivers ne gesticulent pas dans tous les sens. C'est une professionnelle. Sa mèche auburn reste bien en place sous la laque.

Malou von Sivers : Vous habitez tous le haras ?

Diddi Wattrang (riant) : Quelle horreur. On dirait qu'on parle d'une espèce de maison communautaire ou quelque chose comme ça !

Inna Wattrang (riant également et posant une main amicale sur celle de Malou) : Venez vivre avec nous, vous m'aiderez à faire la cuisine !

Malou von Sivers : Franchement, ce n'est pas un peu pénible, à la longue ? Travailler ensemble. Vivre ensemble.

Diddi Wattrang : On ne peut pas vraiment dire qu'on vive les uns sur les autres. La propriété est assez grande. Ma famille et moi disposons de l'ancien pavillon du gardien. On ne le voit même pas d'ici.

Inna Wattrang : Et moi j'habite dans l'ancien lavoir qui a été transformé en maison.

Malou von Sivers : Alors, racontez-moi ! Comment vous êtes-vous rencontrés, tous les trois ?

Diddi Wattrang : Mauri et moi étions dans la même école de commerce, dans les années quatre-vingt. Mauri faisait partie d'un groupe d'étudiants qui s'était lancé dans la spéculation en bourse.

Dès l'ouverture des marchés, ils étaient tous collés devant l'écran suspendu à l'extérieur du pub.

Inna Wattrang : C'était assez inhabituel de spéculer sur les actions à l'époque. Maintenant tout le monde le fait.

Diddi Wattrang : Et Mauri était très doué.

Inna Wattrang (se penchant avec un sourire narquois) : Et Diddi est allé le draguer…

Diddi Wattrang (donnant un coup de coude à sa sœur) : Je ne l'ai pas « dragué », nous sommes devenus amis.

Inna Wattrang (d'un air faussement sérieux) : Ils sont devenus amis !

Diddi Wattrang : J'ai investi un peu d'argent…

Malou von Sivers : Et vous êtes devenu riche ?

(Sa question est suivie par une demi-seconde de silence.)

Oups, se dit Anna-Maria Mella en essayant en vain de boire une gorgée du café brûlant que Rebecka a apporté discrètement. On ne parle peut-être pas d'argent chez ces gens-là. C'est sûrement vulgaire.

Diddi Wattrang : Comparé à un étudiant lambda, certainement. Mauri avait déjà un instinct très sûr à l'époque. Il a investi à long terme en achetant du Hennes & Mauritz en obligations dès 1984, tapé dans le mille avec Skanska, Sandvik, SEB… Son timing était parfait pratiquement à chaque fois. À la fin des années quatre-vingt, l'analyse financière, c'était la grande mode, et Mauri était un véritable magicien quand il s'agissait de trouver le prochain titre dont le cours partirait à la hausse. L'immobilier a commencé à bouger alors que nous étions à mi-chemin de nos études. Je me souviens qu'Anders Wall était venu à l'école pour faire une conférence et qu'il nous avait conseillés à tous d'acheter des appartements en centre-ville de Stockholm. Mauri n'avait pas attendu ses conseils pour déménager de sa chambre d'étudiant et acheter des appartements à crédit. Un deux-pièces qu'il habitait et deux studios dont les loyers lui permettaient de payer à la fois ses mensualités et de vivre à côté.

Malou von Sivers : La presse parle de lui comme d'un « self-made-man », un « visionnaire », un « génie de la finance venu de nulle part »…

Inna Wattrang : Cela le définit parfaitement. Bien avant que la Chine ne se réveille, il avait déjà démarré un projet d'extraction d'olivine au Groenland. Ensuite, les Chinois et le groupe LKAB sont venus le supplier à genoux de leur céder la concession.

Malou von Sivers : Puis-je vous demander de nous éclairer un peu ? Je crains que nous soyons nombreux à manquer de connaissances dans ce domaine.

Inna Wattrang : Il faut de l'olivine pour faire de l'acier à partir du fer. Mauri avait compris avant tout le monde que le marché de l'acier allait exploser avec l'émergence de la Chine.

Diddi Wattrang : Il a toujours cru en la Chine. Bien avant les autres.

Février 1985. Diddi Wattrang est en première année d'école de commerce. Il n'a jamais été très doué pour les études. Mais sa famille le soutient avec énergie. Elle s'occupe également de ses professeurs. Sa mère invite tout le quartier au concert estival qu'ils organisent chaque été. Un concert en plein air, bien entendu, on ne reçoit pas n'importe qui chez soi. Mais pour ceux qui y sont conviés, cela reste l'un des événements les plus importants de la saison. Ils payent volontiers leur billet pour y assister. Après tout, l'argent va à l'entretien de leur patrimoine culturel. Sur une propriété comme celle-là, il y a toujours une toiture à réparer ou un mur à repeindre. Et après le concert, quand les gens viennent se saluer, sa mère trouve l'occasion de glisser un petit mot à son professeur de français. « Mon mari et moi sommes convaincus que Diddi est un garçon intelligent et qu'il doit absolument poursuivre ses études. » Son père tutoie le directeur de l'école et l'appelle par son prénom, mais ce dernier n'est pas dupe. C'est donnant-donnant. Ce n'est pas désagréable d'être à tu et à toi avec monsieur le baron mais ce n'est pas gratuit non plus.

Diddi est péniblement arrivé au bout de ses années de lycée. Avec un peu de ruse et de tricherie. Il y a toujours dans un établissement scolaire quelque élève brillant mais sans charme qui se montre enchanté d'aider un camarade pour ses devoirs en échange d'un peu d'attention.

En tout cas, Diddi est doué pour une chose. Il sait se faire aimer. Il regarde ses interlocuteurs en penchant la tête légèrement de côté pour arriver à voir sous sa longue mèche blonde. Il a l'air d'apprécier sincèrement tout le monde et en particulier la personne à qui il s'adresse. Il sourit avec les yeux autant qu'avec la bouche et quand il serre la main aux gens, il rentre tout doucement dans leur cœur.

Ces temps-ci, c'est sur Mauri Kallis qu'il a jeté son dévolu et qui va avoir le privilège de se croire l'élu. Nous sommes mercredi soir et ils sont en train de boire un verre au pub où se retrouvent les élèves. À les voir, on pourrait penser qu'ils sont amis depuis longtemps. Diddi fait semblant d'ignorer une ravissante fille blonde qui rit trop fort avec ses amis un peu plus loin, et leur jette des regards appuyés. Il adresse un salut poli aux connaissances qui viennent le solliciter. Mais ça en reste là. Ce n'est pas leur soir.

Mauri boit un peu trop, comme on fait au début d'une histoire, quand on est un peu nerveux. Diddi n'est pas en reste mais il tient mieux l'alcool. Ils offrent la tournée à tour de rôle. Diddi a un peu de cocaïne dans sa poche. Au cas où l'occasion se présenterait. Il navigue à vue.

Il s'avère que le type n'est pas inintéressant. Diddi raconte des anecdotes choisies de son enfance. Il parle de l'insistance de son père pour qu'il fasse des études. Il parle de ses colères et des vexations qu'il lui fait subir chaque fois qu'il rate une épreuve. Il se plaint un peu. Il avoue sans complexe et dans un sourire qu'il est parfaitement conscient d'être un blanc-bec et de n'avoir rien à faire dans cette école.

Ensuite il prend la défense de son père qui n'a pas eu une vie facile, lui non plus. Ses parents étaient de la vieille école et il devait se tenir sur le seuil de la maison et s'incliner devant son père, le grand-père de Diddi, avant d'avoir le droit d'entrer dans la maison. Les moments de tendresse sur les genoux de ses parents ne devaient pas être nombreux.

Après cette première approche par le biais de la confidence, il commence à poser des questions. Il observe Mauri, le garçon maigre avec son pantalon en flanelle trop grand, ses chaussures bon marché et sa chemise bien repassée, si fine qu'on voit les poils de son torse à travers. Mauri qui transporte ses livres de cours dans une poche de supermarché. Une chose est sûre, celui-là ne dépense pas son argent à la légère.

Mauri se dévoile. Il raconte qu'à l'âge de douze ans, il a cambriolé une maison et qu'on l'a arrêté. Il parle de l'assistante sociale qui l'a aidé à se ressaisir et à se mettre à étudier.

« Elle était belle ? » lui demande Diddi.

Mauri ment et répond par l'affirmative. Il ne sait pas pourquoi. Il a envie de faire sourire Diddi.

« Tu es un type surprenant, dit ce dernier. Tu n'as pas la tête d'un criminel. »

Mauri, qui préfère choisir ce qu'il a envie de dire ou de ne pas dire, décide de taire le fait que c'est une bande de garçons plus âgés, son frère de famille d'accueil et des copains à lui, qui l'ont envoyé faire le sale boulot parce que eux étaient légalement responsables.

« Quelle tête ça a, un criminel ? » demande-t-il à la place.

Diddi a l'air impressionné.

« Et maintenant tu fais partie de l'élite dans cette école, dit-il.

— Tu parles, je suis passé par la petite porte en économie d'entreprise, réplique Mauri.

— C'est parce que tu passes ton temps à suivre les cours de la bourse au lieu d'étudier. Tout le monde le sait. »

Mauri ne répond pas. Il tente d'attirer l'attention du serveur pour commander deux autres bières. Il a l'impression d'être un nain qu'on ignore tandis qu'il essaye d'atteindre le bar. Diddi en profite pour regarder la blonde dans les yeux et lui sourire. Un petit placement pour l'avenir.

Ils finissent au bar de Grodan où ils payent leurs bières trois fois plus cher.

« J'ai un peu de fric, dit tout à coup Diddi. J'aimerais que tu le places pour moi. Je parle sérieusement. Je suis prêt à prendre le risque. »

Diddi n'a pas le temps de comprendre ce qui se produit chez Mauri sous ses yeux. Ça ne dure qu'une demi-seconde au cours de laquelle il se redresse, connecte une part encore sobre de son cerveau, fait un inventaire, analyse, arrive à une conclusion. Plus tard Diddi découvrira que Mauri garde en permanence sa capacité de discernement. La peur entretient sa vigilance. Mais le phénomène cesse aussi rapidement qu'il s'est produit. Mauri hausse les épaules comme un homme ivre.

« D'accord, dit-il. Je te prends vingt-cinq pour cent et quand j'en ai marre, tu reprends ton portefeuille et tu t'en occupes toi-même ou tu vends le tout, comme tu préfères.

— Vingt-cinq pour cent ! » Diddi est soufflé par son audace. « C'est de l'usure ! Les banques prennent combien ?

— Va voir les banques, alors. Ils ont d'excellents courtiers. »

Diddi accepte l'offre de Mauri.

Ils éclatent de rire ensemble comme si tout cela n'était qu'une plaisanterie.

Dans le montage du reportage, ils ont gardé le moment où Mauri Kallis se joint à l'interview. En bas à droite de l'écran on voit Malou von Sivers faire un geste de l'index. « Continue à tourner », dit la main à la personne qui se trouve derrière la caméra. Mauri Kallis est un homme mince et assez petit, on dirait un écolier efflanqué. Son costume est parfaitement coupé, ses chaussures sont bien cirées, sa chemise est d'un blanc immaculé et, maintenant, elle est taillée sur mesure dans un coton épais de première qualité et pas du tout transparent.

Il prie Malou von Sivers de lui pardonner son retard, lui serre la main puis il se tourne ensuite vers Inna Wattrang et lui pose un baiser sur la joue. Elle sourit et dit : « Voici notre seigneur et maître ! » Diddi Wattrang et Mauri Kallis se serrent la main. Quelqu'un apporte une chaise et ils sont tous les trois avec la journaliste devant l'objectif.

Malou von Sivers commence en douceur. Elle garde les questions difficiles pour la fin de l'interview. Elle veut d'abord mettre Mauri Kallis à l'aise. Et si quelque chose doit aller de travers, elle préfère que ce soit à la fin, quand ils auront déjà tout ce dont ils ont besoin pour l'émission.

Elle tient dans une main l'hebdomadaire *Business-Week* datant du printemps 2004 avec Mauri sur la couverture et dans l'autre la page centrale de *Dagens*

Nyheter Economie. L'article est intitulé : « Le garçon au pantalon d'or[1] ».

Inna regarde les journaux en se disant que c'est un miracle si ces articles ont vu le jour. Mauri n'avait jamais voulu donner d'interviews auparavant. Et c'est elle, Inna, qui avait finalement réussi à le convaincre. La couverture de *BusinessWeek* était un portrait de Mauri regardant par terre. L'assistant du photographe avait fait tomber un stylo qui avait roulé sur le sol. Au moment du cliché Mauri le suivait des yeux. Le photographe en avait profité pour le mitrailler. Sur la photo, Mauri a l'air plongé dans ses pensées. On dirait presque qu'il prie.

> Malou von Sivers : « Avoir été jeune délinquant et en arriver là : une grande propriété, des affaires prospères, une épouse ravissante. Votre destin est celui d'un personnage de roman. Quelle impression cela vous fait-il ? »

Mauri lutte contre le dégoût de lui-même que ces photos et ces articles provoquent chez lui. Il est devenu la propriété de tout un chacun. On se sert de lui pour convaincre monsieur Tout-le-Monde qu'il a raison de croire en ses rêves. Svenskt Näringsliv, la confédération des entreprises suédoises, l'invite à faire des discours. L'organisation patronale le cite en exemple pour dire : « Regardez ! Tout le monde peut réussir.

---

1. *Le Garçon au pantalon d'or* est un roman jeunesse à succès en Suède, adapté au cinéma, et qui raconte l'histoire d'un petit garçon qui découvre dans le grenier de sa maison un pantalon magique.

Il suffit de le vouloir vraiment. » Göran Persson[1] a récemment parlé de lui à la télévision dans un débat sur la délinquance juvénile. C'est une assistante sociale qui l'a remis sur le droit chemin. Le système social de ce pays fonctionne.

Les enfants des classes défavorisées peuvent encore faire des études. Les plus démunis ont aussi une chance de s'en sortir.

Mauri ne supporte pas d'être jeté en pâture de cette façon.

Il ne le montre pas. Sa voix reste calme et courtoise. Peut-être légèrement monocorde. Mais il n'est pas là pour séduire. C'est le rôle d'Inna et de Diddi.

Mauri Kallis : Je n'ai pas l'impression d'être un personnage de roman.

Silence.

Malou von Sivers fait une nouvelle tentative : Dans la presse étrangère on vous appelle « le miracle venu de Suède » et on vous compare à Ingvar Kamprad, le fondateur d'Ikea.

Mauri Kallis : C'est vrai, nous avons tous les deux un nez au milieu du visage…

Malou von Sivers : Avouez que vous avez d'autres points communs ? Vous êtes tous les deux partis de rien. L'un comme l'autre vous avez réussi à créer une multinationale dans un pays comme la Suède qui est connu pour être… peu propice à la création de nouvelles entreprises.

---

1. Göran Persson : ancien Premier ministre social-démocrate suédois (1996-2006).

Mauri Kallis : C'est un fait. La réglementation fiscale aime les vieilles fortunes, mais une brèche s'est ouverte pour gagner de l'argent entre les années quatre-vingt et les années quatre-vingt-dix. J'en ai profité.

Malou von Sivers : Racontez-nous. L'un de vos camarades de promotion a dit un jour dans une interview que vous trouviez ridicule de dépenser votre bourse d'étude pour vivre. « Bouffer l'argent et le chier » serait l'expression que vous utilisiez.

Mauri Kallis : L'expression n'est pas très élégante et je ne la réutiliserai pas ici. Mais le fait reste exact. Je n'avais jamais eu une somme pareille entre les mains en une seule fois et je suppose que c'était l'homme d'affaires en moi qui parlait. L'argent doit travailler, il doit être investi. (Là, un sourire fugitif éclaire son visage.) J'étais passionné par la bourse. Je me promenais avec des copies d'indices boursiers dans mon cartable.

Diddi Wattrang : Et tu lisais *Affärsvärlden*.

Mauri Kallis : En ce temps-là, c'était encore un journal financier pertinent.

Malou von Sivers : Et aujourd'hui ?

Mauri Kallis : Aujourd'hui, il ne l'est plus.

Le couloir de la résidence étudiante de Mauri dessert huit chambres qui se partagent la jouissance d'une cuisine et de deux salles d'eau. Une femme vient faire le ménage une fois par semaine et c'est heureux car sinon, personne ne se hasarderait à fouler le sol de la cuisine en chaussettes sous peine de sentir des miettes et des saletés au travers. Sans compter les matières collantes que personne n'a pris la peine d'essuyer avant qu'elles sèchent. Les chaises et la table sont en pin. Elles sont lourdes et de facture grossière. Le genre de meubles dans lesquels on se cogne tout le temps.

Sur le même couloir vivent des filles qui se fréquentent et sortent ensemble et vont à des soirées auxquelles vous n'êtes jamais invité. Anders habite la chambre en face de celle de Mauri. Il a des lunettes à la dernière mode et étudie le droit, on le croise parfois dans la cuisine mais il passe la majeure partie de son temps avec sa petite amie.

Håkon est grand et il vient de Kramfors. Mattias est gros et gras. Et lui, Mauri, est un petit moustique insignifiant et maigre. Quelle équipe ! Aucun d'entre eux n'est invité aux soirées. Et il ne servirait à rien qu'ils en organisent eux-mêmes. Qui viendrait ? Alors ils restent devant la télévision dans la chambre de Håkon à regarder des films porno déprimants, un coussin sur les genoux comme des adolescents.

Il fut un temps où sa vie ressemblait à ça. Alors Mauri devient un trader, ce qui est une façon comme une autre d'être quelqu'un. Il ne fréquente pas pour autant les autres jeunes gens qui, comme lui, passent leur temps dans le hall derrière les portes en cuivre de son école à regarder l'écran où s'affichent en temps réel les cours de la bourse.

Il est devenu un spéculateur passionné. Il sèche les cours, s'use quotidiennement les yeux à lire *Dagens Industri* au lieu d'étudier.

C'est une fièvre comparable à la passion amoureuse. Avec la montée d'adrénaline en sus chaque fois qu'on gagne.

Premier gain important. Il s'en souvient comme si c'était hier. Il ne l'oubliera jamais. C'est aussi fort que la première fille qu'on a aimée. Mauri avait acheté cinq cents actions Cura Nova avant la fusion avec Artemis. La cote s'est envolée. D'abord en flèche puis plus lentement à mesure que d'autres spéculateurs prenaient le train en marche et achetaient. Ils étaient arrivés longtemps après lui. Au point qu'à ce stade, il avait déjà décidé de vendre. Il n'avait raconté à personne combien il avait gagné cette fois-là. Il était sorti dans la rue et s'était arrêté sous un réverbère, le visage levé vers la neige qui tombait. C'est à cet instant qu'il en avait eu la certitude. Je serai riche, s'était-il dit. J'ai trouvé ma voie.

Et en prime il s'était lié d'amitié avec Diddi. Diddi qui s'arrête parfois sous l'écran, parle avec les uns et les autres et vient s'asseoir à côté de Mauri pendant les cours.

Il leur arrive d'aller faire la fête ensemble. Et Mauri prend vingt-cinq pour cent des bénéfices de Diddi. Parce qu'il n'est le garçon de courses de personne. Il n'est pas stupide non plus. Il sait que l'argent est son passeport vers l'Autre Monde.

Et alors, chacun ses armes. Moi c'est l'argent. Un autre aura son physique pour lui, un autre encore son charme ou le nom qu'il porte. L'important c'est de faire bien attention au passeport qui vous a été remis au départ car on peut le perdre en route.

Il y a des règles. Tacites. Par exemple : c'est toujours Diddi qui appelle Mauri pour lui proposer de sortir. L'inverse est impossible. Jamais il ne viendrait à Mauri l'idée de téléphoner à Diddi.

Alors Mauri attend que Diddi l'appelle. Une voix intérieure lui souffle que Diddi fréquente certaines personnes auxquelles lui n'a pas accès. Parmi ses relations de la haute société. Dans les soirées branchées.

Diddi appelle Mauri quand il n'a rien d'autre à faire. Un sentiment qui ressemble à de la jalousie couve en Mauri. Il lui arrive de se dire qu'il devrait cesser d'acheter des actions pour Diddi. Immédiatement après, il se défend en se disant qu'il gagne de l'argent sur le dos de Diddi et qu'entre eux c'est un échange de bons procédés.

Il essaye de se concentrer sur ses livres. Et quand il n'a le courage ni d'étudier ni de spéculer, il joue aux cartes avec Håkon et Mattias. Il pense à l'hypothétique appel de Diddi. Fait un bond chaque fois que le téléphone sonne, mais, presque toujours, c'est un appel pour les filles des chambres voisines.

Quand Diddi appelle enfin, Mauri dit oui. Il se promet que la prochaine fois il dira non. Prétendra qu'il est occupé.

Il y a une autre règle : c'est Diddi qui décide avec qui ils passeront la soirée et il est évidemment hors de question que Mauri amène qui que ce soit. Håkon ou Mattias par exemple. À vrai dire il n'y aurait pas pensé. Ils ne sont pas amis. Il y a entre eux une sorte de solidarité. Ils ont simplement en commun d'être des laissés-pour-compte. Enfin, plus maintenant.

Mauri et Diddi boivent plus que de raison. Et ils se défoncent à la cocaïne. Il arrive à Mauri de se réveiller le matin et de ne pas savoir quand et comment il est rentré chez lui. Les tickets de caisse et les billets qu'il a dans les poches, les tampons qu'il a sur les mains lui fournissent quelques indices sur le déroulement de la soirée de la veille. Du pub au café, du café à la boîte de nuit et de la boîte de nuit à une fête privée avec des filles.

Il baise avec les copines moins jolies des plus belles filles de la ville. Et ça lui convient très bien. C'est toujours plus que ce que Mattias et Håkon peuvent espérer.

Six mois se passent ainsi. Mauri sait que Diddi a une sœur mais il ne l'a pas encore rencontrée.

Personne ne sait hausser les épaules comme Diddi. Ils échouent tous les deux à leurs examens. La colère de Mauri est rentrée, elle lui lacère et lui brûle les entrailles. Une petite voix dans sa tête lui dit qu'il ne vaut rien, qu'il n'est qu'un imposteur, que bientôt il basculera dans le vide pour revenir au monde auquel il appartient.

Diddi se contente de dire : « Eh merde ! » Mais ensuite il reporte la faute sur les autres, c'est l'examinateur, le pion qui surveillait la salle, le type qui pétait devant lui : ils sont tous responsables, sauf lui. Son échec ne l'affecte pas longtemps. Très vite il retrouve son insouciance.

Mauri met un certain temps à se rendre compte que Diddi n'est pas riche. Il a toujours cru que les gars de la haute, surtout les nobles, étaient pleins aux as. Mais c'est faux. Quand Diddi fait la connaissance de Mauri, il vit de presque rien. De sa bourse d'études uniquement. Il habite à Östermalm, mais l'appartement n'est pas à lui. Ses chemises viennent du dressing de son père qui est devenu trop gros pour les porter. Diddi les met par-dessus ses T-shirts dans un style négligé.

Il possède un jean et une seule paire de chaussures. Il a froid l'hiver mais il a une classe folle en toutes circonstances. Il est peut-être même encore plus beau quand il a froid. Quand il enfonce la tête dans ses épaules en gardant les bras serrés le long du corps. On doit se retenir de ne pas l'embrasser.

Mauri ne sait pas où Diddi a eu l'argent qu'il lui a donné pour acheter des actions. Il se dit que cela ne le regarde pas. Quand Mauri voit Diddi ivre mort et titubant ressortir des toilettes du pub aussi frais qu'un gardon, il se demande aussi comment il finance son vice. Mais il a sa petite idée. Un soir où ils étaient de sortie, un vieux monsieur est venu lui parler. Il n'avait pas eu le temps de dire bonsoir que déjà Diddi avait bondi sur ses pieds et disparu. Mauri avait senti qu'il ne devait pas lui poser de questions sur cet homme.

Diddi aime l'argent. Toute sa vie il a vu de l'argent, il a été entouré par des gens qui avaient de l'argent mais lui-même n'en a jamais eu. Son appétit pour l'argent croît sans cesse. Il prélève des parts de plus en plus importantes sur ses gains. Mauri hausse les épaules. Ça non plus, ça ne le regarde pas. La part de Diddi dans leur petite entreprise se réduit comme peau de chagrin.

Diddi s'absente pendant des périodes de plus en plus longues. Il part sur la Côte d'Azur et à Paris. Les poches pleines de billets.

Tout le monde tombe à un moment ou à un autre. Quant à Mauri, il va bientôt rencontrer la sœur de Diddi.

Malou von Sivers : Vous l'avez appelé « notre seigneur et maître ».

Inna Wattrang : Parce que c'est vrai ! Nous sommes ses petits toutous.

Mauri Kallis sourit et secoue la tête : L'expression n'est pas d'eux, c'est le magnat des médias Jan Stenbeck qui leur a soufflé ça. Je ne sais pas si je dois me sentir flatté ou vexé.

Malou von Sivers : Mais c'est vrai ?

Mauri Kallis : Pour rester dans la zoologie, je préférerais travailler avec des chats affamés.

Diddi Wattrang : Mais nous sommes gras…

Inna Wattrang : … et fainéants.

Malou von Sivers : Allez, racontez-moi. Votre amitié n'est quand même pas banale. Inna et Diddi sont nés avec une cuillère en argent dans la bouche et vous êtes un pissenlit poussé entre deux pavés, si vous me permettez l'expression.

Mauri Kallis : C'est ça.

Malou von Sivers : En fait c'est vous le chat affamé. Qu'est-ce qui fait que vous formiez une si bonne équipe, tous les trois ?

Mauri Kallis : Nous sommes complémentaires. Notre métier consiste avant tout à trouver des gens qui sont prêts à jouer, prêts à prendre de gros risques en espérant ramasser le pactole. Et qui ont les moyens de le faire. Nous ne voulons pas travailler avec des investisseurs qui seraient obligés de liquider leurs actions quand elles sont à la baisse. Il nous faut des gens capables de rester dans une société qui perd de l'argent jusqu'à ce que je trouve un projet qui rapporte. Parce que cela arrive toujours. Tôt ou tard. Il faut pouvoir attendre. C'est pour cela qu'en principe, nos sociétés sont inscrites en bourse, nous privilégions les capitaux privés de façon à savoir plus ou moins qui achète. C'est la même chose pour notre mine en Ouganda, par exemple. La situation est assez perturbée là-bas en ce moment et nous ne pouvons pas exploiter nos concessions. Mais c'est un investissement à long terme, auquel je crois. Et la dernière chose dont j'ai besoin c'est d'avoir des actionnaires qui me courent après pour toucher des dividendes avant six mois. Diddi et Inna me ramènent les financiers adéquats pour chacune de mes opérations. Et ce sont d'excellents rabatteurs. Ils savent mettre la main sur des joueurs qui ont le goût du risque pour mes projets les plus aventureux, et sur des actionnaires sans problème de trésorerie pour les programmes nécessitant un financement à long terme. Ils sont beaucoup plus sociables que moi. Ils ont ce que j'appelle le charisme financier. Et maintenant que nous nous sommes aussi lancés dans l'industrie, avec les mines que nous exploitons dans divers pays, ils me sont très utiles pour communiquer avec les autochtones et nos collaborateurs sur place. Ils sont à l'aise partout, et ils ont un rare talent pour les manœuvrer tout en souplesse sans jamais les braquer.

Malou von Sivers (à Inna) : Quelles sont les qualités de Mauri, à votre avis ?

Inna Wattrang : Il a un instinct prodigieux pour dénicher une bonne affaire. Un sixième sens. Et c'est un bon négociateur.

Malou von Sivers : Quel genre de patron est-il ?

Inna Wattrang : Il ne s'énerve jamais. C'est ce qu'il y a de plus fascinant chez lui. Il a dû essuyer quelques grosses tempêtes par le passé. En particulier à l'époque où nous devions nous engager sur des concessions minières sans avoir bouclé le financement au préalable. Jamais je ne l'ai vu inquiet ou stressé. Et forcément cela rassure ceux qui travaillent avec lui. Nous surtout.

Malou von Sivers : Vous, en revanche, vous avez poussé récemment un grand coup de gueule dans les journaux. Vous n'avez pas mâché vos mots.

Mauri Kallis : Vous parlez de la mine dans les montagnes de Ruwenzori ? L'histoire avec l'agence de la Coopération suédoise pour le développement ?

Malou von Sivers : Vous les avez traités d'incapables.

Mauri Kallis : La phrase était sortie de son contexte. Et elle n'était pas destinée aux médias. Un journaliste avait assisté à une conférence que je donnais et il l'a reprise. Cela dit j'admets qu'il peut être agaçant à la longue d'être constamment attaqué par des journalistes qui ne vérifient pas leurs sources. Je vous donne un exemple de gros titre : « Kallis Mining construit des routes pour les miliciens ». Avec une photo de moi en train de serrer la main à un général de la milice Lendu et un article qui raconte à quoi a été mêlée cette milice au Congo. Du jour au lendemain ma mine au nord-ouest de l'Ouganda était diabolisée. Et moi avec. C'est facile d'avoir des valeurs morales en évitant d'investir dans les pays en crise. C'est facile d'envoyer des subventions et de se tenir à distance prudente de la réalité. Mais les gens qui vivent dans ces pays ont besoin d'implantation d'entreprises, de travail, de développement. Leurs gouvernements, eux, veulent de l'argent et si possible sans aucun contrôle. Quand on voit la ville de Kampala, on devine à quoi les aides ont pu servir. Des villas magnifiques à flanc de montagne où vivent les membres du gouvernement et les hauts fonctionnaires. Et ceux qui ne veulent pas croire que l'argent des subventions va à l'armée, une armée qui, quand elle ne terrorise pas la population, pille les mines au nord du Congo, sont des naïfs. Chaque année des milliards de couronnes sont versés aux pays d'Afrique pour combattre le SIDA mais allez demander à n'importe quelle femme de n'importe quel pays d'Afrique quelle différence cela a fait pour elle, vous pouvez être sûr qu'elle vous répondra : « Aucune ». Vous savez où va tout cet argent ?

Malou von Sivers : Non, dites-le-moi !

Mauri Kallis : Il va droit dans la poche des membres du gouvernement. Et encore, ce n'est pas le plus grave. Pour ma part, je préfère encore les propriétés de luxe aux armes. Bien sûr, les Suédois bien-pensants qui travaillent pour l'agence de la Coopération pour le développement sont contents de leur job et c'est tant mieux pour eux. Ce que j'essaye de vous dire c'est que pour faire des affaires dans ces pays-là on doit traiter avec des gens qui ne sont pas toujours très recommandables, d'une manière ou d'une autre. Et il faut parfois se salir les mains. Mais au moins, on fait quelque chose. Malheureusement, quand je construis une route pour permettre l'accès à ma mine, je ne peux pas empêcher les miliciens de l'emprunter.

Malou von Sivers : Et cela ne trouble pas votre sommeil ?

Mauri Kallis : J'ai toujours eu du mal à dormir, mais pas pour cette raison.

Malou von Sivers (changeant de sujet en le voyant sur la défensive) : Revenons à votre enfance. Vous voulez bien nous en parler un petit peu ? Vous êtes né à Kiruna en 1964 d'une mère célibataire qui ne pouvait pas s'occuper de vous.

Mauri Kallis : C'est exact. Elle n'avait pas la fibre maternelle. Mes demi-frères et sœurs, nés après moi, lui ont tous été enlevés pour être placés dans des familles d'accueil. Mais j'étais son premier enfant, et on m'a laissé avec elle jusqu'à l'âge de onze ans.

Malou von Sivers : C'était comment ?

Mauri Kallis (cherchant ses mots, fermant les yeux comme s'il faisait défiler les scènes dans sa tête) : J'ai appris à me débrouiller tout seul… presque tout le temps. Elle dormait quand je partais à l'école le matin. Elle… se mettait en colère si je lui disais que j'avais faim… Elle disparaissait pendant plusieurs jours sans que je sache où elle était.

Malou von Sivers : Vous avez du mal à en parler ?

Mauri Kallis : Oui.

Malou von Sivers : Vous avez votre propre famille à présent. Une femme, deux garçons, de dix et douze ans. Votre enfance a-t-elle eu une influence sur le père que vous êtes aujourd'hui ?

Mauri Kallis : Je ne sais pas très bien comment répondre à cette question. Disons que je n'ai pas d'idée préconçue sur ce que doit être une vie de famille. À la sortie de l'école, quand j'étais enfant, je voyais des mamans… normales. Avec des cheveux propres et bien coiffés… Et des papas aussi. Quelquefois j'étais invité chez des camarades de classe, mais pas souvent. Ils avaient des foyers, des vrais, avec des meubles, des tapis, des bibelots, des aquariums où nageaient des poissons. Chez nous, il n'y avait rien de tout ça. Je me souviens que l'assistante sociale nous avait acheté un beau canapé d'occasion une fois. Avec un mécanisme qui permettait de le transformer en lit d'appoint. Pour moi, c'était le summum du luxe. Deux jours après, il avait disparu.

Malou von Sivers : Où ça ?

Mauri Kallis : Je suppose que quelqu'un l'a vendu. Il y avait beaucoup de passage à la maison. La porte n'était jamais fermée à clé.

Malou von Sivers : Et pour finir, on vous a placé en famille d'accueil.

Mauri Kallis : Ma mère est devenue paranoïaque et agressive avec les voisins et les passants dans la rue. On a dû l'interner. Et quand on l'a internée…

Malou von Sivers : … on vous a placé, vous aussi. Vous aviez onze ans.

Mauri Kallis : Oui. Avec le recul, je me dis que les choses auraient été différentes si on s'était occupé de moi plus tôt… mais c'est comme ça.

Malou von Sivers : Vous êtes un bon père ?

Mauri Kallis : Je n'en sais rien. Je fais de mon mieux mais je suis souvent absent. C'est dommage.

Anna-Maria Mella changea de position sur sa chaise. « Ça me rend dingue, dit-elle à Sven-Erik. C'est l'illustration du proverbe "Faute avouée est à moitié pardonnée". Il suffit au type de dire qu'il devrait passer plus de temps avec ses enfants, et hop, on lui pardonne. Qu'est-ce qu'il racontera à ses garçons quand ils seront grands ? "Je sais que je n'étais jamais là, mais je veux que vous sachiez que je m'en suis toujours voulu. – On sait, papa. Merci papa. On t'aime, papa." »

Mauri Kallis : Mon épouse est présente et dévouée. Sans elle je ne pourrais pas mener de front mes affaires et ma vie de père de famille. J'ai beaucoup appris grâce à elle.

Malou von Sivers (apparemment touchée par la gratitude qu'il exprime envers sa femme) : Quoi par exemple ?

Mauri Kallis réfléchit : Des choses simples. Que lorsqu'on est une famille, on s'assied à table pour manger ensemble. Des choses comme ça.

Malou von Sivers : Est-ce que vous pensez que vous êtes plus à même d'apprécier une « vie normale » que moi, par exemple, qui ai eu une enfance classique ?

Mauri Kallis : Sans vouloir vous offenser, je le crois sincèrement. Je me suis toujours senti comme une sorte de réfugié dans la vie « normale ».

À la fin du troisième trimestre, Diddi peut enfin quitter le monde normal. Il a la beauté, le charme et désormais il a l'argent. Il quitte Stockholm, laisse derrière lui le fameux restaurant Riche. Titube le long du canal Saint-Martin avec deux mannequins qui trébuchent sur des jambes interminables en regardant le soleil se lever sur Paris. Non pas qu'ils soient trop saouls pour marcher droit mais ils se bousculent comme des gosses rentrant de l'école. Les arbres se penchent au-dessus de la surface de l'eau comme des femmes soumises et perdent leurs feuilles dans le canal comme autant de lettres d'amour, rouge sang, fumantes. Un parfum de boulange flotte dans l'air. Des camionnettes de livraison roulent vers le cœur de la ville, leurs pneus grondant sur les pavés. Le monde ne lui a jamais paru aussi beau.

Il rencontre un acteur dans une soirée autour d'une piscine et part avec lui en jet, pour aller passer deux semaines sur un tournage en Ukraine. Diddi a les moyens de se montrer généreux. Il apporte à bord dix bouteilles de Dom Pérignon.

Il fait la connaissance de Sofia Fuensanta Cuervo. Elle est beaucoup plus âgée que lui. Elle a trente-deux ans. Du côté de sa mère, elle appartient à la famille royale d'Espagne, par son père elle descend en ligne directe du saint du Carmel, Jean de la Croix.

Elle dit d'elle-même qu'elle est le mouton noir de sa famille. Elle est divorcée et mère de deux enfants qui vivent dans un pensionnat.

Diddi n'a jamais rencontré quelqu'un comme elle. Il est le vagabond qui arrive enfin à l'océan, entre dans l'eau jusqu'au cou et s'y noie. Les bras de Sofia sont le remède à tous ses maux. Qu'elle sourie ou qu'elle se gratte le nez, il fond. Il se surprend à se projeter dans l'avenir avec elle et ses enfants, des images diffuses où il se voit sur une plage avec eux à faire du cerf-volant ou en train de leur lire des histoires le soir dans leurs lits. Mais Sofia refuse de les lui présenter et elle ne lui parle jamais d'eux. Elle leur rend visite de temps en temps mais elle interdit à Diddi de venir. Elle prétend ne pas vouloir risquer qu'ils s'attachent à quelqu'un susceptible de disparaître. Il lui jure qu'il ne la quittera jamais. Il veut rester sa vie entière les doigts plongés dans sa chevelure noir corbeau.

Certains amis de Sofia ont des yachts et d'autres des propriétés dans le nord-ouest de l'Angleterre où elle est invitée à chasser et où il l'accompagne. Diddi est irrésistible dans la tenue de chasse qu'on lui a prêtée, avec son petit chapeau de feutre. Il est le petit frère de ces messieurs et le rêve humide de ces dames.

« Je refuse de tuer quoi que ce soit », déclare-t-il à la ronde avec la mine grave d'un enfant. Il est autorisé à se joindre aux rabatteurs en compagnie d'une adolescente de treize ans. Ils parlent longuement de ses chevaux et le soir la jeune fille parvient à convaincre la maîtresse de maison de placer Diddi à côté d'elle. Sofia le prête de bonne grâce à sa rivale.

Diddi invite Sofia à dîner, il lui offre des chaussures à un prix exorbitant et des tas de bijoux. Il l'invite une semaine à Zanzibar. La ville ressemble à un décor de théâtre dans sa splendeur décadente avec ses portes en bois somptueusement sculptées, ses chats maigres qui chassent des petits crabes blancs le long des plages immenses, le lourd parfum des clous de girofle séchant sur des étoffes rouges posées à même le sol. Ils vivent pleinement leur amour au milieu de ce décor d'une beauté crépusculaire avec ses portes et ses façades qui s'effritent et se lézardent tandis que l'île disparaît peu à peu sous l'invasion des touristes allemands bruyants et des Suédois obèses.

Les gens se retournent pour les regarder quand ils marchent dans la rue, se tenant par la main. Les cheveux de Diddi sont presque blancs à cause du soleil et ceux de Sofia sont aussi noirs et brillants que la crinière d'une jument andalouse.

Diddi téléphone un jour de Barcelone. Il veut vendre. Mauri lui explique qu'il n'a plus rien à vendre.

« Tu as mangé ton capital. »

Diddi se plaint d'avoir sur le dos un hôtelier furieux qui insiste beaucoup pour que Diddi paye ce qu'il lui doit.

« Il est très en colère. Je suis obligé de me faufiler dehors tous les jours pour éviter de le croiser. »

Mauri serre les dents durant le long silence pendant lequel Diddi espère qu'il va lui proposer de lui prêter de l'argent. Finalement Diddi le lui demande carrément. Et Mauri refuse.

Après son coup de fil, Mauri sort marcher dans Stockholm sous la neige. Il est furieux et il se sent trahi. Qu'est-ce que Diddi s'imaginait ? Qu'il allait baisser son froc et se laisser faire ?

Hors de question. Mauri passe les trois semaines suivantes chez sa nouvelle petite amie. Des années plus tard, alors qu'il est interviewé par Malou von Sivers, il ne se rappelle pas le nom de cette fille, quand bien même on lui collerait un pistolet sur la tempe.

Trois semaines après son coup de fil, Diddi débarque dans la cuisine de la résidence étudiante de Mauri. On est samedi soir, la copine de Mauri est sortie faire un dîner entre filles. Le voisin de Mauri, Håkon, regarde Diddi comme on regarde la télévision. Il oublie de détourner les yeux et de se comporter comme un être civilisé. Il le fixe avec l'expression d'une carpe. Mauri a une irrésistible envie de lui taper dessus pour qu'il ferme la bouche.

Les yeux de Diddi ressemblent à une banquise au milieu d'une mer de sang. Une neige gluante fond lentement dans ses cheveux et coule sur son visage.

L'amour de Sofia s'est volatilisé en même temps que l'argent de Diddi mais Mauri ne le sait pas encore.

Dans la chambre de Mauri, l'orage éclate. Mauri est un escroc, vingt-cinq pour cent, hein ? Un salaud d'usurier, voilà ce qu'il est. Diddi veut bien lui donner dix pour cent, à la rigueur, mais il exige qu'il lui rende son argent, MAINTENANT.

« Tu es saoul », réplique Mauri, l'air pensif.

La vie lui a appris à gérer ce genre de situation. Avec le plus grand naturel, il adopte le ton et l'attitude de son tuteur. Doux en dehors et intraitable en dedans. L'homme qui l'a accueilli quand il avait onze ans est en lui. Et à l'intérieur de celui-ci, il y a le frère qui est devenu le frère de Mauri quand on l'a placé dans sa famille d'accueil. C'est comme avec les poupées russes. À l'intérieur du frère, il y a Mauri. Mais il faudra des années avant que cette poupée-là apparaisse.

Diddi ne s'y connaît pas en poupées russes. Ou plutôt il n'y attache pas d'importance. Dans sa rage, il ouvre la poupée « père d'accueil », et c'est tant pis pour lui s'il a fait sortir le frère.

Malou von Sivers : Partir en famille d'accueil à l'âge de onze ans, c'était comment ?

Mauri Kallis : C'était nettement mieux, bien sûr, que ce que j'avais connu jusque-là. Mais pour ma famille d'accueil, offrir un foyer à un enfant en difficulté était surtout un moyen de gagner de l'argent. Mes nouveaux parents avaient tendance à courir plusieurs lièvres à la fois. Ma mère d'accueil avait au moins trois boulots en même temps. Elle appelait mon père d'accueil « le vieux » et mon frère d'accueil et moi l'appelions comme cela aussi. Il avait fini par se présenter lui-même comme ça.

Malou von Sivers : Parlez-moi de lui.

Mauri Kallis : C'était un escroc sans scrupule qui parvenait à se maintenir à peu près dans le cadre de la loi. Un homme d'affaires de toute petite envergure, si vous voulez. (Il sourit et secoue la tête en se remémorant le bonhomme.) Par exemple il achetait des voitures pour les revendre. La cour était pleine d'épaves. Parfois il allait les fourguer dans une autre ville. Dans ces cas-là, il mettait une chemise à col de prêtre. Les gens font souvent confiance aux hommes d'Église. « J'ai lu le règlement de l'Église du début jusqu'à la fin. Il n'est écrit nulle part qu'on doive être ordonné prêtre pour porter ce genre de col. »

Il arrive parfois que des clients mécontents viennent se plaindre d'avoir été menés en bateau. Le plus souvent ils sont en colère. Parfois ils pleurent. Le vieux leur fait des excuses. Il est désolé. Il leur propose un café ou un verre d'alcool, c'est selon. Mais les affaires sont les affaires. Un contrat est un contrat et on doit respecter ses accords. Il ne rend jamais l'argent.

Un jour arrive une femme à qui le vieux a vendu une voiture d'occasion. Elle est venue avec son ex-mari. Le vieux a tout de suite compris à qui il avait affaire.

« Va chercher Jocke », dit-il dès qu'il voit le couple sortir de la voiture.

Mauri court chercher son frère.

Quand Mauri et Jocke reviennent, le vieux s'est déjà fait un peu bousculer. Jocke a une batte de base-ball à la main. La femme ouvre de grands yeux.

« On y va », dit-elle en tirant son ex-compagnon par le bras.

Le type se laisse entraîner par son ex-femme, ce qui lui permet de s'enfuir sans trop perdre la face. Il suffit d'un regard pour voir que Jocke est fou à lier. Pourtant il n'a que treize ans. Il n'est encore qu'un gamin qui fait des bêtises. Comme cette histoire avec le chien par exemple. Il y a un type dans le village qui laisse tout le temps vagabonder son chien. Ça énerve le vieux que le chien vienne pisser sur son terrain. Un jour Jocke et ses copains capturent l'animal, ils l'aspergent de gasoil et mettent le feu. Ils hurlent de rire en voyant l'animal courir dans le champ comme une torche vivante. C'est à celui qui rira le plus fort. Ils se surveillent du coin de l'œil en riant.

Jocke apprend à se battre à Mauri. Les premiers temps, dans sa famille d'accueil, Mauri ne va pas à l'école. Il doit commencer en classe de CM1 à l'automne. Alors il traîne. Il n'y a pas grand-chose à faire à Kaalasjärvi mais il ne s'ennuie jamais. Il accompagne le vieux dans ses affaires. Un garçon bien sage est un bon atout. Le vieux vend des filtres à eau à des personnes âgées en ébouriffant les cheveux du gosse. Les vieilles dames ne manquent jamais de les inviter à prendre le café.

À la maison, on ne lui ébouriffe pas les cheveux. Quand ils sont à table, Jocke le traite de petit con, de « cassos », de crapaud répugnant. Il renverse son verre de lait dès que sa mère d'accueil a le dos tourné. Mauri ne rapporte pas. Il s'en fiche. Il a l'habitude qu'on se moque de lui. Il se concentre sur son repas. Brochettes de poisson. Pizza. Saucisse-purée. Boudin avec de la confiture d'airelles. Sa mère d'accueil le regarde, fascinée.

« Mais où est-ce que tu mets tout ça ? » lui demande-t-elle.

L'été passe. C'est la rentrée. Mauri fait profil bas mais il y a des gosses qui savent repérer une tête de Turc quand ils en voient une.

On lui enfonce la tête dans les toilettes et on tire la chasse. Il ne dit rien à personne mais d'une façon ou d'une autre, on l'apprend dans sa famille d'accueil.

« Tu dois te défendre », dit Jocke.

Ce n'est pas par affection pour Mauri qu'il dit cela, mais parce qu'il aime quand il y a de l'action.

Jocke a un plan. Mauri tente de lui faire comprendre qu'il ne veut pas. Ce n'est pas qu'il ait peur de prendre des coups. Se faire frapper par quelqu'un de son âge, ce n'est… rien du tout. C'est seulement désagréable. Et dans la mesure du possible, il essaye de se préserver des choses désagréables. Mais il semble qu'il n'y ait pas d'autre solution.

« Si tu ne veux pas, c'est moi qui vais te casser la gueule. Je vais te mettre une telle branlée qu'on sera obligé de te renvoyer chez ta petite maman. »

Alors Mauri accepte le plan de Jocke.

Il y a trois garçons dans la classe d'à côté, de vraies brutes. Ils croisent Mauri dans un couloir, près du réfectoire, et le bousculent. Jocke, qui attend non loin de là, s'approche avec deux copains et leur annonce que c'est l'heure de régler les comptes. Jocke et ses amis sont en cinquième. Mauri trouvait ses agresseurs grands et effrayants, mais comparé à Jocke et à ses acolytes, ils sont loin de faire le poids.

Leur chef réplique : « OK, c'est bon ! »

Il fait le malin, mais on voit bien qu'il n'en mène pas large. Tous les trois ont le regard fuyant comme s'ils cherchaient une issue.

Jocke les éloigne du réfectoire où il sait qu'il y a des surveillants et des professeurs et entraîne le chef du côté des salles de travaux pratiques, en empruntant un couloir flanqué de casiers. Les deux autres pensent devoir suivre mais Jocke les arrête. C'est une affaire entre Mauri et le chef de la petite bande qui le harcèle.

Le combat commence. Le chef pousse violemment Mauri contre un casier, qui se cogne la tête et le dos. La peur le tétanise.

« Allez, Mauri ! » lui crient les copains de Jocke.

Jocke ne dit rien. Son regard est dénué d'expression, presque las. Les camarades de l'agresseur de Mauri n'osent pas encourager leur chef mais leur attitude est plus assurée à présent. Ils doivent se dire que le seul qui va se faire taper dessus aujourd'hui, c'est Mauri, et ça, ça ne les dérange pas du tout.

Mais tout à coup, le phénomène se produit. Une nouvelle connexion se fait dans la tête de Mauri et au lieu d'hésiter, de reculer et de lever les mains pour se protéger le visage, il semble transcendé et son corps se met à se mouvoir de lui-même pendant que Mauri l'observe de l'extérieur.

Il met en pratique tout ce que Jocke lui a enseigné. Et plus encore.

Dans le même mouvement, ses pieds dansent, sa main prend appui sur un casier tandis que son pied s'élance avec force à une hauteur insoupçonnée. Le premier coup de pied atteint son adversaire à la tempe, le deuxième le frappe au ventre tandis que le poing de Mauri s'abat sur sa figure.

Une révélation : c'est ainsi qu'il doit se battre, distance, impact, distance. On ne peut pas lutter avec plus grand et plus fort que soi. Mauri réintègre son corps mais il reste dans son combat, regarde autour de lui à la recherche d'une arme. Son choix s'arrête sur une porte de casier cassée que l'agent d'entretien se promet de réparer depuis des années. Malheureusement, le pauvre homme a tant à faire dans sa maison de campagne qu'on ne le voit pas très souvent à l'école.

Mauri saisit des deux mains la porte en métal orange, et il frappe. Bam. Bam. À présent ce n'est plus lui qui lève les bras pour parer les coups. Ce n'est plus lui qui a besoin de se protéger la tête.

Jocke attrape le bras de Mauri et lui dit que ça suffit. Mauri a repoussé son adversaire jusque dans l'angle le plus reculé du couloir. Le garçon est à terre. Mauri n'a pas peur de l'avoir tué. Il espère qu'il l'a tué, il veut le tuer. Il ne lâche la porte de casier qu'à contrecœur.

Il s'en va. Jocke et ses copains sont partis dans une autre direction. Les bras de Mauri tremblent après l'effort.

Les trois garçons de la classe d'à côté ne racontent leur mésaventure à personne. Ils se seraient sans doute vengés s'ils n'avaient pas eu peur de Jocke et de ses copains. Ils pensent que Jocke est du côté de Mauri.

Mauri ne devient pas le garçon le plus populaire de sa classe. Il n'est pas plus respecté qu'avant. Sa cote de popularité ne grimpe pas d'un pouce. Mais à partir de ce moment, on le laisse tranquille. Il peut rester dans la cour et attendre le car scolaire perdu dans ses pensées sans être sur ses gardes, prêt à courir se cacher quelque part.

La nuit qui suit la bagarre, il rêve qu'il tue sa mère. Il l'assassine à coups de barre de fer. Il se réveille et tend l'oreille parce qu'il croit avoir crié. Mais peut-être était-ce elle qui hurlait dans son rêve ? Il s'assied dans le lit et lutte pour ne pas se rendormir. Il a peur.

Diddi est dans la chambre d'étudiant de Mauri. Il a les cheveux mouillés, il parle fort, il veut de l'argent. Il veut *son* argent. Mauri lui explique calmement, avec la voix de son père d'accueil, qu'il est désolé qu'ils en soient arrivés là mais qu'un contrat est un contrat et qu'il doit être respecté.

Diddi lui parle avec mépris et il le bouscule.

Mauri le prévient : « Ne fais pas ça. »

Diddi le pousse à nouveau. Il voudrait que Mauri riposte et qu'ils se bagarrent tranquillement jusqu'à ce qu'il soit temps pour lui de rentrer cuver sa cuite.

Mais le coup arrive. C'est Jocke, son faux frère, qui a réagi en lui. Il lui donne un coup de poing dans le nez. Diddi ne s'est jamais fait taper dessus. Il n'a pas eu le temps de lever la main jusqu'à son nez qu'il prend un deuxième coup. Puis Mauri lui tord le bras dans le dos, le traîne dans le couloir, lui fait dévaler l'escalier et le jette dehors dans la neige détrempée.

Mauri retourne dans sa chambre en montant les marches. Il pense à son argent. Il pourrait tout liquider demain s'il le voulait. Il se retrouverait avec environ deux millions de couronnes. Mais qu'est-ce qu'il en ferait ?

Il se sent étrangement libre. Maintenant, il n'aura plus à attendre à côté de son téléphone que Diddi daigne l'appeler.

L'inspecteur Tommy Rantakyrö passa la tête dans la salle de réunion.

« M. Kallis est là, avec sa cour », annonça-t-il.

Anna-Maria éteignit l'ordinateur et descendit à l'accueil en compagnie de ses collègues Tommy Rantakyrö et Sven-Erik Stålnacke.

Mauri Kallis était venu avec Diddi Wattrang et avec son chef de la sécurité, Mikael Wiik. Trois hommes en pardessus noir. Ce détail à lui seul les distinguait. À Kiruna les hommes portaient des parkas.

Diddi Wattrang transférait constamment son poids d'un pied sur l'autre et son regard fuyait de tous les côtés. Il retint fébrilement la main d'Anna-Maria Mella quand il la salua.

« Je suis terriblement nerveux, avoua-t-il. Je suis une vraie mauviette dans les situations graves. »

Sa franchise désarma Anna-Maria. Elle n'avait pas l'habitude que les hommes se montrent faibles. Elle chercha en vain une réponse adéquate et dut se contenter de bredouiller qu'elle comprenait que cela ne devait pas être facile pour lui.

Mauri était encore plus petit qu'elle l'avait imaginé. Pas aussi petit qu'elle, bien sûr, mais quand même. En le voyant en chair et en os, elle remarqua une fois de plus à quel point son langage corporel était sobre. L'agitation de Diddi ne faisait qu'amplifier son attitude à lui. Mauri parlait d'une voix calme et grave. S'il avait eu un jour l'accent de Kiruna, il avait complètement disparu.

« Nous aimerions la voir, dit-il.

— Bien entendu, répondit Anna-Maria Mella. Ensuite, je voudrais vous poser quelques questions si cela ne vous ennuie pas. »

Si cela ne vous ennuie pas ! songea-t-elle. Un peu d'autorité, ma fille !

Le chef de la sécurité serra la main aux policiers et, très vite, il leur fit savoir qu'avant de travailler pour Mauri Kallis, lui aussi était dans la police.

Il distribua sa carte de visite à tout le monde. Tommy Rantakyrö fut le seul à la glisser dans son portefeuille. Anna-Maria résista à la tentation de la jeter directement dans la corbeille.

La technicienne en médecine légale, Anna Granlund, avait transporté Inna Wattrang dans la chapelle ardente de la morgue en prévision de la visite de ses proches. Aucun objet religieux n'ornait la pièce. Il n'y avait que quelques chaises et un autel vide.

Le corps avait été recouvert d'un linceul blanc. Sa famille n'avait pas besoin de voir les traces de brûlure et les plaies. Anna-Maria baissa le drap pour découvrir le visage de la morte.

Diddi avala sa salive et hocha la tête. Anna-Maria nota que Sven-Erik allait discrètement se placer derrière lui au cas où il s'écroulerait.

« C'est elle », dit Mauri Kallis d'une voix pleine de tristesse avant de prendre une longue inspiration.

Diddi Wattrang sortit un paquet de cigarettes de la poche de son costume et l'alluma. Personne ne lui fit de remarque.

Le chef de la sécurité fit le tour du brancard et souleva le drap. Il regarda les bras d'Inna Wattrang, ses pieds, observa longuement la trace de brûlure autour de sa cheville.

Mauri Kallis et Diddi Wattrang le regardaient faire mais quand il releva le drap jusqu'à ses hanches, exposant le sexe de la jeune femme, ils détournèrent les yeux tous les deux. Personne ne dit rien.

« Je ne crois pas que le médecin légiste apprécierait ce que vous êtes en train de faire, dit Anna-Maria.

— Je ne la touche pas, répondit le chef de la sécurité en se penchant sur son visage. Détendez-vous. Nous sommes dans le même camp.

— Puis-je vous demander d'aller attendre dehors ? dit Anna-Maria Mella.

— Bien sûr, répondit le chef de la sécurité, j'avais fini. »

Sur un signe d'Anna-Maria, Sven-Erik le suivit. Elle ne voulait pas risquer que le garde du corps de Mauri Kallis aille fouiner dans la salle d'autopsie.

Diddi Wattrang souffla sur sa mèche pour l'écarter de ses yeux et se gratta le nez avec la main qui tenait la cigarette. Un geste imprudent. Anna-Maria craignit que sa longue frange blonde ne s'enflamme.

« Je vais attendre dehors, dit-il à Mauri Kallis. C'est trop dur pour moi, tout ça. »

Il sortit. Anna-Maria voulut couvrir à nouveau le visage d'Inna Wattrang.

« Vous pouvez attendre encore un moment, s'il vous plaît. Sa mère veut qu'elle soit incinérée et c'est la dernière fois que… »

Anna-Maria fit un pas en arrière.

« J'ai le droit de la toucher ?

— Non. »

Il n'y avait plus qu'eux dans la pièce.

Mauri sourit. Et puis on aurait dit qu'il allait se mettre à pleurer.

Deux semaines ont passé. Mauri a jeté Diddi dehors dans la neige et ce dernier ne se montre pas à l'école de commerce. Mauri essaye de se convaincre que cela lui est égal.

« À quoi penses-tu ? » lui demande sa petite amie. Elle est tellement simple que c'en est insupportable. « Je pense à notre rencontre », répond-il. Ou bien : « Je pense que tu es adorable quand tu ris. Mais tu sais que tu n'as le droit de rire qu'à mes plaisanteries, n'est-ce pas ? » Ou bien : « Je pense à ton cul ! Allez, viens par ici. » Mauri serait prêt à dire n'importe quoi pour échapper à son : « Est-ce que tu m'aimes ? » Car c'est là que se situe la limite de sa capacité à mentir. Sinon, il n'a aucun mal à lui jouer la comédie. Mais répondre oui à cette question-là en la regardant dans les yeux lui est impossible.

Mais un soir, Mauri a la visite d'Inna Wattrang.

Elle ressemble à son frère de façon incroyable, même nez à la ligne caractéristique, même couleur et même coupe de cheveux. Lui ressemble presque à une fille et elle, elle a l'air d'un garçon. Un jeune homme en jupe et en chemisier blanc.

Ses chaussures semblent avoir coûté une fortune. Elle les a gardées aux pieds en entrant. À ses oreilles pendent de jolies boucles incrustées de perles fines.

Elle vient de finir ses études de droit, raconte-t-elle à Mauri, assise au bord de son lit. Lui est assis à son petit bureau et il fait des efforts pour garder la tête froide.

« Diddi est un idiot, dit-elle. Il est tombé sur LA femme que tout jeune homme rencontre un jour. Celle qui sera son excuse pour se comporter comme un salaud pour l'éternité envers toutes celles qui croiseront sa route ensuite. »

Elle sourit et demande si elle peut fumer. Mauri remarque la fossette sur sa joue. D'un seul côté.

« Oh ! Je suis épouvantable », dit-elle ensuite.

Elle parle et souffle la fumée comme un petit train à vapeur et elle lui fait penser à Sickan Carlsson[1]. Elle semble venue d'une autre époque. Mauri l'imagine dans une vaste demeure pleine de femmes de chambre

1. Actrice et chanteuse suédoise née en 1915.

en robe noire et tablier blanc. Il la voit gantée de cuir au volant d'une automobile ou en train de boire de l'absinthe.

« Je ne minimise pas sa souffrance, entendez-moi bien. Cette aventure avec Sofia l'a profondément affecté. Et puis, je ne sais pas ce qui s'est passé entre vous mais il n'est plus lui-même depuis quelque temps. J'avoue que je ne sais plus que faire. Il est vraiment très anxieux, vous comprenez ? Je sais qu'il vous considère comme son ami. Il me parle très souvent de vous. »

Mauri voudrait la croire. Il le voudrait vraiment. Seigneur, j'ai la foi, libérez-moi de mes doutes.

« Je suis sûre qu'il souhaite se réconcilier avec vous. Allons le voir ensemble. Il vous fera des excuses. Je ne veux pas qu'il se brouille avec ses rares amis qui ont les pieds sur terre, il n'a vraiment pas besoin de ça en ce moment. »

Ce n'est pas du tout ainsi que Mauri voyait les choses, et pourtant, il se retrouve à bord du bus 540, puis dans le métro en direction du centre-ville et enfin en train de marcher sous la neige vers le restaurant Strix.

Elle marche assez près de lui pour l'effleurer de temps en temps. Il a envie de lui prendre le bras comme dans un vieux film. C'est facile de parler avec elle et elle rit souvent. Son rire est grave et doux. Ils ont le temps de boire quelques verres en tête à tête avant l'arrivée de Diddi.

Inna insiste pour régler l'addition. Elle a rendu un service à un ami, propriétaire d'un complexe immobilier qui vient tout juste de la payer. Mauri s'enquiert poliment de cet ami, sans avoir le sentiment d'être indiscret puisqu'elle lui a déjà révélé tant de choses. Elle élude si habilement la question qu'il ne s'aperçoit pas qu'ils ont changé de sujet. Il est agréablement ivre, se laisse aller aux confidences, ne parvient plus à contrôler son regard qui plonge malgré lui vers la forte poitrine d'Inna, sous sa chemise d'homme.

Quand Diddi les rejoint, la scène se met vraiment à ressembler à un vieux film dans lequel trois bons amis se réconcilient enfin. La neige tombe sur Stockholm *by night*. Des passants anonymes marchent sur Drottninggatan comme des figurants, ou alors ils trinquent, bavardent, rient aux tables voisines, et ils sont incroyablement insignifiants.

Diddi, le plus joli fantôme et la plus belle épave qu'on puisse imaginer, déverse ses larmes et son chagrin d'amour au milieu du restaurant en leur narrant son histoire avec la belle Sofia.

« Cela ne l'a jamais dérangée de mener la belle vie avec mon argent, tant qu'il y en avait. »

Inna lui caresse la main tandis qu'avec son genou, elle garde un contact permanent avec celui de Mauri, ce qui peut-être ne signifie rien du tout.

Bien plus tard, alors qu'il est temps de se quitter et qu'ils se disent au revoir à la lumière d'un réverbère, Diddi annonce à Mauri qu'il souhaite continuer à jouer avec lui sur le marché des actions.

Mauri ne lui fait pas remarquer qu'ils n'ont jamais spéculé ensemble et que c'était lui qui faisait tout le boulot, mais la dureté tapie au fond de lui se réveille à cet instant. Aucune Inna, aucun Diddi et aucun envoûtement au monde ne pourra jamais l'endormir tout à fait.

« Pas de problème, répond-il à Diddi Wattrang avec un petit sourire. Trouve de l'argent et tu reviens dans la partie. Mais ma commission est de trente pour cent, à présent. »

La magie et la légèreté de cette soirée s'envolent brusquement. Mauri absorbe l'amertume et l'irritation à grandes goulées. Il se dit qu'il faudra qu'il s'y habitue. Quand on veut faire des affaires, de bonnes affaires, il faut pouvoir les digérer : la colère, les grincements de dents, les larmes, la haine.

Et il faudra aussi qu'il musèle le chien perdu qui pleure dans sa poitrine.

Soudain, Inna éclate de son ravissant rire de gorge.

« Vous êtes extraordinaire. J'espère qu'on se reverra. »

L'inspecteur Anna-Maria Mella remonta le linceul sur le visage de la morte.

« Allons au commissariat, dit-elle. Je voudrais que vous me parliez d'Inna Wattrang. »

Que pourrais-je en dire ? se demanda Mauri Kallis. Que c'était une pute et une toxicomane ou qu'elle était aussi proche de Dieu que peut l'être un être humain ?

Il mentit aussi bien qu'il le put. Et c'était un assez bon menteur.

Rebecka Martinsson finit sa journée de conciliations à treize heures. Elle se réchauffa un plat sans goût au micro-ondes et se mit à éplucher le courrier. À l'instant où elle s'assit à son bureau, son ordinateur émit un bip de réception. Un mail de Måns Wenngren.

Il suffisait qu'elle voie son nom à l'écran pour sentir une décharge électrique la traverser. Elle cliqua si rapidement pour ouvrir le courriel qu'on eût dit qu'elle passait un examen pour tester son temps de réaction.

« J'imagine que vous devez être surbookés là-haut en ce moment. J'ai lu un article ce matin à propos d'Inna Wattrang. Je voulais t'informer que tout le cabinet vient skier à Riksgränsen ce week-end. Trois jours, vendredi à samedi. Viens boire un coup ! »

C'était tout. Elle relut le mail plusieurs fois. Appuya sur l'icône envoyer/recevoir comme si elle pouvait par magie faire apparaître une suite au message, ou un autre mail peut-être.

Il me rendrait malheureuse, se dit-elle. Je le sais.

Quand elle était son assistante, son bureau était mitoyen de celui de Måns et elle pouvait entendre toutes ses conversations téléphoniques et toutes ses fausses excuses : « Excuse-moi, j'entre en réunion », alors que c'était un mensonge. Ou bien : « Je t'appelle… Si, je te le promets… Ce soir, sans faute. » Et la communication s'arrêtait là. Parfois la personne au bout du fil refusait de céder et il se levait pour fermer la porte entre leurs deux bureaux.

Måns ne parlait jamais de ses enfants adultes. Peut-être parce qu'il n'avait pas de contacts avec eux, peut-être pour ne pas rappeler aux gens qu'il avait plus de cinquante ans.

Il buvait trop.

Il couchait avec toutes les nouvelles avocates du cabinet et parfois même avec les clientes.

Un jour, il avait jeté son dévolu sur Rebecka. C'était à une fête de Noël. Il était visiblement ivre et s'était fait rembarrer par toutes les autres. Son offensive de poivrot ne pouvait même pas être prise comme un compliment. Elle était humiliante.

Et pourtant, elle pensait encore aujourd'hui à la façon dont il avait posé la main sur sa nuque. Et à tous les moments passés au tribunal ensemble, et aux déjeuners partagés avec lui. Ils étaient toujours un peu trop proches, assez en tout cas pour se frôler, s'effleurer, se toucher. Mais peut-être n'était-ce que dans son imagination ?

Quand elle s'était fait poignarder, il était resté à son chevet.

Voilà, se dit-elle. C'est exactement ça qui me rend dingue. De gamberger en permanence. De devoir faire les questions et les réponses. De me dire tantôt qu'il tient à moi parce qu'il a fait telle ou telle chose, tantôt que telle ou telle autre réaction prouve clairement qu'il s'en fiche. Une part de moi sait que je devrais cesser de penser à lui mais l'autre se dit qu'elle devrait au contraire s'accrocher comme une naufragée à la moindre petite preuve d'amour qu'il lui accorde. Bien sûr, notre relation serait compliquée mais l'amour n'est jamais simple, n'est-ce pas ?

Être amoureux c'est comme être possédé par un démon. Notre volonté fond comme neige au soleil. Notre cerveau est tout plein de trous. Nous ne parvenons plus à garder le contrôle de nous-mêmes.

Quand elle travaillait pour lui, elle avait fait ce qu'elle pouvait. Elle avait mis ses œillères, sa muselière et son collier étrangleur tous les matins. Elle avait mis un point d'honneur à ne pas lui dévoiler ses sentiments. Elle s'était réfugiée dans un mutisme protecteur. Elle ne s'adressait à lui que lorsque c'était absolument nécessaire. Ne communiquait avec lui que par l'intermédiaire de Post-it jaunes ou de mails alors que leurs bureaux étaient voisins. Et elle regardait généralement par la fenêtre pendant qu'il lui parlait.

En revanche, elle se tuait à la tâche pour lui. Elle était la meilleure assistante qu'il ait jamais eue.

Un vrai petit chien fidèle. J'étais pathétique, se dit-elle aujourd'hui.

Il faut qu'elle réponde. Elle rédige un mail, mais l'efface aussitôt. Ensuite, cela devient très difficile. Écrire chaque mot lui donne l'impression de gravir une montagne. Elle a beau tourner ses phrases dans un sens, dans l'autre. Ça ne va pas.

Qu'est-ce que grand-mère aurait pensé de Måns ? Elle l'aurait trouvé immature. Et elle aurait eu raison, sans doute. Il fait penser à ce chien de chasse qu'avait son père et qui ne voulait jamais s'arrêter de jouer. Il refusait de devenir adulte. Quand son père l'emmenait chasser, il partait en courant et il lui rapportait des bâtons. Papa avait fini par devoir l'abattre. Il n'y avait pas de place pour un chien désobéissant à la maison.

Grand-mère aurait remarqué ses mains douces et blanches. Elle n'aurait rien dit mais Rebecka sait ce qu'elle en aurait pensé : cet homme passe plus de temps à s'amuser qu'à exercer un vrai travail. Rebecka se rappelle une médiation sur deux jours pendant lesquels il n'avait pas arrêté de gémir parce qu'il avait dessalé avec son voilier dans l'archipel de Skärgaarden et qu'il avait des bleus partout.

Il est vrai qu'il n'avait rien de commun avec son père ni avec les autres hommes du village.

Elle se rappelle son père et son oncle Affe assis dans la cuisine de grand-mère. Ils boivent de la bière. L'oncle Affe coupe des tranches de salami pour sa chienne Freja. Il lève la tranche de saucisson devant son nez et demande : « Comment font les jeunes filles à Stockholm ? » et Freja se couche sur le dos, les pattes en l'air.

Rebecka aime leurs mains. Des mains capables de s'acquitter de n'importe quelle tâche. Avec le bout des doigts un peu rêche et noir du genre de saleté que le savon ne suffit pas à enlever. Il y a toujours une machine à bricoler quelque part.

Papa la laisse s'asseoir sur ses genoux quand elle veut. Et elle peut rester aussi longtemps qu'elle veut. Avec maman, on a une chance sur deux : « Descends, tu es lourde » ou : « Laisse-moi prendre mon café tranquille. »

Son père sent la transpiration, le coton chaud et l'huile de moteur. Elle colle son nez contre les poils de barbe de son cou. Il a le cou, le visage et les mains bronzés toute l'année. Mais son corps est blanc comme un cachet d'aspirine. Il ne l'expose jamais au soleil. Les autres hommes du village non plus. Il n'y a que leurs femmes qui s'allongent sur des chaises longues ou se mettent en bikini pour arracher les mauvaises herbes dans leur jardin.

Il arrive à son père de s'allonger dans l'herbe pour se reposer un peu, un bras derrière la nuque et la casquette sur le visage. Le propriétaire terrien Martinsson. Un homme a bien le droit de se détendre de temps à autre sur l'herbe dans la cour de sa propre ferme. Son père ne ménage pas sa peine. Il travaille nuit et jour sur l'engin de bûcheronnage pour rentabiliser son investissement. Trime avec les ouvriers, fait des heures chez le plombier du village l'hiver quand les besognes forestières tournent au ralenti.

Alors parfois, il fait une petite sieste. L'hiver sur la banquette de la cuisine, l'été au milieu de la pelouse dans la cour. Le vieux Jussi vient se coucher près de lui. Et il ne se passe pas très longtemps avant que Rebecka vienne se blottir de l'autre côté. Le soleil réchauffe leur peau. La camomille sauvage pousse dans le sol sablonneux et embaume. Il n'y a pas beaucoup de fleurs qui sentent comme ça. La plupart, même quand elles ont un parfum, il faut venir les respirer de très près pour s'en rendre compte.

Rebecka n'a jamais vu grand-mère s'étendre de cette façon. Elle ne se repose jamais. Et il ne lui viendrait certainement pas à l'idée de le faire en dehors de la maison. Les gens croiraient qu'elle a perdu la tête. Ou qu'elle est morte.

Non, décidément, Måns serait passé pour un drôle d'oiseau aux yeux de grand-mère. Un citadin incapable de démonter un moteur, de pêcher à la traîne ou de ramasser du foin. Et riche en plus. La femme de l'oncle Affe, Inga-Britt, aurait été intimidée et aurait mis la table avec des serviettes en coton amidonné. Tous se seraient posé la même question : à quel monde Rebecka appartient-elle, à présent ?

Mais de toute façon, cette question, ils se la posaient déjà. Il fallait toujours qu'elle leur prouve qu'elle n'avait pas changé. Quand elle allait manger chez les gens, ils s'excusaient : « C'est tout simple… Tu es sûrement habituée à mieux. » Et elle devait complimenter la cuisinière deux fois plus, dire qu'il y avait une éternité qu'elle n'avait pas mangé de la perche, que c'était délicieux. Les autres pouvaient manger en paix et en silence et, du coup, il devenait encore plus évident qu'elle avait pris des manières de citadine avec cette manie de faire des compliments sur tout.

Il y avait une profondeur chez son père qu'il n'y a pas chez Måns. Ce n'est pas que Måns soit superficiel, mais il n'a jamais eu besoin de se soucier de sa survie ni de se demander s'il aurait assez de commandes pour honorer les traites de l'engin forestier. Et il y a autre chose encore qui les différencie. Sa mélancolie.

Rebecka s'est souvent demandé si c'est elle qui poussait son père à empoigner parfois sa mère avec une telle violence.

Elle était arrivée dans la vie de son père avec toute sa gaieté et son insouciance. Quand elle va bien, elle est légère comme la brise. Il la prend dans ses bras et il la serre fort, avec dureté. Et Rebecka croit que maman aime ça, au début. Elle se dit qu'elle a besoin de ça. Besoin de se sentir en sécurité entre ses bras. Et puis tout à coup elle s'est enfuie comme un chat qui ne veut plus qu'on l'embête.

Et moi ? songe Rebecka, les yeux toujours fixés sur le mail de Måns. Est-ce que je ne devrais pas me trouver un homme comme mon père, m'accrocher à lui et rester, contrairement à ce qu'a fait maman ?

Un cœur amoureux est indomptable. On peut cacher ses sentiments pendant un temps mais un jour, c'est le cœur qui prend les commandes. La tête change de scénario, devient déraisonnable et imperméable aux questions importantes. Elle se met à faire son cinéma, jouant sur tous les registres : pathétique, romantique, sentimental et pornographique.

Rebecka implore les instances supérieures en vain : Mon Dieu, préservez-moi de la passion.

Mais c'est déjà trop tard. Elle rédige sa réponse :

« Je suis contente pour vous. J'espère qu'il n'y aura pas trop de jambes cassées sur les pistes. Je prends un joker en ce qui concerne ta proposition de passer boire un verre. Cela dépendra du temps, du boulot, tout ça. On se tient au courant. R »

Elle efface « R » et signe « Rebecka » à la place. Corrige à nouveau dans l'autre sens. Son message est court et banal mais elle met plus de quarante minutes à l'écrire. Elle l'envoie. Puis elle l'ouvre à nouveau pour relire ce qu'elle a écrit. Et le reste de sa journée se passe sans qu'elle réussisse à faire quoi que ce soit de constructif. Elle se contente de bouger des piles de documents d'un côté à l'autre du bureau.

« Ça ne vous ennuie pas que j'enregistre notre conversation ? » demanda Anna-Maria.

Elle avait emmené Mauri Kallis dans une salle d'interrogatoire.

Il lui avait laissé entendre qu'ils avaient peu de temps à consacrer à la police parce qu'ils avaient un avion à prendre. Il avait donc été décidé que Sven-Erik interrogerait Diddi Wattrang et qu'Anna-Maria se chargerait de Mauri Kallis.

Le chef de la sécurité attendait dans le couloir avec Fred Olsson et un Tommy Rantakyrö très impressionné.

« Pas de problème, répondit Mauri Kallis. Comment est-elle morte ?

— Il est un peu tôt pour déterminer les circonstances exactes du meurtre.

— Mais vous êtes sûre qu'il s'agit d'un meurtre ?

— Oui. En tout cas c'est l'œuvre de quelqu'un qui… Elle était responsable de la communication de Kallis Mining, n'est-ce pas ? Pouvez-vous m'expliquer ce que cela signifie ?

— C'est juste un titre. Elle s'occupait de beaucoup de choses dans l'entreprise. Mais il est exact qu'elle excellait dans la communication avec les médias et le marketing. De manière générale, elle avait un vrai talent pour le relationnel, qu'elle eût affaire aux autorités, aux propriétaires fonciers, aux investisseurs ou à n'importe qui.

— Comment expliquez-vous cela ?

— Elle était le genre de personne à qui on avait envie de plaire. On éprouvait le besoin de se montrer digne d'elle. Son frère est pareil. Même si maintenant il est devenu un peu trop... »

Mauri fit un geste un peu tremblant de la main.

« Vous deviez être très proches ? Elle vivait pratiquement chez vous.

— Ce n'est pas tout à fait exact. Le haras de Regla est une grande propriété avec plusieurs fermes et de nombreuses maisons. Nous sommes beaucoup à habiter là-bas. Ma famille et moi-même, Diddi, sa femme et leur fils, ma demi-sœur, certains de mes employés.

— Elle n'avait pas d'enfant ?

— Non.

— Qui pouvait se dire proche d'elle, en dehors de vous ?

— Je tiens à signaler que c'est vous qui avez dit que j'étais proche d'elle. Mais pour vous répondre, je dirais son frère. Ses parents sont encore en vie aussi.

— Quelqu'un d'autre ? »

Mauri Kallis secoua la tête.

« Allons, dit Anna-Maria pour l'encourager. Des amies ? Un petit ami.

— Je ne saurais pas vous répondre. Inna et moi travaillions ensemble. Nous étions... de bons camarades. Mais elle n'était pas le genre de personne à se faire des amis pour la vie. Elle était trop impatiente pour ça. Elle n'aurait jamais supporté de rester pendue au téléphone à parler de tout et de rien avec une copine. Et pour être honnête, ses petits amis allaient et venaient. Elle ne me les a jamais présentés. Ce travail lui allait comme un gant. On pouvait partir pour une conférence ou un colloque international et quand les gens se réunissaient le soir pour dîner, elle avait déjà levé une dizaine d'investisseurs.

— À quoi occupait-elle ses loisirs ? Et qui voyait-elle en dehors de son travail ?

— Je l'ignore.

— Où a-t-elle passé ses dernières vacances, par exemple ?

— Aucune idée.

— Cela me surprend. Vous étiez son patron. Moi je suis au courant de ce que font tous mes collaborateurs pendant leur temps libre.

— Vraiment ? »

Anna-Maria se tut et attendit. Parfois, ça marchait. Mais pas avec lui. Mauri Kallis se contenta de se taire aussi et d'attendre, apparemment sans en être nullement affecté.

Ce fut Anna-Maria qui rompit le silence. Il fallait bien puisqu'ils devaient bientôt partir. La suite de l'interrogatoire fut bref et sans intérêt.

« Savez-vous si elle se sentait menacée d'une façon ou d'une autre ?

— Pas que je sache.

— Lettres ? Appels téléphoniques ? Rien de ce genre ? »

Mauri Kallis secoua la tête.

« Croyez-vous qu'elle ait pu avoir des ennemis ?

— Non.

— Quelqu'un qui avait des griefs contre votre société et qui s'en serait pris à elle ?

— Pourquoi ?

— Je ne sais pas. Une vengeance. Une façon de vous menacer ?

— Qui aurait fait une chose pareille ?

— C'est la question que je vous pose, répliqua Anna-Maria. Vous travaillez dans un secteur à risque. J'imagine que de nombreuses personnes ont perdu beaucoup d'argent par votre faute. Certains ont pu se croire victime d'une escroquerie ?

— Nous n'escroquons personne.

— OK, nous allons en rester là. »

Mauri Kallis gratifia l'inspecteur Mella d'une expression de gratitude feinte.

« Qui savait qu'elle se trouvait dans le chalet de la société à Abisko ?

— Je l'ignore.

— Vous étiez au courant ?

— Non. Elle avait pris quelques jours de congé.

— Donc, si je résume. Vous ne savez pas qui elle fréquentait ni ce qu'elle faisait de son temps libre. Vous ignorez si elle se sentait menacée ou si quelqu'un pourrait avoir des griefs contre Kallis Mining… Y a-t-il quoi que ce soit que vous voulez nous dire ?

— J'ai bien peur que non. »

Mauri Kallis consulta sa montre.

Anna-Maria fut prise d'une irrésistible envie de le secouer.

« Est-ce que vous avez déjà parlé de sexe ensemble ? lui demanda-t-elle. Savez-vous si elle avait… des goûts particuliers dans ce domaine ? »

Mauri Kallis battit nerveusement des paupières.

« Que voulez-vous dire ? Pourquoi cette question ?

— Je voudrais juste savoir s'il vous arrivait d'avoir des conversations à ce sujet.

— Pourquoi ? Est-ce qu'elle… Il y avait des traces de… Est-ce qu'elle a été violée ?

— Comme je vous l'ai dit précédemment, il est trop tôt pour… »

Mauri Kallis se leva brusquement.

« Excusez-moi, il faut que j'y aille. »

Et il sortit de la pièce après avoir rapidement serré la main à Anna-Maria. Elle n'avait même pas eu le temps d'arrêter le magnétophone que la porte se refermait derrière lui.

Elle se leva et s'approcha de la fenêtre pour regarder le parking. La ville de Kiruna avait décidé de se montrer sous son meilleur jour. Une belle couche de neige et un soleil rayonnant.

Mauri Kallis, Diddi Wattrang et leur chef de la sécurité sortaient du commissariat et se dirigeaient vers la voiture de location.

Mauri Kallis marchait deux mètres devant Diddi Wattrang et, apparemment, ils n'échangèrent pas un mot. Le chef de la sécurité ouvrit l'une des portes arrière pour Mauri Kallis mais celui-ci fit le tour de la voiture et alla s'asseoir à l'avant, côté passager. Diddi Wattrang se retrouva seul sur la banquette arrière.

Voyez-vous ça, songea Anna-Maria. Ils ont l'air si bons amis quand on les voit à la télévision.

« Comment ça s'est passé ? demanda Sven-Erik quelques minutes plus tard alors qu'ils buvaient un café dans le bureau d'Anna-Maria, lui, Tommy Rantakyrö et elle.

— Je ne sais que te dire. Je crois que c'était le pire interrogatoire de toute ma carrière.

— Tu exagères, dit Sven-Erik, consolateur.

— Si, je t'assure. Il aurait mieux valu ne pas l'interroger du tout. Et toi, avec Diddi Wattrang ?

— Rien de spécial. On aurait peut-être dû faire l'inverse. Il aurait sûrement préféré parler avec toi. Qu'est-ce qu'il a dit ?... Il m'a dit qu'elle était sa sœur mais aussi sa meilleure amie. Ensuite il s'est mis à pleurer. Il ne savait pas qu'elle était allée à Abisko. Mais apparemment, elle était comme ça. Elle ne parlait jamais de ce qu'elle faisait. Elle avait des aventures amoureuses mais, en ce moment, personne dont son frère ait eu connaissance.

— Le chef de la sécurité Mikael Wiik est un type super, dit Tommy Rantakyrö. On a eu le temps de bavarder un peu. Il a fait son service militaire dans les paras et ses études dans l'armée.

— Je croyais qu'il était policier ? s'étonna Sven-Erik.

— En tout cas, il y a quelqu'un qui a des choses à cacher, dit Anna-Maria qui pensait toujours à son entretien avec Mauri Kallis. Elle ou les deux autres.

— Oui. Il était dans la police, reprit Tommy Rantakyrö. Mais il a demandé à entrer comme officier de réserve dans les forces spéciales. J'aurais dû me donner un peu plus de mal quand j'étais à l'armée au lieu de rester simple appelé. J'aurais peut-être trouvé du boulot en Irak ! Ou alors je serais parti dans le privé pour travailler dans une société de protection rapprochée. Enfin, on peut le faire aussi quand on vient de la police. On n'est pas obligé d'être militaire, bien sûr. Depuis que Mikael Wiik a démissionné des forces spéciales et rejoint le privé, il se fait quinze mille euros par mois.

— Chez Kallis ? demanda Sven-Erik.

— Non, ça c'était en Irak. Mais il a préféré revenir bosser en Suède et se poser. Ce type est allé partout… enfin, pas dans des endroits où on a envie d'emmener ses gosses en vacances. »

Anna-Maria sortit de ses pensées et ramena son attention sur la conversation qu'avaient ses collègues. La dernière phrase devait venir directement de la bouche de Mikael Wiik.

« Reste donc chez nous plutôt que d'aller te faire tirer dessus par des terroristes, je ne sais où », dit Sven-Erik à Tommy dont les yeux brillaient de rêves d'une vie aventureuse avec les poches pleines de billets de banque.

Mikael Wiik s'engagea sur la bretelle de l'autoroute E10 en direction de l'aéroport de Kiruna.

Mauri Kallis et Diddi Wattrang ne s'étaient pas adressé la parole depuis le départ. Aucun d'entre eux n'avait prononcé le nom d'Inna. Mikael Wiik ne les avait vus pleurer ni l'un ni l'autre et quand ils n'étaient pas en public, les deux hommes s'ignoraient totalement. Il remarqua qu'ils ne lui posaient aucune question sur ce qu'il avait pu observer. Ni sur ce qu'il pensait. Ni sur ce qu'il avait appris de sa conversation avec Tommy Rantakyrö.

Une chose était sûre, l'ère post-Inna Wattrang avait commencé. C'était beaucoup moins drôle sans elle.

Après son séjour dans les forces spéciales, Mikael Wiik avait eu du mal à se réadapter à la vie en Suède. À l'époque où il s'était présenté à l'entretien d'embauche chez Mauri Kallis, c'était un homme qui se réveillait à trois heures tous les matins avec un sentiment croissant d'inutilité.

Inna l'avait aidé à tenir le coup pendant sa première année chez Kallis Mining. On aurait dit qu'elle comprenait ce qu'il ressentait. Elle trouvait toujours un moment pour parler avec lui des affaires de Mauri, pour lui expliquer qui étaient les gens qu'il rencontrait et pourquoi. Elle lui avait peu à peu donné le sentiment qu'il faisait lui aussi partie de Kallis Mining. Que c'était eux contre tous les autres.

Il dormait encore mal, se réveillait tôt. Mais plus tard qu'avant. Et l'envie lui avait passé de retourner au Congo, en Irak, en Afghanistan ou dans ce genre d'endroits.

Mauri Kallis rompit soudain le silence dans la voiture.

« Si elle a été violée, ce salaud devra le payer de sa vie », dit-il, la mâchoire serrée.

Mikael Wiik jeta un coup d'œil à Diddi dans le rétroviseur. Il avait l'air aussi mort que sa sœur, des cernes noirs sous les yeux, le visage livide, les lèvres gercées et le nez détruit à force de se moucher. Il tenait ses mains coincées sous ses aisselles. Peut-être qu'il avait froid, peut-être était-ce pour les empêcher de trembler.

« Où est-ce qu'on atterrit ? Skavsta ou Arlanda ? demanda-t-il.

— Skavsta, répondit Mikael Wiik au bout d'un moment, voyant que Mauri ne répondait pas.

— Vous rentrez chez vous ? » demanda Diddi à Mikael.

Mikael acquiesça. Il habitait avec son amie à Kungsholmen, au centre de Stockholm. Il avait aussi un pied-à-terre composé d'une chambre, d'une kitchenette et d'un cabinet de toilette mais il était rare qu'il l'utilise.

« Vous pouvez me ramener à Stockholm ? » dit Diddi avant de fermer les yeux et de faire semblant d'essayer de dormir.

Mikael Wiik dit oui. Ce n'était pas à lui de conseiller à Diddi de rentrer retrouver sa femme Ulrika et leur fils de sept mois.

Problèmes à l'horizon, songea-t-il. Autant s'y préparer.

Mauri Kallis regardait dehors.

J'aurais voulu la toucher, se disait-il.

Il essaya de se rappeler les fois où il l'avait fait. Où il l'avait touchée, vraiment.

À cet instant, seul un souvenir lui revint.

C'est l'été 1994. Il est marié depuis trois ans. Son fils aîné a deux ans, le plus jeune, quelques mois. Mauri regarde par la fenêtre du petit salon en sirotant un whisky. D'ici il voit la maison d'Inna, le vieux lavoir dont ils viennent de terminer la restauration.

Il sait qu'Inna vient de rentrer d'une visite dans une nouvelle mine d'iode dans le désert d'Atacama au Chili.

Il a dîné avec Ebba. La nounou est en train de coucher Magnus. Ebba vient lui apporter Carl. Il tient le bébé dans ses bras, ne sait pas très bien ce que sa femme attend de lui alors il le regarde et ne dit rien. Cela semble répondre à l'attente d'Ebba. Très rapidement, il a mal dans la nuque et dans les épaules. Il voudrait qu'Ebba reprenne l'enfant mais n'ose pas le lui demander. Au bout d'un moment qui lui paraît une éternité, Ebba le soulage du nourrisson.

« Il faut que j'aille le mettre au lit. J'en ai pour une heure. Tu m'attends ? » Il promet d'attendre.

Il reste devant la fenêtre et tout à coup il ressent un besoin irrépressible de voir Inna.

Je ne resterai pas longtemps, se ment-il à lui-même. Je veux juste savoir comment s'est passé son voyage au Chili. Je serai revenu avant qu'Ebba ait terminé de coucher Carl.

Inna a défait ses bagages. Elle a l'air sincèrement heureuse de le voir. Il est content lui aussi. Content qu'elle travaille pour lui. Content qu'elle vive au haras. Elle a un gros salaire et un loyer ridicule. Quand il ne va pas bien, cette idée le met mal à l'aise. Il a le sentiment de l'entretenir.

Quand il est en sa compagnie, il n'a jamais cette impression.

Ils commencent par boire le whisky qu'il a apporté. Ensuite ils fument quelques joints et planent un peu. Puis ils décident d'aller se baigner mais changent d'avis et s'allongent sur l'herbe à côté du vieux ponton. Le disque du soleil vibre sur l'horizon, disparaît. Le ciel devient noir, la lumière des étoiles allume dans leurs âmes des idées d'infini.

Il faudrait que ce soit tout le temps comme ça, songe Mauri. Chaque fois que je ne travaille pas. Pourquoi faut-il être marié ? Pas pour faire l'amour à l'œil en tout cas. Le sexe avec une épouse est le plus onéreux qui soit. On paye toute sa vie.

Quand il s'est marié avec Ebba, c'était pour prendre ses distances avec Inna. À un moment, elle a même cessé d'être aussi importante pour lui. Il n'aurait pas su dire comment, mais le rapport de force qu'il avait jusque-là avec Inna et Diddi Wattrang a changé. Mauri est devenu moins dépendant d'eux. Il ne fait plus semblant de travailler le samedi et le dimanche pour masquer sa gêne de n'être pas invité à partager leur temps libre.

Il veut rendre à Inna ce qu'il lui a pris à l'époque. Il n'a plus l'impression de devoir se défendre de quoi que ce soit.

Il s'appuie sur un coude et la regarde.

« Est-ce que tu sais pourquoi je me suis marié avec Ebba ? » lui demande-t-il.

Inna est très défoncée et incapable de répondre.

« Ou plutôt pourquoi je suis tombé amoureux d'elle, précise Mauri. Je vais te le dire. Je suis tombé amoureux de ma femme parce que quand elle était petite, elle faisait un kilomètre à pied pour aller prendre le car de l'école. »

Inna glousse à côté de lui.

« Je te jure que c'est vrai. Ils habitaient Vikstaholm dans son enfance. Sa famille a dû vendre le château par la suite… à quelqu'un comme moi… bref… un nouveau riche…, elle était obligée de… »

Il a tant de mal à ne pas perdre le fil de son histoire qu'Inna explose de rire. Il reprend :

« Bref, elle prenait le bus scolaire tous les matins. Un jour, elle m'a raconté ce trajet d'un kilomètre qu'elle faisait pour aller du château à la route. Et elle m'a parlé des pigeons ramiers qui roucoulaient et chantaient dans les branches tandis qu'elle marchait dans l'allée. Ça m'a fasciné. L'image de cette petite fille marchant toute seule jusqu'à la nationale avec son cartable trop lourd sur le dos. Le silence du matin rompu par le roucoulement des pigeons. »

Il se comporte comme un salaud et il en a conscience à la minute où les mots passent ses lèvres. Il vient de servir à Inna la tête d'Ebba sur un plateau. Cette image d'elle était sacrée et il vient de la réduire à une vulgaire anecdote.

Mais Inna ne réagit jamais comme on s'y attend. Elle s'arrête de glousser et lui montre quelques constellations qu'elle connaît et qui commencent à apparaître.

Ensuite elle dit :

« Je trouve que c'est une excellente raison pour épouser quelqu'un. Sans doute la meilleure que j'aie jamais entendue. »

Elle se tourne sur le côté à son tour et le regarde. Ils n'ont jamais fait l'amour. D'une certaine façon, elle lui donne l'impression que ce qu'ils partagent tous les deux est au-delà du sexe. Ils sont amis. Ses petits amis, ou il ne sait pas trop comment les appeler, ne font que passer. Mauri ne deviendra jamais son ex.

Ils sont allongés face à face. Il lui prend la main. Parce qu'il a fumé il a subitement la révélation que l'amour n'est pas un sentiment qui vous rend vulnérable. Il ne coûte rien d'aimer. Au contraire, quand on aime, on est à la fois Gandhi, Jésus et la Voie lactée.

« Tu sais… », dit-il.

Mais sa pensée virevolte dans tous les sens et il cherche en vain les mots qu'il ne dira jamais.

« Je suis content que tu sois venue habiter ici », dit-il finalement.

Inna se met à rire. Il aime bien qu'elle se contente de rire sans lui répondre. Il est heureux qu'elle ne lui dise pas une banalité du genre « Moi aussi », ou bien « Tu es mignon ». Il sait avec quelle facilité elle dit ce genre de choses aux autres. Il lui lâche la main pour être sûr qu'elle continue de se taire.

Anna-Maria Mella s'écroula dans le fauteuil des visiteurs face à Rebecka Martinsson. Il était quatorze heures quinze.

« Ça va ? demanda-t-elle.

— Pas trop, répondit Rebecka avec un pâle sourire. Je n'avance pas. »

Et Måns n'a pas répondu à mon mail, pensa-t-elle.

« Il y a des jours comme ça. On trie une pile de paperasses et on se retrouve avec trois piles à la place. Mais vous étiez au tribunal ce matin, non ?

— Oui. Ça s'est bien passé. C'est juste tout ça qui… »

Rebecka montra d'un geste vague les dossiers et les documents qui jonchaient sa table de travail.

Anna-Maria lui fit un sourire espiègle.

« Zut ! dit-elle. Cette conversation ne prend pas du tout la tournure que j'espérais. J'étais venue vous demander si vous vouliez continuer à nous aider avec l'affaire Wattrang. »

Rebecka retrouva le sourire.

« Pas de problème. Qu'est-ce que je peux faire pour vous ?

— Je voudrais que vous rassembliez autant d'informations sur elle que possible. Enfin, tout ce que vous pourriez trouver sur Internet mais… À vrai dire, je ne sais pas ce que je cherche exactement…

— Il faudrait fouiller un peu, suggéra Rebecka. Des mouvements importants sur ses comptes en banque. Crédit ou débit. Une vente d'immeuble. Les intérêts financiers qu'elle pourrait avoir dans Kallis Mining, peut-être ? Si elle avait placé de l'argent dans la société à titre privé ? Si elle a vendu ou acheté des actions dans le groupe de manière irrégulière ? Si elle a perdu ou gagné de l'argent sur un projet en particulier ?

— Oui, c'est ça. Merci, dit Anna-Maria en se levant. Il faut que j'y aille. Je pensais aller faire un tour au chalet où elle a été tuée. Je voudrais y arriver avant qu'il fasse nuit.

— Je peux venir ? demanda Rebecka. Ça m'intéresse. »

Anna-Maria pinça les lèvres et prit une décision rapide. Elle aurait évidemment dû refuser. Rebecka n'avait rien à faire sur la scène de crime. Sans compter qu'elle risquait de péter les plombs. Qui sait ce que l'idée de ce meurtre allait déclencher chez elle quand elle se retrouverait sur place. Anna-Maria n'était pas psychiatre. D'un autre côté, Rebecka avait la gentillesse de les aider dans leur enquête et elle avait des connaissances dans le domaine financier avec lesquelles personne dans son équipe ne pouvait rivaliser. Il n'y avait aucune chance qu'on lui envoie un spécialiste de la brigade financière et encore moins quelqu'un qui accepte de chercher des renseignements par-ci par-là alors qu'elle-même ne savait pas ce qu'elle espérait trouver. Et après tout, Rebecka était majeure et vaccinée et capable de savoir toute seule ce qui était bon pour elle ou pas.

« Allons-y », dit-elle.

Anna-Maria profita pleinement du trajet en voiture jusqu'à Abisko.

Il n'y a rien de plus beau, songeait-elle. La neige et le soleil et les gens en motoneige et en skis de fond sur le lac.

Rebecka Martinsson était assise sur le siège passager. Elle lisait les éléments de l'enquête préliminaire tout en bavardant avec Anna-Maria.

« Vous avez quatre enfants, c'est ça ?

— C'est ça », dit Anna-Maria, se mettant aussitôt à parler de ses mômes.

Elle me pose la question, je réponds, se défendait-elle en pensée.

Elle parla de Marcus qui était en terminale et qu'elle ne voyait plus très souvent.

« Parfois, il a besoin d'argent, évidemment. Et puis de temps en temps il rentre à la maison pour prendre des affaires propres. Je ne suis pas sûre que ses vêtements aient eu le temps de se salir tant que ça mais chaque fois c'est quand même la grande toilette, la grande séance d'essayage, gel dans les cheveux et tout le tremblement. Jenny a treize ans et elle est pareille. Petter en aura neuf la semaine prochaine. Tout l'inverse des deux autres. Il ne va jamais jouer avec des copains et préfère rester seul à la maison à jouer aux Lego. Ce qui n'est pas très bon non plus, à vrai dire. On ne peut pas s'empêcher de se faire du souci.

— Et le dernier, c'est Gustav.

— Mmm », dit Anna-Maria, s'arrêtant juste avant de raconter ce qui s'était passé la dernière fois que Robert avait déposé Gustav à la crèche. Il fallait qu'elle apprenne à se contenir. Ce genre d'histoires ne pouvait amuser que les femmes qui avaient elles-mêmes des enfants.

Le silence s'installa dans la voiture. La nuit où Rebecka avait tué en état de légitime défense ces trois hommes dans un chalet à Jiekajärvi était aussi celle où Gustav était né. Elle avait pris plusieurs coups de couteau, et elle serait morte si ses collègues n'étaient pas intervenus à temps.

« Qui aime faire des câlins à sa vieille maman, dit Rebecka.

— Mais qui est surtout un grand fan de son papa. L'autre jour, Robert était en train de pisser debout – oui, je suis mariée avec un type qui croit que ce serait une atteinte à sa virilité s'il s'asseyait pour faire pipi. Mais qui est-ce qui nettoie les chiottes quand les gamins essayent de faire pareil ? –, bref, il était en train de pisser debout et Gustav le regardait faire avec des yeux ébahis d'admiration. "Papa ! il lui dit. Tu as un zizi ÉNORME ! On dirait une trompe d'éléphant." Vous auriez vu mon Jules quand il lui a dit ça… »

Elle illustra son propos par un cocorico sonore.

Rebecka éclata de rire.

« Mais c'est Marcus qui est l'enfant chéri, non ?

— Oh, on les aime tous autant mais de manière différente », dit Anna-Maria en gardant les yeux sur la route.

Comment Rebecka avait-elle pu deviner ça ? Anna-Maria tenta de se remémorer les dernières phrases.

C'est vrai qu'elle aimait Marcus d'un amour particulier. Ils avaient toujours été un peu plus que mère et fils. Ils étaient amis. Même si elle évitait de le montrer ou d'en parler, voire de l'admettre.

En descendant de la voiture devant le chalet de la Kallis Mining, Anna-Maria avait l'impression de s'être fait piéger. Rebecka avait réussi à la faire parler d'elle pendant tout le voyage. Sa famille, son travail, elle lui avait tout raconté. Rebecka quant à elle n'avait rien dévoilé de sa propre vie.

Anna-Maria ouvrit la porte et fit voir à Rebecka la cuisine et l'endroit où le lino avait été arraché.

« Nous attendons toujours les résultats du laboratoire mais nous sommes à peu près sûrs que c'est le sang d'Inna Wattrang qui se trouve dans cette fissure du plancher. Nous pensons que c'est là qu'elle a été tuée. Il y avait des traces de ruban adhésif sur ses poignets et sur ses chevilles ainsi que sur une chaise semblable à celles que vous voyez ici. »

Elle montrait les chaises de cuisine en bois de chêne foncé.

« Nous espérons pouvoir déterminer de quelle sorte d'adhésif il s'agit. Et j'attends aussi les conclusions du médecin légiste. Il m'a déjà fait savoir après l'examen préliminaire qu'elle n'a pas été violée. Mais nous aimerions savoir si elle a eu un rapport le jour de sa mort, ce qui accréditerait la piste d'un éventuel jeu sexuel… »

Rebecka hocha la tête pour montrer qu'elle écoutait, tout en examinant les lieux.

Imaginons que j'attende quelqu'un, songeait Rebecka tandis que l'image de Måns se formait dans sa tête. J'aurais mis de la lingerie fine. Quoi d'autre ? J'aurais fait le ménage et rangé pour que la maison soit accueillante.

Elle regarda la vaisselle qui traînait dans la cuisine. Le pack de lait vide.

« La cuisine est assez désordonnée, dit-elle lentement à Anna-Maria.

— Vous verriez à quoi ça ressemble chez moi quelquefois », plaisanta Anna-Maria.

Et j'aurais acheté des bonnes choses à manger, songea Rebecka, poursuivant son raisonnement. Et quelque chose à boire.

Elle ouvrit le réfrigérateur qui ne contenait que quelques plats précuisinés.

« C'est tout ce qu'il y avait dans le frigo ?

— Oui. »

Ce n'était pas une nouvelle connaissance, se dit Rebecka. Elle n'a pas mis les petits plats dans les grands ? Et pourquoi le jogging ?

Elle ne parvenait pas à comprendre. Elle ferma les yeux et reprit le raisonnement depuis le début.

Il est en route, songea-t-elle. Pour une raison où pour une autre je n'ai pas besoin de faire le ménage, ni de faire des courses. Il m'appelle de l'aéroport d'Arlanda.

Elle se représenta la voix traînante de Måns au téléphone.

« Téléphone, dit-elle à Anna-Maria sans ouvrir les yeux. Vous avez son portable ?

— Non, nous ne l'avons pas trouvé. Mais nous vérifions ses dernières communications auprès de l'opérateur, bien sûr.

— Ordi ?

— Non. »

Rebecka ouvrit les yeux et regarda le Torneträsk à travers la fenêtre.

« Une femme comme elle avec un job comme le sien avait obligatoirement un ordinateur et un téléphone portable. On l'a trouvée dans une arche sur le lac. Vous ne croyez pas que vous devriez envoyer des hommes-grenouilles sous la glace pour voir si celui qui l'a emmenée là-bas n'aurait pas jeté son téléphone dans l'eau à travers le trou de pêche ?

— Bien sûr que si », dit Anna-Maria sans hésiter.

Elle aurait dû être reconnaissante à Rebecka, ou au moins la féliciter. Mais elle en était incapable, agacée de ne pas avoir eu cette idée toute seule. Et ses collègues ? Qu'est-ce qu'ils fichaient !

Anna-Maria jeta un coup d'œil à sa montre. Les plongeurs avaient le temps de descendre avant la nuit s'ils y allaient tout de suite.

Une équipe de trois hommes-grenouilles, accompagnés par Sven-Erik Stålnacke, arriva sur place à seize heures quinze. Ils creusèrent un trou d'un mètre de diamètre à l'aide d'une perceuse électrique et d'une tronçonneuse. Ce fut un travail pénible que d'extraire les gros blocs de glace. Les inspecteurs Anna-Maria Mella, Sven-Erik Stålnacke et la substitut du procureur Rebecka Martinsson aidèrent les plongeurs à soulever et à dégager les morceaux. Le soleil était chaud, et sous leurs vêtements humides leurs dos étaient douloureux après l'effort.

À présent le soleil se couchait, la température baissait et ils commençaient à avoir froid.

« Il faut bien signaler le trou et mettre un cordon de sécurité pour que personne ne tombe dedans, rappela Sven-Erik Stålnacke.

— On a de la chance que ça se soit passé ici, fit remarquer l'assistant de plongée à Anna-Maria Mella et à Sven-Erik Stålnacke. Cela ne devrait pas être trop profond. On va bien voir. »

Le deuxième homme-grenouille attendait, assis sur son coussin isolant au bord du trou. Il leva la main pour saluer son collègue quand celui-ci disparut sous la glace, sa torche de soixante-quinze watts à la main. L'assistant de plongée laissa filer le câble, quelques bulles remontèrent à la surface, le plongeur nagea vers l'arche dans laquelle on avait trouvé Inna Wattrang.

Anna-Maria frissonna à cause de ses vêtements humides. Elle aurait dû aller courir pour se réchauffer mais elle n'en avait pas le courage.

Rebecka fut plus raisonnable qu'elle. Elle partit à petites foulées dans les traces de scooter. Il allait bientôt faire nuit.

« Elle doit nous prendre pour des imbéciles, dit Anna-Maria à Sven-Erik Stålnacke. On va lui demander de nous expliquer la fission et la fusion et les cessions de valeurs mobilières et en plus elle vient nous apprendre notre métier.

— Arrête, répliqua Sven-Erik. Elle a juste pensé à un truc un peu avant toi, tu peux accepter ça, quand même ?

— Non », dit Anna-Maria, ne plaisantant qu'à moitié.

Le plongeur remonta au bout de douze minutes et sortit l'embout de son détendeur de sa bouche.

« Je n'ai rien vu au fond, dit-il. Par contre, j'ai trouvé ça, je ne sais pas si c'est important. Ça flottait sous la glace à environ quinze mètres du trou de l'arche.

Il leur lança un morceau d'étoffe. L'assistant plongeur et le deuxième homme-grenouille aidèrent leur collègue à sortir de l'eau pendant qu'Anna-Maria et Sven-Erik dépliaient le bout de tissu.

Il s'agissait d'un manteau d'homme beige en popeline. Imperméable, doublé et muni d'une ceinture.

« Ça n'a peut-être rien à voir », dit le plongeur.

On lui avait donné un mug de café chaud.

« Les gens jettent toutes sortes de saletés dans l'eau, dit-il. C'est dégueulasse là-dessous. Il y a des poches de boulettes de viande surgelées, des sacs en plastique…

— Je crois que ça a beaucoup à voir, au contraire », dit Anna-Maria, lentement.

Une tache rose pâle maculait l'épaule gauche et le dos du manteau.

« Du sang, tu crois ? demanda Sven-Erik.

— Que Dieu cueille ces mots sur tes lèvres, répondit Anna-Maria avec humour, levant ses mains jointes vers les instances supérieures. Mon Dieu, faites que ce soit du sang. »

Mardi 18 mars 2005

Pour arriver au haras de Regla, la maison de Mauri Kallis, il fallait rouler un kilomètre et demi sur une route bordée de tilleuls qui faisaient penser à de vénérables vieilles dames. Les arbres étaient au moins deux fois centenaires, noueux et gracieux à la fois, certains d'entre eux creux comme des chênes. Penchés tête contre tête, ils semblaient murmurer aux visiteurs que dans cet endroit régnait une discipline séculaire. On se tenait bien à table et on gardait en toutes circonstances une attitude courtoise et polie.

Au bout d'un kilomètre, l'allée était coupée par une grille. Quatre cents mètres plus loin se trouvait un autre portail, fixé dans un mur enduit de chaux blanche qui fermait la cour. Les grilles, d'élégants ouvrages de fer forgé, mesuraient deux mètres de hauteur et s'ouvraient à l'aide de télécommandes placées dans les véhicules des résidants de la propriété. Les visiteurs étaient donc contraints de s'arrêter avant la première grille et de sonner à un interphone.

La maison principale était blanche avec un toit d'ardoise noire, des colonnes de part et d'autre du perron, plusieurs ailes et des vitraux au plomb. Les aménagements intérieurs dataient de la deuxième moitié du dix-huitième siècle, exception faite des salles de bains ultramodernes, décorées par Philippe Starck.

La propriété était si belle que les premières années Mauri avait eu du mal à y vivre l'été. C'était plus facile l'hiver. L'été, il se laissait souvent envahir par un sentiment d'irréalité quand il passait en voiture ou marchait dans cette allée. La lumière coulait à travers les feuilles comme des notes de musique éclaboussant le chemin et cette idylle pastorale dans laquelle il vivait lui donnait presque la nausée.

Mauri Kallis était couché dans sa chambre au deuxième étage de la maison. Il s'interdisait de regarder l'heure car s'il était six heures moins le quart, cela voulait dire qu'il devait se lever dans un quart d'heure et qu'il était trop tard pour se rendormir. D'un autre côté, s'il avait encore une heure devant lui, il ne le saurait pas. Il tourna la tête vers le réveil, c'était toujours ainsi que cela se terminait. Quatre heures et quart. Il avait dormi trois heures.

Il fallait qu'il dorme plus que cela, sinon tout le monde allait voir que quelque chose ne tournait pas rond. Il essaya de respirer calmement et de se détendre. Retourna l'oreiller.

Aussitôt qu'il réussit à s'assoupir un peu, il recommença à rêver.

Dans son rêve, il était assis au bord de son lit. Sa chambre était en tout point identique à ce qu'elle était dans la réalité. Parcimonieusement meublée avec son petit bureau en marqueterie et son fauteuil de style gustavien élégamment usé, avec ses accoudoirs joufflus, son dressing intégré en noyer et verre dépoli dans lequel étaient suspendus ses costumes et ses chemises bien repassées, les souliers sur mesure rangés à part dans une armoire en bois de cèdre. Les murs d'un bleu gris patiné, couleur lin. Il avait demandé à être dispensé de frises décoratives et de moulures lorsque son épouse avait redécoré la pièce.

Dans son rêve, il voyait l'ombre d'Inna sur le mur, il tournait la tête et il la découvrait assise sur le rebord de la fenêtre. Mais au lieu de voir scintiller le lac Mälar en arrière-plan, il voyait derrière elle se découper « Les Terrasses » la barre d'immeuble HLM où il avait grandi.

Elle grattait fébrilement la brûlure suintante sur sa cheville. La peau restait collée sous ses ongles.

Mauri était à nouveau parfaitement éveillé. Il écouta les battements de son cœur. Du calme, du calme. Il fallait que ça cesse. C'était insupportable.

Il alluma la lampe et repoussa sa couette comme s'il s'était agi d'une ennemie, bascula les jambes sur le bord du lit et se leva.

Ne pas penser à Inna. Elle n'est plus là. Regla est encore là. Ebba et les garçons. Kallis Mining.

Il y avait vraiment quelque chose qui n'allait pas chez lui. Il essaya de penser à ses fils mais n'y parvint pas. Leurs prénoms empruntés à des rois de Suède lui étaient étrangers. Carl et Magnus.

Quand ils étaient petits, couchés dans leurs landaus de luxe, il était toujours en voyage. Ils ne lui manquaient pas. Autant qu'il s'en souvienne.

Un bruit mat résonna fortement au-dessus de sa tête. Puis un deuxième.

Ester, songea-t-il. Toujours avec ses altères.

Nom de Dieu ! On aurait dit que le plafond allait lui tomber sur la tête.

C'est Inna qui a fait entrer Ester dans leur vie.

« Tu as une sœur », lui dit-elle un jour.

Ils attendent leur vol pour Vancouver dans le salon de la compagnie SAS à l'aéroport de Copenhague. Dehors il fait beau. On pourrait croire que c'est l'été mais le vent est encore froid. Dans moins d'un an elle sera morte.

« J'en ai trois », répond Mauri avec une froideur dans le ton qui signifie que le sujet ne l'intéresse pas.

Il n'a pas envie de penser à elles. La plus âgée est venue au monde quand il avait neuf ans. Elle avait un an quand les services sociaux l'ont enlevée à sa mère. Lui a été placé un an plus tard.

En règle générale, il évite de penser à sa jeunesse aux Terrasses, la cité HLM de Kiruna. Il préfère essayer d'oublier les voix stridentes, les cris et les disputes qu'on entendait sans cesse à travers les murs, la police qu'on n'appelait jamais, les graffitis dans les cages d'escalier que personne ne prenait la peine de nettoyer, le sentiment de désespoir qui s'insinuait partout.

Il y a aussi les choses auxquelles il refuse de penser. Un nourrisson qui pleure, debout dans son lit à barreaux. Mauri, dix ans, attrape sa veste et s'en va en claquant la porte. Il ne supporte plus de l'entendre. Mais le bruit traverse la porte close, il le suit dans l'escalier. Les pas de Mauri résonnent dans l'immeuble en béton. Un voisin écoute du Rod Stewart. Une doucereuse odeur de poubelles flotte dans la cage d'escalier. Sa mère n'est pas rentrée depuis deux jours mais il en a marre de s'occuper du bébé. Et de toute façon, il n'y a plus de bouillie.

Sa sœur cadette a quinze ans de moins que lui. Elle est née alors que Mauri vivait déjà dans sa famille d'accueil. On a laissé sa mère la garder pendant un an et demi, sous réserve de visites régulières de l'assistante sociale. Mais elle allait tellement mal qu'on a dû l'hospitaliser et placer la sœur cadette à son tour.

Mauri a revu les plus grandes de ses sœurs à l'enterrement de leur mère. Il a fait le voyage jusqu'à Kiruna tout seul. Il n'a pas voulu qu'Ebba et les garçons l'accompagnent. Inna et Diddi ne se sont pas proposés.

À l'enterrement, il n'y avait que lui, deux de ses sœurs, le prêtre et le chef de service de l'hôpital.

Le temps était de circonstance. C'est ce que Mauri s'était dit devant le cercueil. Il pleuvait des cordes. L'eau grise ravinait le sol, dessinant un delta qui charriait de la boue et du gravier avec lui dans la fosse. Ses sœurs grelottaient dans leurs vêtements de deuil trempés, achetés pour l'occasion. Une jupe et une blouse noires mais le manteau s'était avéré un trop gros investissement. La première portait un manteau bleu marine et l'autre n'en portait pas du tout. Mauri leur avait donné son parapluie, laissant la pluie ruiner son costume de chez Zegna. Le pasteur tremblait de froid, le livre de psaumes dans une main et un parapluie dans l'autre. Cela ne l'empêcha pas de faire une belle oraison, sincère et touchante, dans laquelle il parla de la douleur que ce doit être de ne pas parvenir à remplir la principale mission de son existence : s'occuper de ses enfants. Il termina par des mots comme « l'inéluctable fin » et « le chemin de la rédemption ».

Ses sœurs pleuraient. Mauri se demandait pourquoi.

Au moment où ils repartaient vers les voitures, un orage de grêle s'abattit sur leurs têtes. Le pasteur se mit à courir, le livre de psaumes serré contre la poitrine. Les deux sœurs se serraient l'une contre l'autre pour tenir sous le parapluie de Mauri. La grêle déchiquetait les feuilles des arbres.

C'est maman, songeait Mauri en combattant un sentiment de panique. Elle ne mourra jamais. Elle râle et elle tape. Et qu'est-ce qu'on peut faire pour l'en empêcher ? Lever le poing vers le ciel ?

Après l'enterrement, il invita ses sœurs à déjeuner. Elles lui montrèrent des photos de leurs enfants, le complimentèrent sur les fleurs qu'il avait fait mettre sur le cercueil. Il était affreusement mal à l'aise. Elles lui posèrent des questions sur sa famille. Il répondit de façon évasive.

Tout le temps que cela dura, il fut indisposé par les détails qui lui rappelaient cette mère qu'ils avaient eue en commun. Leur façon de bouger ou de rejeter la tête en arrière lui faisait penser à elle. La plus âgée plissait les yeux en le regardant, comme sa mère, et une terreur indicible s'emparait de lui chaque fois.

Enfin, ils abordèrent le sujet d'Ester.

« Tu sais que nous avons une autre sœur, n'est-ce pas ? lui demanda la cadette.

— Si, si, je t'assure. Elle a onze ans. Maman est tombée enceinte et elle a accouché d'Ester en 1988. C'est un autre patient de l'hôpital qui lui a fait un enfant. Ester a été adoptée tout de suite par une famille de Rensjön. »

Elles soupirèrent et dirent : « Pauvre petite. » Et Mauri serra les poings sous la table en leur demandant machinalement si elles voulaient manger une douceur avec leur café. Pourquoi l'appelaient-elles pauvre petite ? Elle a été épargnée, elle.

Ils étaient tous soulagés quand il fut temps de partir. Aucun d'entre eux n'eut la bêtise de suggérer qu'ils devraient garder le contact.

Inna le regarde. Les avions sont de jolis jouets qui décollent et se posent.

« Ta plus jeune sœur, Ester, n'a que seize ans, dit-elle à Mauri. Elle a besoin d'un endroit où habiter. Sa mère d'accueil vient de... »

Les mains de Mauri montent brusquement jusqu'à ses joues comme s'il s'aspergeait le visage d'eau fraîche. Il gémit.

« Non, non, pas ça.

— Elle peut vivre avec moi à Regla. Ce ne serait que provisoire. Elle entre en deuxième année à l'académie Idun Lovén cet automne... »

Il n'a pas pour habitude de couper la parole à Inna. Mais en l'occurrence, il s'écrie que c'est « hors de question ». Il ne veut pas, ne peut pas avoir une image vivante de sa défunte mère en train de se promener dans la propriété. Il dit à Inna qu'il achètera à Ester un appartement à Stockholm.

« Elle n'a que seize ans ! » réplique Inna.

Et elle lui sourit, enjôleuse. Puis elle repart à l'attaque.

« Tu es la seule personne de sa famille qui... »

Il ouvre la bouche pour mentionner les autres sœurs mais elle ne se laisse pas couper la parole.

« ... qui a les moyens de s'occuper d'elle. On parle énormément de toi ces temps-ci... Ah, au fait, j'ai oublié de te dire que *BusinessWeek* veut faire un gros reportage…

— Pas d'interview !

— Il faudra quand même que tu te prêtes à une séance photo. Enfin, quoi qu'il en soit, si quelqu'un apprend que tu as une sœur qui n'a aucun endroit où aller… »

Elle a bien sûr le dernier mot. Et quand ils montent à bord de l'avion pour Vancouver, Mauri a fini par admettre que ça n'a pas d'importance. Le haras de Regla est assez grand pour tout le monde. Il y a déjà sa femme et ses fils, Diddi avec son épouse qui attend un enfant et Inna. Regla sert aussi à recevoir les clients de la société. On y organise des chasses, des promenades en bateau et des dîners.

L'exposition médiatique dont il fait l'objet en ce moment et toutes les invitations qui en découlent commencent à le fatiguer. Beaucoup plus que le travail ne l'a jamais fait. Il se demande d'où viennent tous ces gens à qui il faut tout à coup serrer la main et faire la conversation. Il doit constamment faire des efforts pour garder son calme et se montrer courtois. Inna reste près de lui pour lui souffler les noms des gens et le rapport qu'ils ont avec Kallis Mining. Sans elle, il n'y arriverait pas. Il a besoin de se reposer. Parfois, il se sent complètement vidé, comme si les hommes et les femmes qu'il rencontre emportaient chacun un petit morceau de lui. Il a peur parfois de ne plus savoir où il est, avec qui il est en rendez-vous et à quel propos. Il lui arrive d'être terriblement en colère, de grogner comme un animal et d'attaquer pour se défendre. Tout l'agace. Le type qui boutonne sa veste pour cacher qu'il porte sa chemise de la veille. Celui qui se cure les dents après le repas et repose le cure-dents sur le bord de son assiette, bien visible. Les gens qui se prennent au sérieux et ceux qui sont trop serviles.

Il est heureux à la perpective de cette traversée de l'Atlantique. Au moins quand il est en route pour quelque part, il est obligé de se tenir tranquille. En avion, il se détend, il lit, il dort, il regarde un film en buvant un verre. Et il est seul avec Inna.

Mauri Kallis se regarda dans le miroir. Les coups au-dessus de sa tête ne s'étaient pas arrêtés.

Il avait toujours aimé jouer. Faire de grosses affaires. C'était sa manière à lui de se mesurer aux autres. Celui qui meurt le plus riche a gagné.

Mais à présent c'était comme si cela n'avait plus d'importance. Quelque chose l'avait rattrapé. Quelque chose de lourd. Une chose qui ne l'avait jamais quitté, qui l'avait toujours poursuivi. Une force derrière lui qui le ramenait aux tours HLM de son enfance.

Je perds le contrôle, se dit-il. Je suis en train de craquer.

Sa force s'éloignait avec Inna.

Il n'avait pas envie d'être seul à cet instant. Sa journée de travail ne commençait que dans deux heures. Il leva les yeux vers le plafond, entendit à nouveau le bruit d'un haltère qui roulait sur le plancher.

Il décida de monter voir sa sœur, pour bavarder un peu. Ou simplement pour être avec elle.

Il enfila sa robe de chambre et se dirigea vers l'escalier.

Ester Kallis a été conçue dans un service psychiatrique fermé. C'est la médecin-chef du pavillon P12 de l'hôpital d'Umeå qui annonce la nouvelle au cours de la réunion du matin. Britta Kallis est enceinte de quinze semaines.

Les psychiatres sortent de leur léthargie et plongent le nez dans leur mug de café. C'est un breuvage qu'il vaut mieux boire pendant qu'il est chaud, on se rend moins compte à quel point il est mauvais. L'histoire risque d'être croustillante. Et grâce à Dieu, ce n'est pas leur problème.

Quand la chef de service a fini d'exposer la situation, le professeur Nils Gunnarsson croise les mains derrière la nuque et pince les lèvres en une mimique un peu fripée qui lui donne l'air d'un hamster.

« Voyez-vous ça ! » s'exclame-t-il, stupéfait.

On dirait un poussin sortant de l'œuf, songe l'un de ses collègues avec un brusque élan de tendresse.

Il est extraordinaire. Ses cheveux blancs sont beaucoup trop longs. Ses lunettes épouvantablement démodées sont comme deux culs-de-bouteille et très sales – il a la fâcheuse habitude de poser les doigts sur les verres pour les remettre en place quand elles glissent un peu trop bas sur son nez. Il arrive que les nouvelles recrues de l'hôpital l'empêchent de quitter le service parce qu'elles le prennent pour un patient.

« Qui est le père ?

— Britta prétend que c'est Ajay Rani. »

On échange quelques regards. Britta a quarante-six ans et elle a l'air d'en avoir soixante à cause des cigarettes qu'elle fume depuis l'âge de douze ans et des nombreux médicaments qu'elle a dû prendre, de son corps difforme vautré dans le canapé devant la télévision, de son esprit lent et de ses plaintes incessantes. Des mouvements inconscients de ses lèvres, de sa langue qu'elle passe son temps à tirer et à remettre dans sa bouche, de sa mâchoire qui bouge constamment de droite à gauche.

Ajay Rani a un peu plus de trente ans. Il a des poignets très fins et des dents blanches. On espère encore le guérir. Il suit une formation professionnelle et un cours de suédois pour les immigrés.

Le professeur Nils Gunnarsson demande ce qu'Ajay dit de cette affaire. La chef de service secoue la tête et sourit, en ayant l'air de s'excuser. Il nie bien sûr. Qui voudrait d'une femme comme elle ? La cote de Britta est très basse parmi les patients.

« Et elle, qu'est-ce qu'elle dit ? Elle veut garder l'enfant ?

— Elle dit que c'est un enfant de l'amour. »

Le professeur ne peut réfréner un « Mon Dieu », avant de se plonger dans le dossier médical de Britta. Tout le monde se tait un long moment. Leurs pensées s'envolent, de la pilule abortive aux stérilisations forcées interdites depuis le traité de Rome.

« On lui enlève son lithium, dit le psychiatre. Essayons de mettre au monde un enfant aussi sain que faire se peut. »

Qui sait ? songent les autres. Avec un peu de chance, Britta regrettera sa décision quand elle commencera à se sentir mal et elle demandera à se faire avorter. Ce serait mieux pour tout le monde.

Le professeur Gunnarsson veut refermer le dossier et en rester là mais la chef de service n'a pas l'intention de le laisser s'en tirer à si bon compte. Elle est furieuse et ne mâche pas ses mots.

« Il n'est pas question que je garde Britta dans ce service sans médication si je n'ai pas plus de personnel ! s'écrie-t-elle. Elle va nous faire vivre un enfer là-haut. »

Le médecin promet de faire son possible.

La chef de service refuse de se contenter de promesses en l'air.

« Je parle sérieusement, Nisse. Je ne veux pas être responsable de ce service avec une patiente comme elle sous simples calmants. Je démissionne. »

Le professeur note mentalement que Britta va mettre le feu à ce service et que la chef de service aura été sa première victime.

Six mois plus tard on emmène Britta en salle de travail dans un concert de jurons et de malédictions. Les sages-femmes, les infirmières et l'obstétricienne sont sous le choc. Est-ce qu'on va vraiment la faire accoucher dans ces conditions ? Strappée aux chevilles et aux poignets ?

« C'est malheureusement la seule solution », explique Nils Gunnarsson en prisant tranquillement son tabac.

Perplexe, le personnel du service obstétrique le regarde faire les cent pas dans le couloir devant la salle d'accouchement, comme un père inquiet, du temps où ceux-ci n'étaient pas autorisés à assister à la naissance de leur enfant.

Deux agents de sécurité sont présents également. Un jeune homme et une femme, calmes, professionnels, vêtus de T-shirts. Lui a des tatouages sur les bras, elle un piercing au sourcil et un clou dans la langue. Ils prennent leur rôle très au sérieux. À vrai dire, c'est plutôt l'équipe médicale qui ne sait pas très bien ce qu'elle fait là.

Britta est hors d'elle. Son état s'est considérablement aggravé au cours de sa grossesse parce qu'on lui a supprimé tous les médicaments qui pouvaient nuire au bébé. Ses bouffées délirantes sont de plus en plus fréquentes et ses crises de violence aussi.

Entre deux contractions, elle se déchaîne. Lance les pires malédictions, invoque Satan et ses anges velus. Elle traite les femmes de salopes et de vieilles chattes desséchées et de putain de… Elle rassemble toute son énergie pour trouver de nouvelles injures. Parfois elle entame une dispute avec d'étranges interlocuteurs qu'elle seule peut voir.

Mais quand la contraction suivante se déclare, elle se contente de hurler : « Non ! non ! » La sueur gicle de son corps. Et là, même les soignants qui la connaissent pâlissent. L'un d'entre eux tente de lui parler : « Britta ! Allô ! Tu m'entends ? » Les contractions sont de plus en plus fortes. « Je vais mourir ! Je vais mourir ! » répond Britta.

Tous se regardent. Elle va mourir ? Est-ce qu'on peut mourir de cette façon ?

La contraction s'arrête et la colère de la parturiente explose à nouveau.

Le professeur Nils Gunnarsson l'écoute à travers la porte. Il est si fier de sa patiente. Il trouve admirable la manière dont elle empoigne sa fureur. Sa rage est tout ce qui lui reste. Elle est son alliée contre la douleur, l'impuissance, la maladie, la peur. Elle s'accroche à elle. C'est elle qui lui permet de traverser cette épreuve et elle hurle que c'est leur faute. La faute de cette connasse de toubib et des chattes momifiées. Elle voit que la salope sourit. « Pourquoi tu souris, sale garce ? Hein ? Hein ? Qu'est-ce qui te fait marrer ? Pourquoi elle ne répond pas, cette prétentieuse ? On répond quand quelqu'un s'adresse à vous, sale putain de salope de… » Une contraction emporte la fin de sa phrase.

Et puis arrive le moment de pousser. La sage-femme et le gynécologue lui crient : « Allez, Britta ! » Et Britta répond : « Allez vous faire foutre ! » Ils crient que tout se passe très bien et Britta leur crache dessus, visant comme elle peut.

Enfin, l'enfant est là. On le lui enlève immédiatement conformément à l'article 2§ LVU pour la protection de l'enfance. La médecin-chef prescrit à Britta un traitement de calmants et d'antalgiques. Elle a vaillamment supporté cet accouchement et l'hôpital a vaillamment tenu le coup durant cette grossesse.

Elle n'a pas l'air très consciente de ce qui s'est passé. On la garde attachée au lit pendant qu'on la suture. Elle se calme rapidement et semble épuisée.

Dans un autre service, on examine le nouveau-né.

Pauvre, pauvre petite fille. Quel départ dans l'existence. Tout le monde est fatigué.

Les sages-femmes constatent que son père pourrait effectivement être indien. Les bébés indiens sont tellement plus mignons que les bébés suédois. La petite fille est tout simplement ravissante avec sa peau noisette, sa chevelure incroyablement abondante et ses yeux sombres et tristes. On dirait presque qu'elle va pleurer. On dirait presque qu'elle comprend. Qu'elle comprend tout.

Personne ne fera le rapprochement mais tous ceux qui assistèrent à cet accouchement en furent affectés d'une façon ou d'une autre au cours de la semaine qui suivit. Britta avait déversé sur leurs têtes ses malédictions. La plupart d'entre elles ne trouvèrent pas de terrain fertile mais certaines prirent racine dans leurs existences.

L'une des infirmières eut une infection dentaire. L'obstétricienne recula sur le parking et cassa un feu arrière sur sa voiture. Sa maison fut cambriolée. Un autre perdit son portefeuille et la compagne du vigile aux bras tatoués mourut dans un incendie.

Le don de Britta est puissant. Même si elle n'est qu'une pâle version de ce qu'elle aurait pu être, même si elle ne sait pas ce qu'elle fait, ses mots ont le pouvoir d'atteindre les gens quand Britta est hors d'elle. Les femmes de sa famille ont toujours eu des pouvoirs surnaturels mais il y a plusieurs générations qu'elles l'ont oublié.

La petite Ester Kallis a hérité de ce don. Ester aura une deuxième maman et elle bénéficiera aussi de l'héritage que se transmettent les femmes, de mère en fille dans sa nouvelle famille.

Mon nom est Ester Kallis. J'ai deux mères et aucune.

Celle que j'appelle maman s'est mariée avec mon père en 1981. Sa dot était constituée d'un troupeau de cinquante rennes, principalement des femelles. Mes parents espéraient pouvoir vivre uniquement grâce à l'élevage de rennes. Malheureusement papa a toujours dû gagner sa vie à côté. Parfois il distribuait le courrier ou il travaillait pour la compagnie ferroviaire. Des emplois précaires. Il n'a jamais été libre.

Ils ont acheté l'ancienne gare de Rensjön et maman a installé son atelier dans la salle d'attente. La maison était coincée entre la route nationale qu'on appelle la Norgevägen et la voie ferrée, les vitres vibraient à chaque passage des convois de minerai de fer.

L'atelier était glacial. L'hiver, maman peignait avec des mitaines et un bonnet. Mais cela n'avait pas d'importance. Elle aimait travailler dans cette lumière froide. Papa avait peint tous les murs en blanc. C'était avant que j'arrive chez eux. Du temps où il avait encore envie de faire des choses pour elle.

En 1984, Antte vint au monde. Ils n'avaient pas besoin d'un autre enfant. Antte aurait suffi. Il était capable de passer sur une crevasse dans la banquise en motoneige sans tomber à l'eau, il savait s'y prendre avec les chiens, il avait ce mélange de douceur et de sévérité qui leur donnait envie de se donner du mal et de travailler pour lui, de courir vingt kilomètres pour ramener un renne échappé. Il n'avait jamais froid quand il accompagnait papa pour s'occuper des rennes. Il ne demandait jamais à rester au chaud à la maison pour jouer à des jeux vidéo comme ses camarades.

Et pendant que papa et Antte étaient dans la montagne, maman exécutait des travaux de commande pour les touristes du Mattarahkka Lodge : renards, perdrix des neiges, élans et rennes en céramique. Elle ne répondait pas au téléphone. Oubliait de manger.

Papa et Antte trouvaient souvent la maison glacée et le réfrigérateur vide en rentrant. Ils n'étaient pas contents. Ce n'était pas drôle pour eux de devoir prendre la voiture, sales et fatigués, pour aller en ville chercher de quoi manger. Dans ce domaine, elle était nulle. Quand Antte et moi allions encore à l'école, par exemple. On pouvait lui dire, longtemps avant : jeudi on va faire une excursion ici ou là. Il faut qu'on apporte un pique-nique. Elle ne s'en occupait pas. Le jeudi matin, elle se mettait à fouiller dans le réfrigérateur au dernier moment pendant que la voiture du ramassage scolaire attendait devant la porte. Et il fallait partir avec ce qui lui était tombé sous la main. Des tartines avec des tranches de croquettes de poisson. À l'école, les autres enfants faisaient semblant de vomir quand nous ouvrions notre gamelle. Antte avait honte. Je le voyais à ses joues qui devenaient toutes rouges, aux taches cramoisies sur sa peau très blanche, à ses oreilles qui chauffaient et sur lesquelles les petits vaisseaux apparaissaient à contre-jour, comme de petits arbres dessinés au rouge de cadmium. Parfois, il jetait démonstrativement ce qu'elle nous avait préparé. Il passait le restant de la journée affamé et en colère. Moi je mangeais. Sur ces questions-là, j'étais comme elle. Je me fichais de ce que j'ingurgitais pour me nourrir. Je me fichais aussi de l'opinion des autres. La plupart me laissaient tranquille, d'ailleurs.

Celui qui m'embêtait le plus était lui-même un exclu. Il s'appelait Bengt. Il n'avait pas d'amis. Il criait, me donnait un coup sur la nuque et m'injuriait :

« Tu sais pourquoi tu es aussi bête, hein, Kallis ? Est-ce que tu le sais ? C'est parce que ta mère était dans un asile de fous quand elle t'a eue. Et qu'elle bouffait des tas de médicaments qui t'ont bousillé le cerveau. Tu piges ? Un jour elle s'est fait sauter par un mangeur de curry. Et te voilà. »

Ensuite il se marrait en guettant la réaction des autres garçons. Avec ses yeux bleus mouillés. Son regard traqué, tout l'iris visible, aquarelle, cobalt dilué. À quoi cela l'avançait-il ? Il restait quand même dans son coin, avec moi. Sauf qu'il était plus à plaindre que moi parce que cela ne lui était pas égal.

Moi je m'en fichais. J'étais déjà comme elle. Elle que j'appelle Eatnázan, ma petite maman, en langage sami.

Entièrement occupée à observer. Tout ce qui m'entourait, les gens qui sont en réalité vivants et pleins de sang, les animaux avec leurs petites âmes, les choses et les plantes, les liens qui unissent tout cela, les lignes, les couleurs, les contrastes, les compositions. Tout doit tenir dans le rectangle. Seuls s'échappent le goût, l'odeur et un peu de relief. Mais si je me débrouille bien, je peux les faire renaître et plus que cela encore. L'image vient toujours s'installer entre moi et ce que je vois. Même si c'est moi que je regarde.

Maman était comme ça. Un peu en retrait pour mieux voir. Elle suivait le courant. Vaguement absente. Je me rappelle plusieurs dîners. Papa était parti à son travail. Elle avait préparé quelque chose en vitesse. Elle ne disait pas un mot. Antte et moi étions enfants, il nous arrivait de nous chamailler à table. Peut-être renversions-nous un verre de lait ou autre chose. Alors elle poussait un long soupir, peinée, comme si nous l'avions dérangée dans ses pensées, comme si elle était triste de devoir revenir parmi nous. Antte et moi nous taisions instantanément et nous la regardions, fascinés. De la même façon que nous aurions regardé un mort qui soudain serait revenu à la vie. Elle essuyait le lait. Fâchée, l'humeur perturbée. D'autre fois, elle ne se donnait même pas ce mal. Elle appelait les chiens pour qu'ils viennent lécher le lait.

Elle faisait tout ce qu'on attendait d'elle, le ménage, la cuisine, le linge. Mais il n'y avait que ses mains qui étaient occupées à ces tâches ménagères. Sa tête était ailleurs. Loin. Quelquefois papa lui faisait des reproches.

« La soupe est trop salée », disait-il par exemple en repoussant son assiette.

Elle ne se vexait pas. C'était comme si quelqu'un d'autre avait préparé le plat immangeable.

« Tu veux que je te fasse une tartine à la place ? » lui demandait-elle.

S'il se plaignait que la maison était sale, elle se mettait à nettoyer. C'est peut-être pour ça que papa a décidé de me recueillir. Vis-à-vis d'elle il prétendait que c'était pour l'argent. Peut-être qu'elle y croyait. Mais en y repensant, je pense qu'il espérait qu'un nourrisson dans la maison la ramènerait dans ce monde. Ferait revenir la femme qu'elle était quand Antte était petit. Il pensait qu'un bébé lui rendrait son épouse.

Il voulait ouvrir les portes de son être mais ne savait pas comment s'y prendre. Et il a pensé que je serai un pont qui ramènerait maman vers Antte et vers lui. Mais c'est l'inverse qui s'est produit. Elle peignait et moi je dessinais, allongée par terre dans son atelier.

« Qu'est-ce qui ne va pas chez toi ? File dehors prendre l'air ! » me disait papa en claquant la porte.

Je ne comprenais pas pourquoi il était tellement furieux alors que je n'avais rien fait de mal.

À présent, je comprends mieux sa colère. Je la comprenais déjà mais je n'avais pas encore les mots. Alors je la dessinais. Dans ma chambre au grenier chez Mauri, j'ai emporté presque tous mes dessins et toutes mes toiles. J'ai aussi un pastiche de l'illustratrice Elsa Beskow. Quand je l'ai fait, je ne savais pas encore ce qu'était un pastiche.

Il représente une mère et sa fille en train de ramasser des myrtilles. En arrière-plan, sur un contrefort de montagne, un ours les observe. Il est debout sur ses pattes arrière et sa tête pend lourdement, avec une sorte de lassitude. Son expression est un peu difficile à cerner. Si je cache le bas de la tête de l'ours avec la main, il a un air triste, si je cache le haut, il a l'air en colère.

Mon Dieu ! Cet ours ressemble tellement à mon père que je ne peux m'empêcher de sourire. Il ressemble un peu à mon frère Antte aussi. Il n'y a pas longtemps que je m'en suis rendu compte.

Je me souviens d'Antte à la porte de l'atelier de maman. Il a onze ans. J'en ai sept. Maman est en train de choisir des toiles. Elle doit en exposer cinq dans une galerie à Umeå et ne parvient pas à se décider. Elle me demande ce que j'en pense.

Je réfléchis et je lui désigne des tableaux. Maman hoche la tête.

« Moi je trouve que tu devrais prendre ceux-là », dit Antte qui vient d'apparaître sur le seuil.

Il montre des toiles complètement différentes de celles que j'ai sélectionnées, il a un regard de défi qui va de maman à moi.

Maman se décide finalement pour les tableaux que j'ai choisis. Et Antte est planté sur le pas de la porte avec sa tête d'ours qui pend.

Pauvre Antte. Il a cru que maman choisissait entre lui et moi. Alors qu'elle faisait un choix artistique. Elle n'aurait jamais opté pour quelque chose de moins bien simplement pour lui faire plaisir. C'était aussi simple que ça. Et aussi compliqué.

C'était pareil pour papa. Il devait le savoir au fond de lui. Il se sentait seul et abandonné dans la vie réelle où il était question de la maison, des enfants, du lit, des voisins, des rennes et du gouvernement sami.

Avant que j'aille à l'école, quand papa et Antte partaient le matin, elle me demandait souvent de l'aider à retrouver son alliance dans le grand lit. Elle enlevait la bague la nuit en dormant.

Elle n'est plus là. Le moment le plus difficile pour elle a dû être celui où son corps a cessé d'obéir.

Avant que cela n'arrive, elle restait dans son atelier et elle peignait jusque tard le soir. Financièrement, ce n'était pas rentable par rapport à ce qu'elle gagnait avec ses travaux de commande pour le Mattarahkka Lodge et la boutique de Luleå qui vendait ses bijoux en argent et ses animaux en céramique.

J'essayais de me rendre invisible. Je m'asseyais dans l'escalier menant au deux-pièces cuisine du premier étage et je la regardais travailler dans l'ancienne salle d'attente. Notre maison était pleine d'odeurs. De vieilles odeurs et des nouvelles. On n'aère pas beaucoup quand c'est l'hiver et qu'il fait trente degrés au-dessous de zéro. Alors la maison sent le renfermé et le chien mouillé, la viande grillée et l'odeur aigrelette des peaux de renne séchées quand la graisse est devenue un peu sure. Il y a tant de choses en peau de renne dans cet atelier, datant du temps où elle était petite. Son berceau en peau et ses chaussons d'hiver, les sacs à dos et les couvertures. La nuit, dans le silence, la maison sent la térébenthine et la peinture à l'huile, et parfois l'argile quand maman fait de la poterie. Je connaissais cet escalier dans ses moindres détails, je savais le descendre sans faire un bruit, marche après marche, évitant celles qui grinçaient. J'abaissais tout doucement la poignée de la porte de l'atelier. Et je restais dans le couloir pour l'observer à travers la fente. Je regardais surtout sa main. J'observais la façon dont elle se déplaçait sur le tableau, les amples mouvements de la brosse glissant sur la toile. Les lignes nettes du couteau à peindre. Le ballet délicat du pinceau de martre quand elle se penchait telle une myope pour fignoler un infime détail, un brin d'herbe perçant au travers d'une couche de neige, ou une rangée de cils au-dessus de l'œil d'un renne.

En général elle ne s'apercevait pas de ma présence. Ou elle faisait semblant de ne pas me voir. Mais parfois elle disait :

« Tu devrais être couchée depuis longtemps. »

Et moi je lui répondais que je n'arrivais pas à dormir.

« Viens te coucher ici, si tu veux », disait-elle alors.

Il y avait dans l'atelier un vieux sofa en pin, habillé d'un tissu à pois roses. Il était recouvert de plusieurs plaids pour le protéger des chiens. Je m'allongeais là et me glissais sous la couverture pleine de poils.

Musta et Sambo remuaient la queue pour me souhaiter la bienvenue. Je trouvais une place pour mes jambes entre eux afin de ne pas les déranger.

Dans le coin de la pièce se trouvait un carton qui contenait tous mes dessins réalisés au crayon de couleur, au feutre et à la craie.

J'avais hâte de me lancer dans la peinture à l'huile. Mais c'était beaucoup trop coûteux.

« Quand tu commenceras à gagner ton propre argent avec des jobs d'été », me disait maman.

J'avais envie d'étaler couche sur couche. C'était un besoin presque physique. Quand je me faisais une tartine cela me prenait une éternité. J'étalais le beurre en essayant de lui donner l'aspect d'une étendue de neige fraîche, ou au contraire de strates.

Il m'arrivait de la supplier mais c'était peine perdue. Elle était intraitable.

Un jour qu'elle peignait un paysage enneigé je lui ai dit :

« Je pourrais peindre un peu, juste là dans le coin ? Tu repasseras dessus après. Ça ne se verra pas. »

Ma question l'intéressa.

« Pourquoi est-ce que tu veux faire ça ?

— Ce serait un secret entre toi, moi et le tableau.

— On le verrait quand même. À cause de la matière qui serait plus épaisse à cet endroit. »

Je ne voulus pas m'avouer vaincue.

« C'est encore mieux. Cela éveillera la curiosité de celui qui regardera la toile. »

Cela la fit sourire.

« J'admets que c'est une bonne idée. Mais on va faire ça autrement. »

Elle me donna plusieurs feuilles à dessin.

« Tu vas peindre tes secrets, dit-elle. Ensuite tu colleras une nouvelle feuille blanche sur la première et tu peindras autre chose dessus. »

J'ai fait ce qu'elle m'a dit. Et j'ai encore ce dessin dans un carton, dans la chambre sous les combles que j'occupe dans la maison de mon demi-frère biologique.

Mauri. Il feuillette mes cartons à dessin et regarde mes toiles. Maintenant qu'Inna est morte il est comme un homme qui n'a pas de maison. Il est propriétaire de tout le haras de Regla et d'un tas d'autres choses, mais ça ne lui sert pas à grand-chose. Il monte ici, dans ma chambre, et il regarde mes tableaux. Me pose des tas de questions.

Je fais comme si de rien n'était et je réponds. Tout en continuant à soulever mes poids. Si je commence à avoir une boule dans la gorge, je change d'haltère ou je modifie la position du banc d'entraînement.

Je réalisai le dessin comme maman me l'avait suggéré. Il n'avait rien d'extraordinaire bien sûr. Je n'étais qu'une enfant. Il représente un bouleau en hiver et une montagne. Et puis la voie ferrée qui serpente en direction de Narvik. Le papier sur lequel j'ai peint ce paysage est collé sur un autre papier. En bas à droite, le coin de la feuille est corné et décollé. J'ai enroulé l'angle de la feuille autour d'un crayon pour qu'il ne repose pas à plat sur le dessin qui se trouve en dessous. Je voulais que la personne qui regarde soit prise d'un besoin irrésistible de séparer les deux feuilles pour voir le tableau caché. De celui-là on ne voit qu'un bout de patte de chien et l'ombre de quelqu'un ou de quelque chose. Moi je sais qu'il s'agit d'une femme avec un chien et du soleil qui brille derrière eux.

Maman aima beaucoup mon dessin. Elle le fit voir à papa et à Antte.

« Tu as beaucoup d'imagination », dit-elle en tripotant le coin enroulé sur lui-même.

Je me suis sentie remplie par un sentiment très grand. Si j'avais été une maison, mon toit se serait soulevé.

Réunion matinale au commissariat de Kiruna. Il était sept heures du matin mais personne ne montrait ni fatigue ni mauvaise volonté. La piste était encore chaude et l'enquête avançait.

Anna-Maria Mella fit un résumé des faits en montrant diverses photos affichées sur le mur.

« Inna Wattrang. Quarante-quatre ans. Se rend dans le chalet de montagne de Kallis Mining…

— … jeudi après-midi selon la compagnie aérienne SAS, précise Fred Olsson. Elle a pris un taxi jusqu'à Abisko. Il faut avoir les moyens ! J'ai parlé au chauffeur : elle était seule. Je lui ai demandé s'ils avaient discuté pendant le voyage, mais d'après lui elle était déprimée et peu bavarde. »

Tommy Rantakyrö leva la main.

« J'ai joint la femme qui s'occupe de la maison pour eux, dit-il. Il paraît que d'habitude, quand quelqu'un utilise le chalet, elle est toujours informée longtemps à l'avance. Quand c'est le cas, elle monte le chauffage avant leur arrivée et fait le ménage pendant leur séjour. Personne ne l'avait prévenue. Elle ne savait même pas qu'il y avait eu quelqu'un dans la maison.

— Personne ne semble avoir été informé qu'elle

devait s'y rendre, dit Anna-Maria. Le meurtrier l'a attachée à une chaise dans la cuisine avec du ruban adhésif et il l'a électrocutée, ce qui a déclenché un choc épileptique qui l'a tétanisée et au cours duquel elle s'est mâché la langue… »

Anna-Maria montra les photos du rapport d'autopsie sur lesquelles on pouvait voir l'intérieur des mains et les marques d'ongles violacées.

« La cause du décès serait cependant une perforation du muscle cardiaque à l'aide d'un objet long et pointu qui a traversé le corps de part en part, continua-t-elle. Pohjanen dit qu'il ne s'agit pas d'un couteau. Et à ce moment-là – ce qui est étrange – elle n'était plus assise sur la chaise mais couchée par terre. On a, avec l'aide de Tintin, découvert une marque dans le plancher, sous le revêtement en lino. Le labo confirme que le sang trouvé dans l'encoche est celui d'Inna Wattrang.

« La chaise a pu se renverser, proposa Fred Olsson.

— C'est possible. Ou on l'a détachée et couchée sur le sol.

— Pour abuser d'elle sexuellement ? demanda Tommy Rantakyrö.

— Peut-être. Cela dit, on n'a pas trouvé de trace de sperme… ce qui n'exclut pas qu'elle ait pu avoir un rapport sexuel, consenti ou pas. Ensuite son meurtrier l'a transportée jusqu'à l'arche.

— L'arche devait être fermée à clé, non ? » dit l'inspecteur Fred Olsson.

Anna-Maria hocha la tête.

« Mais le verrou n'avait rien de compliqué, expliqua Sven-Erik. Il était à la portée de n'importe quel petit voyou local.

— Son sac à main était posé dans le lavabo de la salle de bains, poursuivit Anna-Maria. On n'a retrouvé ni son téléphone, ni son ordinateur. Ils n'étaient pas non plus à Regla, où elle habitait, nos collègues de Strängnäs sont allés s'en assurer.

— Tout cela n'a aucun sens ! » s'exclama Tommy Rantakyrö.

Un silence succéda à sa remarque. Il avait raison. Il semblait impossible d'extraire une quelconque logique de ces informations. Que s'était-il vraiment passé dans ce chalet ?

« C'est vrai, dit Anna-Maria. Nous devons laisser la porte ouverte à toutes les hypothèses. Il peut s'agir d'un crime de haine, d'un crime sexuel, de l'acte d'un fou, d'un chantage, d'un enlèvement qui a mal tourné. Une chose est sûre, Mauri Kallis et Diddi Wattrang refusent de dire ce qu'ils savent sur elle. S'il s'agit d'un enlèvement, nous ne le saurons pas. Ces gens-là sont du genre à ne pas faire appel à la police.

— Nous n'avons pas non plus retrouvé l'arme du crime. Le chalet a été fouillé de fond en comble et la chienne Tintin a cherché également. Il n'y a rien nulle part. Je voudrais qu'on récupère la liste de ses communications téléphoniques auprès de son opérateur. L'idéal serait de retrouver son carnet d'adresses mais je suppose qu'elle se sert d'un électronique et comme nous n'avons ni son ordinateur ni son téléphone… En tout cas, je tiens à récupérer la liste d'appels. Tu peux t'occuper de ça, Tommy ? »

Tommy Rantakyrö acquiesça.

« Autre chose : hier les plongeurs ont retrouvé cet imperméable sous la glace. »

Elle montra du doigt la photo du manteau en popeline beige.

« Ça ne se voit pas très bien, mais le vêtement présente une tache sur l'épaule. Je crois que c'est du sang, le sang d'Inna Wattrang. Nous avons envoyé le manteau à Linköping, nous en saurons bientôt un peu plus. J'espère qu'ils trouveront un cheveu ou de la sueur ou autre chose à l'intérieur du col, qui pourrait nous donner l'ADN du meurtrier.

— Tu crois vraiment que c'est l'imperméable du meurtrier ? s'étonna Tommy Rantakyrö. C'est un manteau de demi-saison. »

Anna-Maria posa les doigts sur ses tempes pour réfléchir à sa remarque.

« Mais bien sûr ! s'écria-t-elle. C'est un manteau estival. Et si c'est le manteau du tueur, c'est qu'il est venu de l'été. »

Les autres la regardèrent d'un air surpris. Qu'est-ce qu'elle entendait par là ?

« Ici, on est en hiver, expliqua Anna-Maria. Mais dans le sud du pays et dans le reste de l'Europe, c'est déjà le printemps. Il fait chaud. La cousine de Robert et son fiancé sont allés à Paris le week-end dernier. Ils ont déjeuné en terrasse. Ce que je veux dire, c'est que s'il est venu d'un endroit où il faisait chaud, il ne venait pas d'ici, mais de beaucoup plus loin. Il a dû arriver en avion, non ? Et il a peut-être loué une voiture ? Ça vaut la peine de vérifier. Sven-Erik et moi allons faire un tour à l'aéroport pour voir si quelqu'un se souvient d'avoir vu un type avec ce genre d'imperméable. »

Mauri Kallis, accroupi dans la chambre qu'Ester occupait sous les combles, feuilletait ses peintures et ses dessins rangés dans deux cartons de déménagement. Inna lui avait procuré des couleurs, des toiles, un chevalet, des pinceaux, un bloc de papier pour aquarelle. Le tout de première qualité.

« Tu as besoin d'autre chose ? avait-elle demandé à la jeune Ester plantée au milieu de la chambre avec ses sacs de voyage, l'air un peu intimidé.

— Des poids et des haltères », avait répondu Ester.

En ce moment, Ester était couchée sur son banc d'entraînement pendant que Mauri fouillait dans ses cartons.

Mauri repensa au jour de son arrivée et se souvint de son effroi.

Inna l'avait appelé pour lui dire qu'Ester et sa tante étaient en route. Mauri avait fait les cent pas dans son bureau, hanté par les sentiments qui l'animaient le jour de l'enterrement de sa mère. Ses sœurs la lui avaient rappelée. Et maintenant, voilà qu'il risquait de se retrouver nez à nez avec sa mère à n'importe quel moment de la journée. Ce serait comme de jouer à la roulette russe chaque fois qu'il mettrait le nez hors de sa chambre.

« Je suis occupé, avait-il répondu à Inna. Fais-leur visiter. Je vous appellerai quand vous pourrez venir. »

Il avait tout de même fini par prendre sur lui et il avait appelé Inna.

Et il avait poussé un grand soupir de soulagement quand Ester avait passé le pas de la porte. Elle était indienne. Elle avait l'apparence d'une Indienne. Elle ne ressemblait pas le moins du monde à leur mère.

La tante, embarrassée, l'avait remercié :

« Je suis contente que vous vous occupiez d'elle, j'aurais voulu pouvoir le faire moi-même, bien sûr, mais… »

C'est presque avec émotion que Mauri avait saisi le poignet d'Ester.

« C'est un plaisir, avait-il répliqué. Un plaisir. »

Ester surveillait Mauri du coin de l'œil. Il avait recommencé à feuilleter ses dessins depuis le début. Si elle se remettait à peindre un jour, se dit-elle, elle se représenterait en train de lever un haltère et, sur la barre au-dessus de sa tête, elle dessinerait Mauri avec son carton dans les bras. Elle, Ester, serait en train de porter son poids et celui de sa curiosité. Elle le soulèverait sans que l'effort se lise sur son visage. Elle déplacerait la douleur vers *pectoralis major*, vers *triceps brachii*. Lever… neuf… dix… onze… douze.

Mais je veux bien qu'il vienne ici quand même, se disait-elle. Il doit pouvoir se reposer auprès de moi. C'est écrit.

En regardant les dessins d'Ester, Mauri entrait dans une autre vie. Il se demandait ce qu'il serait devenu si c'était lui qui était arrivé tout petit là-haut, en pays sami. Si son destin avait voulu qu'il s'échappe dans une existence alternative.

Les tableaux d'Ester étaient presque exclusivement inspirés par la maison de son enfance, l'ancienne gare de Rensjön. Il sortit d'un carton plusieurs esquisses au crayon de la famille qui l'avait recueillie. La mère occupée à des tâches ménagères ou bien à son tour de potier. Le frère en train de bricoler son scooter en plein été, entouré de milliers de fleurs sauvages qui avaient la couleur du beurre frais. Il portait un bleu de travail et une casquette avec un logo publicitaire. Le père d'accueil d'Ester réparant l'enclos où paissaient les rennes de trait, au bord d'un lac, de l'autre côté de la voie ferrée. Et partout, sur presque tous les dessins, des chiens lapons avec leurs petits corps denses et musclés, leur pelage soyeux et leurs queues en crosse d'évêque.

Ester peinait pour reposer la barre sur les supports, ses bras n'en pouvaient plus. Elle ne faisait plus attention à lui, semblait avoir oublié sa présence. C'était bon de pouvoir rester là tranquillement.

Il tomba sur les dessins de Nasti dans sa cage.

« Quel joli hamster, dit-il.

— C'est un campagnol arctique, un lemming », le corrigea Ester sans le regarder.

Mauri examina le lemming. Sa large tête et ses yeux ronds et noirs comme des boutons. Ses petites pattes. Consciemment ou pas, Ester leur avait donné l'apparence de mains humaines.

Nasti sur ses pattes arrière, les mains fermées autour des barreaux de sa cage. Le derrière de Nasti au-dessus de sa gamelle. Nasti, sur sa litière de copeaux, couché sur le dos les pattes en l'air. Froid et mort. Comme souvent dans ses dessins, les personnages et les objets extérieurs au sujet étaient représentés. Une ombre. Le coin d'un journal au-dessus de la cage.

Ester se tourna sur le ventre pour faire des pompes. C'est papa qui avait rapporté Nasti à la maison. Il l'avait trouvé dans le marécage. Trempé et à moitié mort. Il l'avait mis dans sa poche et avait sauvé sa petite vie. Il avait vécu huit mois chez eux. Il faut moins de temps que cela pour s'attacher à quelqu'un.

J'ai pleuré, se rappela-t-elle. Mais Eatnázan m'a appris à quoi peuvent servir les dessins.

« Dessine-le », dit maman.

Papa et Antte ne sont pas encore rentrés. Je me dépêche d'aller chercher du papier et des crayons de couleur. Dès les premiers traits la violence des sentiments s'apaise. La douleur devient sourde et elle se tait à l'intérieur de la poitrine. La main occupe le cerveau et l'émotion, les pleurs doivent céder la place.

Quand papa rentre à la maison, je pleure quand même un peu, surtout pour attirer l'attention. Le portrait de Nasti mort est déjà rangé au fond d'un carton dans l'atelier. Papa me console. J'ai le droit de m'asseoir sur ses genoux. Antte s'en fiche. Il est trop grand pour pleurer un lemming.

« Tu sais, me dit papa. Ce sont des animaux très fragiles. Ils ne supportent pas nos bactéries. Nous allons le mettre dans le bûcher, nous l'enterrerons au printemps. »

Les semaines suivantes, je dessine la remise à bois. Avec une grosse couche de neige sur le toit. Les fenêtres à petits carreaux à travers lesquelles on voit le noir du dedans et sur les vitres des roses de givre. Il n'y a que maman et moi qui comprenions qu'en réalité ce sont des dessins de Nasti. Parce qu'il est couché dans une boîte à l'intérieur.

« Tu devrais te remettre à peindre », dit Mauri.

Ester changea les disques sur la barre. Elle regarda ses jambes. Ses cuisses avaient visiblement augmenté de volume. *Quadriceps femoris*. Il faut qu'elle augmente sa consommation de protéines.

Mauri sortit d'un carton quelques dessins de la tante d'Ester. La sœur de sa maman d'accueil. Sur l'un d'entre eux, elle était assise à la table de la cuisine en train de regarder le téléphone, l'air désabusé. Sur un autre, elle était allongée sur la banquette de la cuisine, plongée dans un roman, avec une expression de contentement. Dans une main, elle tient un couteau Morakniv avec lequel elle vient de découper un morceau de viande séchée.

Il faillit demander à Ester si elle avait eu des nouvelles de sa tante, mais il s'abstint. C'était des gens épouvantables, autant sa tante que son père d'accueil.

Este pliait les genoux sous la barre d'haltères. Elle regarda Mauri. Remarqua le pli fugitif entre ses sourcils. Il n'avait pas de raison d'en vouloir à sa tante. Elle n'avait nulle part où aller, entre deux aventures. Elle était aussi seule et abandonnée qu'Ester.

La sœur de maman vient régulièrement leur rendre visite à Rensjön. Cela commence toujours par des coups de téléphone.

Toute la semaine, le téléphone a sonné. Maman est restée le combiné coincé entre l'oreille et l'épaule, se déplaçant dans la maison autant que le fil le lui permet.

« Mmm », dit-elle tout en essayant d'atteindre la cuisinière, l'évier ou la gamelle du chien. Elle est incapable de s'asseoir quelque part pour parler au téléphone sans rien faire.

De temps à autre, elle dit : « Quel crétin ! »

Mais la majeure partie du temps, elle ne dit rien et elle écoute pendant des heures. J'entends les pleurs de ma tante à l'autre bout du fil. Et parfois elle jure.

Je vais chercher le boîtier de rallonge pour maman. Papa s'énerve. Il se sent envahi par ces conversations téléphoniques interminables. Chaque fois que ça sonne, il sort de la cuisine.

Et puis un jour, maman annonce :

« Marit va venir nous voir.

— Ah, encore », dit papa.

Il enfile sa combinaison de motoneige et quitte la maison sans dire à personne où il va. Il rentre bien après l'heure du dîner. Maman lui fait chauffer son repas au micro-ondes. Ils ne se parlent pas. S'il ne faisait pas aussi froid dans le reste de la maison, Antte et moi irions nous réfugier dans l'atelier. Ou dans le grenier qui n'est pas aménagé, où pend le linge pétrifié avec le givre qui dessine des fougères sur les vitres.

Mais il fait froid et nous restons dans la cuisine. Maman fait la vaisselle. Je regarde alternativement son dos et l'horloge sur le mur. Au bout d'un moment, Antte se lève pour allumer la radio. Puis il va allumer la télévision dans le salon et joue au football sur sa console de jeu. Le silence étouffe tous les sons. Papa lorgne méchamment le téléphone.

Moi je me réjouis. Ma tante est une belle femme. Son sac est plein de maquillage et de parfums qu'elle me laisse essayer si je fais attention. Maman est différente quand ma tante est là. Elle rit souvent. Pour des bêtises.

Si j'arrivais encore à dessiner, je referais tous les portraits que j'ai faits d'elle. Je la ferais ressembler à la femme qu'elle aimerait être. Un visage de petite fille. Une bouche plus douce. Moins de lignes verticales entre les sourcils et sur la partie du visage qui va des ailes du nez aux commissures des lèvres. Et j'oublierais de reproduire le fin réseau de rides entre le coin de ses yeux et ses hautes pommettes. Le delta des larmes.

Elle arrive de Stockholm par le train. Le voyage dure un après-midi, une soirée, une nuit et une matinée.

J'attends dans la pièce commune au premier étage, où se trouve le canapé-lit sur lequel papa et maman dorment la nuit. Antte dort sur la banquette dans la cuisine. Il n'y a que moi qui ai ma propre chambre. C'est un minuscule réduit dans lequel il y a tout juste la place pour un lit et une chaise. La pièce dispose d'une petite fenêtre si haut placée qu'on doit monter sur la chaise pour regarder dehors. De cet observatoire, je regarde parfois les cheminots en salopettes jaunes qui travaillent aux aiguillages. C'est parce que je suis en famille d'accueil qu'on a dû me donner ma propre chambre.

Mais en ce moment, je suis dans le salon, le nez pressé contre la vitre. Quand je ferme les yeux, je vois ma tante.

C'est l'hiver. Stockholm est sépia et ocre sur le papier à aquarelle humide. Troncs d'arbres noirs et, dégoulinant, lignes fines tracées à l'encre.

Je la vois à bord du train. De temps en temps, elle va se cacher dans les toilettes pour fumer. Sinon elle regarde par la fenêtre. Maison après maison. Forêt après forêt après forêt. Elle a l'impression de rentrer chez elle.

Quelquefois, elle regarde l'écran de son téléphone portable. Pas de réseau. Il a peut-être essayé de l'appeler. Ester entend le signal d'alarme aux passages à niveau et voit la file des voitures qui attendent le passage du train pour traverser la voie.

Sa tante n'a pas eu les moyens de prendre une couchette. Elle utilise son manteau en guise de couverture et dort appuyée à la vitre. Le radiateur est allumé au maximum. Ça sent la poussière brûlée dans le compartiment. Ses pieds et ses chevilles fines dépassent du manteau, reposent sur la banquette opposée, parlent de folies et de fragilité. Le train tangue et siffle et gronde. On est comme dans le ventre de sa mère.

Maman et moi l'attendons à la gare de Rensjön. Ma tante est la seule à descendre. La neige n'a pas été déblayée. Nous creusons un sillon sur le quai en marchant. Une semelle blanche reste collée sous la valise.

Elle est un peu trop maquillée et sa voix est trop gaie. Elle bavarde en piétinant dans l'épais tapis neigeux. Elle est vite transie dans son manteau citadin et ses belles chaussures. Elle n'a pas de bonnet. Je traîne son bagage. Il laisse une trace profonde, parallèle à celle de nos pas.

Ma tante rit en battant des mains quand elle voit la maison. Sur le mur du pignon, d'un côté, la neige monte jusqu'à la fenêtre du premier étage. Maman raconte qu'il y a deux semaines, papa a dû sortir de la maison par cette fenêtre et qu'Antte et lui ont mis plus de quatre heures à dégager la porte d'entrée.

Ma tante a apporté des cadeaux. Un bloc de papier d'aquarelle luxueux pour moi, avec des feuilles détachables.

Maman me recommande de ne pas l'user trop vite. Puis elle reproche à ma tante de m'avoir gâtée.

Au début, ma tante veut manger des plats comme ceux que maman et elle mangeaient quand elles étaient petites. Alors maman lui prépare de la viande de renne fumée et du boudin de renne et du rôti d'élan, et le soir ma tante se coupe des tranches de viande séchée qu'elle mange tout en parlant. Maman et elle boivent du vin et de l'alcool que ma tante a apportés.

Le soir, quand ma tante est là, papa allume le chauffage dans le séjour et regarde la télévision, maman et elle restent dans la cuisine pour bavarder toutes les deux. Ma tante pleure souvent, mais chez nous, on ne se formalise pas pour si peu.

« Ça te fait déménager souvent tout ça, lui dit mon père en venant se resservir un verre de whisky dans la bouteille de ma tante. Tu devrais peut-être t'acheter un mobile home. »

Ma tante ne change pas d'expression mais je vois ses pupilles se rétrécir comme deux petites têtes d'épingle.

« J'ai le chic pour tomber sur des connards, dit-elle d'un air faussement léger. Il semble que ce soit une fatalité chez les femmes de notre famille. »

Tous les soirs elle met son portable à recharger. Elle ose à peine sortir se promener de peur que la batterie ne refroidisse et que le téléphone ne tombe en panne.

Un soir, il sonne enfin et c'est le salaud qui est au bout du fil. Ma tante discute avec lui à voix basse dans la cuisine. Longuement. Maman nous envoie jouer dehors. Nous jouons presque deux heures dans l'obscurité. Nous creusons un tunnel dans une congère. Les chiens nous aident, ivres d'excitation.

Quand on nous donne enfin le droit de rentrer, ma tante a terminé sa conversation. Je laisse traîner une oreille pendant que je retire mes bottes et ma combinaison.

« Je ne comprends pas pourquoi tu acceptes de le laisser revenir, dit maman. Il suffit qu'il claque des doigts, alors ? Comment peux-tu gaspiller à ce point ton pouvoir de femme ?

— Comment peux-tu appeler cela du gaspillage ? Consacrer son "pouvoir de femme" à être aimée avant qu'il ne soit trop tard est le seul combat au monde qui vaille vraiment la peine. »

C'est ça qui est difficile, songe Ester, en ajoutant des disques sur la barre. Quand Mauri monte dans ma mansarde et qu'il regarde mes dessins. Je me mets à penser à ma tante et tous les autres souvenirs remontent en même temps. On commence par penser à une chose anodine et les choses difficiles sont tapies derrière.

Les choses difficiles : ma tante et moi roulons sur la Norgevägen vers l'hôpital de Kiruna. La nuit et la neige. Les mains de ma tante sont crispées sur le volant. Elle a son permis mais ne conduit pas souvent.

C'est bientôt la fin. C'est étrange que je ne me rappelle pas où Antte et mon père se trouvent à cet instant.

« Tu te souviens de la mouche ? » me demande ma tante.

Je ne réponds pas. Un semi-remorque arrive vers nous en sens inverse. Ma tante freine quand nous le croisons. C'est la dernière chose à faire, je sais au moins ça. C'est le meilleur moyen de déraper et d'être réduit en bouillie. Mais elle a peur et elle commet des erreurs. Moi je n'ai pas peur. Pas de cela en tout cas.

Je ne me souviens pas de la mouche, mais je sais que ma tante m'en a déjà parlé.

J'ai deux ans. Je suis assise sur ses genoux à la table de la cuisine. Il y a un journal ouvert devant nous. Et la photo d'une mouche. J'essaye d'attraper la mouche du journal.

Maman se moque gentiment de moi.

« Ça, c'est impossible, me dit-elle.

— Ne lui dis jamais qu'une chose est impossible », lui reproche ma tante, fâchée.

Ma tante a un problème avec le don avec lequel naissent les femmes de notre famille. Ce don qui leur permet d'arrêter les hémorragies et de voir des choses. Elle est peut-être un peu jalouse de maman parce qu'elle sent que sa sœur a plus de pouvoir qu'elle ne le laisse paraître. Elle ne veut pas non plus que maman m'empêche de développer le don qu'elle devine en moi. J'étais encore un petit bébé quand pour la première fois elle m'a regardé dans les yeux et a dit à ma mère : « Regarde, c'est Áhkku, grand-mère. »

Papa l'a entendue.

« Vous êtes folles ! leur a-t-il dit. Elle n'est même pas de notre sang. Elle ne peut pas être votre grand-mère.

— Il ne comprend rien », a dit ma tante en me regardant comme si elle plaisantait. Mais je n'étais qu'un bébé et en réalité sa phrase s'adressait à mon père qui pense que la famille a quelque chose à voir avec la biologie.

J'essaye de faire décoller la mouche du journal. Et tout à coup, ça marche. Elle bourdonne autour de nos têtes, percute les lunettes de ma tante, tombe par terre où elle fait quelques pas, décolle à nouveau et se pose sur ma main.

Je hurle à fendre l'âme. Comme une folle. Ma tante tente de me calmer mais en vain. Ma mère chasse la mouche par la fenêtre et elle meurt de froid instantanément. La mouche du journal est toujours à sa place mais ma tante jette quand même le journal dans la cheminée où il est anéanti dans un vrombissement.

« C'est sûrement une mouche d'hiver qui s'est réveillée à cause de la chaleur, dit maman », choisissant de se montrer réaliste.

Ma tante ne dit rien. Aujourd'hui, dans la voiture en route pour l'hôpital de Kiruna, quatorze ans après, elle me demande :

« Pourquoi as-tu crié ce jour-là ? Nous avons cru que nous n'arriverions jamais à te calmer. »

Je réponds que je ne me souviens plus. Et c'est vrai. Mais cela ne veut pas dire que je ne sais pas. Je sais précisément pourquoi j'ai crié. Je ressens toujours la même chose quand cela arrive. Et ça m'est souvent arrivé par la suite.

Je deviens un élément du Tout. Mais en même temps, je pars en morceaux. C'est comme si je me disloquais. Comme lorsque le vent s'engouffre dans une vallée et qu'il disperse le brouillard. C'est terrifiant. Surtout quand on est petit et qu'on ne sait pas encore que ce n'est que passager.

Je sais d'avance quand cela va arriver. Ça commence par la sensation de milliers de petites aiguilles sous la plante des pieds. Ensuite c'est comme un coussin d'air entre mes pieds et le sol. Je suis encore dans mon corps terrestre et je répugne à le quitter.

Je devrais être capable de dire à ma tante : « Imagine que tout à coup la loi de la pesanteur n'existe plus. » Mais je n'ai pas envie de parler de cela.

Je sais pourquoi ma tante tient à me rappeler l'histoire de la mouche dans cette voiture, ce jour-là. C'est sa manière à elle de me dire que je suis liée à maman. Que leur grand-mère est en moi.

Personne n'a réellement envie de savoir ça. Ma tante non plus, en réalité.

J'ai trois ans. Je suis assise sur les genoux de ma tante à la table de la cuisine. Cela fait bientôt deux semaines que papa et ma tante s'usent les nerfs mutuellement et papa et Antte sont partis dans la montagne. Mais ce jour-là, le téléphone a sonné. Ma tante a réservé son billet de retour et fait sa valise. Elle me montre des photographies. Cet homme-là a un gros bateau à voile. Elle me fait voir des photos du voilier.

« Il est en Méditerranée », raconte-t-elle.

Ils vont faire la traversée jusqu'aux Canaries.

« Je me souviens. Tu étais assise ici et tu pleurais », lui dis-je en désignant la proue du voilier.

Ma tante éclate de rire. Elle ne veut pas entendre ça. Alors tout à coup, la petite Ester n'a plus de don.

« Tu ne peux pas te rappeler une chose pareille, ma petite fille. Je n'ai jamais mis les pieds sur un voilier de ma vie. Ce sera la première fois. »

Maman me met en garde d'un regard furtif. Attention, ils n'ont pas envie de savoir, disent ses yeux. Qu'on peut se souvenir du futur comme du passé. Que le temps marche dans les deux sens.

Mauri ne veut pas savoir non plus, se dit Ester. Il est en grand danger mais cela ne sert à rien de le lui dire.

« Tu pourrais faire mon portrait », dit-il avec un sourire.

C'est vrai, songe Ester. Je pourrais le peindre. C'est la seule image que j'ai en moi. Toutes les autres sont parties. Mais il n'a pas envie de voir cette image. Elle est en moi depuis la première fois que je l'ai vu.

Inna nous accueille, ma tante et moi, à Regla. Elle la serre dans ses bras comme si elle était sa propre sœur. Ma tante se détend. Sa culpabilité à mon égard devient un peu moins lourde à porter.

Pour ma part, je me sens mal à l'aise d'être là. Je suis un poids pour tout le monde. Je ne peux pas peindre. Ni subvenir à mes propres besoins. Je n'ai pas d'autre endroit où aller. Et comme je n'ai pas envie d'être là, je m'en vais tout le temps. Je n'y peux rien. Mes pieds foulent deux tapis tandis que je me dirige vers Inna et je deviens les deux tisseurs qui les ont réalisés, un homme qui passe sans cesse la langue entre ses deux incisives écartées et un jeune garçon. Quand je frôle une boiserie sur le mur, je suis l'ébéniste à la hanche douloureuse qui rabote la planche. Toutes ces mains qui ont tissé, tourné, cousu, ciselé. Je suis si fatiguée que je parviens à peine à rester en un seul morceau. Je m'oblige à tendre la main à Inna. Et je la vois. Elle a treize ans. Elle pose la joue contre celle de son père. Tout le monde dit qu'elle le mène par le bout du nez mais je vois ses yeux de petite fille assoiffée d'amour.

Inna nous fait visiter la maison. Il y a tellement de pièces qu'on peut à peine les compter. Ma tante regarde autour d'elle, impressionnée. Tous ces meubles en bois poli aux pieds tournés. Ces vases avec des motifs chinois bleus sur fond blanc, posés à même le sol.

« Quel endroit ! » me chuchote-t-elle.

La seule chose qui dérange ma tante, c'est que les chiens de la femme de Mauri courent partout dans la maison et sautent sur les meubles. Elle doit refréner l'envie de les attraper par la peau du cou et de les jeter dehors.

Je ne réponds pas. Elle voudrait me voir heureuse de rester ici, mais je ne connais pas ces gens. Ils ne sont pas ma famille. On me livre ici comme un paquet.

Le téléphone d'Inna sonne. Après avoir raccroché, elle nous annonce que je vais rencontrer mon frère.

Nous entrons dans une pièce qui est à la fois son bureau et sa chambre. Il porte un costume alors qu'il est chez lui.

Ma tante lui serre la main et elle le remercie de bien vouloir s'occuper de moi.

Il me sourit. Il dit : « C'est un plaisir. » Il le dit deux fois de suite en me regardant dans les yeux.

Et je dois baisser le regard tellement je suis contente. Je me dis qu'il est mon frère. Et que j'aurai désormais ma place auprès de lui.

Il me prend le poignet et…

Le sol se dérobe. L'épais tapis gondole tel un serpent de mer pour se débarrasser de moi. Les aiguilles me picotent la plante des pieds. Je voudrais me raccrocher à quelque chose, un meuble. Mais c'est trop tard, je suis déjà au plafond.

Le verre brisé inonde la pièce comme une pluie d'averse. Un vent violent aspire les rideaux vers l'intérieur de la chambre et les met en lambeaux.

Je suis sortie de mon corps.

La pénombre envahit la pièce qui se rétrécit. Nous sommes dans une autre chambre à coucher, il y a très longtemps. C'est une chambre qui existe à l'intérieur de Mauri. Un gros homme est couché sur une femme dans un lit. Il n'y a pas de drap sur le matelas qui est un simple morceau de mousse, jaune et sale. L'homme a un dos large, il sue. On dirait un gros galet échoué sur la berge.

Je comprends un peu plus tard que la femme est notre mère à Mauri et à moi. L'autre. Celle qui m'a donné la vie. Mais ce que je vois se passe avant ma naissance.

Mauri est petit, deux, trois ans. Il grimpe sur le dos de l'homme et s'accroche à son cou en criant : « Maman ! Maman ! » Ils ne se préoccupent pas plus de lui que s'il était un vulgaire moustique.

C'est mon portrait de Mauri.

Un petit dos pâle, une minuscule crevette accrochée à un gros rocher qui est un dos d'homme couché dans une chambre confinée et obscure.

Il me lâche le poignet et je reviens dans mon corps.

C'est à ce moment que je sais qu'il va me falloir le porter. Ni lui ni moi ne sommes à notre place, ici, à Regla. Il ne reste plus beaucoup de temps.

Ester leva la barre sur ses épaules, fit une ample fente avant.

Mauri lui sourit et il essaya à nouveau de la convaincre.

« Je paierai. Tu pourrais gagner beaucoup d'argent comme portraitiste. Les hommes d'affaires ont un ego de la taille d'un Zeppelin.

— Tu n'aimerais pas le tableau », dit-elle simplement.

Elle guetta sa réaction, vit qu'il prenait le parti de ne pas se sentir blessé. Mais qu'aurait-elle pu lui dire d'autre ?

En tout cas, elle en avait assez de le voir fouiller dans ses dessins. Elle fléchit brusquement les jambes sous la barre et Mauri sortit de sa chambre.

« Oui, je me souviens d'un client qui avait un manteau comme celui-là. »

Anna-Maria Mella et Sven-Erik Stålnacke interrogeaient l'employé d'une société de location de voitures à l'aéroport. Il avait une vingtaine d'années et mâchait énergiquement son chewing-gum en fouillant dans ses fiches. Le malheureux garçon était affecté d'une acné sévère sur les joues et le cou. Anna-Maria s'efforçait de ne pas regarder un bouton à parfaite maturité qui lui faisait penser à une larve blanche sortant d'un cratère lunaire bordé de rouge. Elle avait photographié à l'aide de son portable l'imperméable trouvé par les plongeurs, sous l'épaisse couche de glace qui recouvrait le Torneträsk.

« Je me suis dit qu'il n'allait pas avoir chaud. C'est pour ça que je me souviens de lui. »

Il rigola.

« Ces étrangers ! »

Anna-Maria et Sven-Erik ne firent pas de commentaire. Ils préféraient attendre sans poser trop de questions. Le laisser se souvenir sans l'influencer. Anna-Maria hocha la tête en guise d'encouragement, l'air de dire : « Étranger ? »

« Je suis sûr que ce n'était pas la semaine dernière parce que j'étais chez moi, couché avec la grippe. Attendez une seconde… »

Il alla pianoter sur l'ordinateur, ouvrit un classeur et revint au guichet, un formulaire rempli à la main.

« Voici son contrat. »

Incroyable, se dit Anna. On va le choper.

Elle trépignait d'impatience de lire le nom du type.

Sven-Erik enfila ses gants et se fit remettre le document.

« Vous dites que c'était un étranger, dit Anna-Maria. Quelle langue parlait-il ?

— L'anglais. C'est la seule langue que je parle, alors…

— Il avait un accent ?

— Mmoui… »

Il déplaça le chewing-gum à l'intérieur de sa bouche et le coinça entre ses incisives, d'où il le laissa dépasser à moitié puis il reprit sa mastication à un rythme plus soutenu. Anna-Maria ne put s'empêcher de penser à une machine à coudre claquetant sur un petit morceau de tissu blanc.

« Un accent britannique, en fait. Mais pas le genre anglais snob… plutôt populaire, si vous voyez ce que je veux dire. Oui, c'est ça, continua-t-il en hochant la tête comme s'il se mettait d'accord avec lui-même. D'ailleurs, je me suis dit que sa façon de parler ne collait pas avec le long trench-coat et les chaussures. Il avait l'air un peu au bout du rouleau, malgré le bronzage.

— Nous allons garder le contrat de location, dit Sven-Erik. Vous en aurez une copie. Soyez gentil de ne pas parler de ceci aux journalistes. Et nous aimerions avoir tous les renseignements que vous avez sur ce client. Comment il a payé, tout, quoi.

— Et nous allons emmener la voiture aussi, ajouta Anna-Maria. Si elle est louée en ce moment, faites-la revenir. Vous en donnerez une autre.

— Vous travaillez sur l'affaire Inna Wattrang, n'est-ce pas ?

— Est-ce qu'il portait le même manteau quand il est venu rapporter la voiture ? demanda Anna-Maria.

— Je n'en sais rien. Je crois qu'il a juste déposé la clé dans la boîte. »

Il retourna taper sur l'ordinateur.

« Yep, j'avais raison, il a dû repartir par le vol du vendredi soir, ou peut-être celui du samedi matin. »

Alors nous trouverons peut-être une hôtesse qui l'aura vu sans son manteau, songea Anna-Maria.

« Nous lançons un avis de recherche sur le type du contrat, dit Anna-Maria à Sven-Erik quand ils furent revenus dans la voiture. John McNamara. Interpol nous aidera avec les Britanniques. Si le labo confirme que le sang retrouvé sur l'épaule du trench est celui d'Inna Wattrang, les experts n'auront plus qu'à faire une recherche ADN sur le propriétaire…

— S'ils trouvent quelque chose ! Il a séjourné dans l'eau.

— Si le laboratoire médico légal de Linköping ne trouve rien, nous demanderons au laboratoire Rudbeck à Uppsala. Il faut trouver un moyen de prouver que l'imperméable est celui de McNamara. Savoir qu'il a loué une voiture le jour où elle a été tuée ne sera pas suffisant.

— À moins qu'on trouve d'autres indices dans la voiture.

— La police scientifique va s'en occuper. »

Elle se tourna vers Sven-Erik tout sourire. Il enfonça le pied dans le plancher appuyant par réflexe sur une pédale de frein inexistante. Il préférait nettement qu'elle regarde la route quand elle conduisait.

« Tu te rends compte à quelle vitesse on a avancé ? dit Anna-Maria qui avait effectivement accéléré sous l'effet de l'euphorie. Et on a fait ça tout seuls, sans l'aide de la police nationale. C'est super. »

Rebecka dînait chez Sivving, dans sa chaufferie. Assise à la petite table en formica, elle le regardait préparer le repas sur la minuscule gazinière. Il posait délicatement des cuillerées de farce de poisson dans la poêle en aluminium et les faisait cuire à petit feu dans un fond de lait. Une casserole d'eau bouillait à côté avec les pommes de terre. Une panière de pain croustillant et une barquette de beurre salé étaient posées devant elle sur la table. Les odeurs de nourriture se mélangeaient à celle des chaussettes de laine en train de sécher sur l'étendoir à linge.

« Quel festin ! Qu'en dis-tu, Bella ?

— N'y pense même pas, dit Sivving d'une voix sourde à la chienne qui avait été envoyée dans son panier au pied du lit.

La salive coulait de ses babines en deux filets ininterrompus. Ses yeux exprimaient une souffrance proche de l'agonie.

« Je te promets que je te donnerai mes restes tout à l'heure, lui promit Rebecka.

— Ne lui parle pas. Elle prend n'importe quel signe de notre part pour une autorisation de quitter son panier. »

Rebecka sourit. Elle regardait Sivving qui lui tournait le dos. Il était extraordinaire. Ses cheveux d'un blanc soyeux s'étaient clairsemés, et on aurait aussi dit qu'ils étaient devenus plus légers à en croire la manière dont ils se dressaient autour de son crâne comme la queue touffue d'un renard blanc. Les jambes de son pantalon de surplus militaire étaient enfoncées dans une énorme paire de chaussettes de ski. Maj-Lis devait lui en avoir tricoté une grosse réserve avant de mourir. Une chemise en flanelle enveloppait son gros ventre rebondi et, à défaut de pouvoir nouer autour de sa taille le tablier de sa défunte épouse, il l'avait coincé dans la ceinture de son pantalon.

Sivving avait consciencieusement décoré tout le reste de la maison pour Noël, suspendu les différentes étoiles à leurs fenêtres respectives, l'étoile orange du supermarché ICA à la fenêtre de la cuisine, et dans le salon, l'étoile en paille confectionnée au club de travaux manuels. Il avait sorti les lutins décoratifs, les bougies de l'Avent et les nappes brodées de Maj-Lis. Après l'Épiphanie tout cela avait été remis dans des cartons qui étaient retournés dans le grenier. Il n'avait pas eu besoin de laver les nappes. Rien n'était jamais sali dans la maison.

Dans la chaufferie où il avait désormais élu domicile, tout était comme à l'accoutumée. Pas de nappe sur la table et pas de lutins sur la commode.

J'aime bien ça, se disait Rebecka. Que tout soit comme d'habitude. Voir les mêmes casseroles et les mêmes assiettes posées sur l'étagère. Que tout soit fonctionnel. Le couvre-lit qui protège les draps des poils de Bella quand elle monte en douce sur le lit. Les tapis de chiffons parce que le sol est froid, pas pour faire joli. Elle s'y était habituée. Elle ne trouvait plus rien d'étrange à ce que Sivving habite dans sa cave.

« C'est fou cette histoire avec Inna Wattrang, dit Sivving. Les manchettes des tabloïds ne parlent que de ça. »

Le téléphone de Rebecka sonna avant qu'elle ait eu le temps de lui répondre. Un numéro en 08. Le numéro du cabinet.

Måns, songea Rebecka, brusquement si nerveuse qu'elle bondit sur ses pieds.

Bella saisit l'occasion pour se lever aussi. En une seconde, elle était près de son maître.

« Fiche le camp », gronda Sivving.

À Rebecka, il dit :

« Les patates seront cuites dans cinq minutes.

— J'arrive tout de suite », dit Rebecka en disparaissant dans l'escalier. Elle entendit Sivving crier « Va te coucher ! » au moment où elle fermait la porte de la cave et où elle prenait l'appel.

Ce n'était pas Måns au bout du fil, mais Maria Taube.

Maria Taube travaillait toujours pour Måns. Dans une vie passée, Rebecka et elle étaient collègues.

« Comment ça va ? dit Rebecka.

— C'est l'horreur. Tout le cabinet va skier à Riksgränsen ce week-end. Tu parles d'une idée saugrenue ! Je ne vois pas pourquoi on ne pourrait pas aller dans un endroit où il fait chaud pour bronzer et boire des cocktails ! Comme tu t'en souviens peut-être, je ne suis pas sportive pour un rond ! Enfin, au moins, je vais pouvoir emprunter la combinaison de ski de ma sœur, même si j'ai l'air d'une saucisse là-dedans. À Noël, j'avais décidé de commencer un régime tout de suite après les fêtes et de perdre cinq cents grammes par semaine. Alors du coup, je me suis lâchée un peu à Noël ! Et puis il y a eu le réveillon du Nouvel An et janvier est passé en un clin d'œil. Début février j'ai de nouveau décidé de faire ce régime et, cette fois, je me suis promis de perdre un kilo par semaine... »

Rebecka éclata de rire.

« ... Et le week-end approche, continua Maria Taube. Tu crois qu'on peut perdre dix kilos en trois jours ?

— Les boxeurs vont au sauna.

— Mmm. Merci du tuyau. Vraiment. "Morte dans son sauna. Juste après avoir appelé le *Guinness des records*". Qu'est-ce que tu fais ?

— Tu veux dire maintenant ou au boulot ?

— Maintenant et au boulot.

— Maintenant je suis sur le point de me mettre à table avec mon voisin et au boulot je fais quelques recherches sur Kallis Mining pour la police.

— Inna Wattrang ?

— Oui. »

Rebecka rassembla tout son courage.

« Au fait, Måns m'a envoyé un mail pour me proposer de venir boire un verre avec vous pendant que vous êtes à Riksgränsen.

— C'est une super idée ! S'il te plaît, viens !

— Mmm... »

Et maintenant, qu'est-ce que je dis ? songea Rebecka : « Tu crois que j'ai mes chances avec lui ? »

« Comment va-t-il ? dit-elle.

— Bien, je pense. Ils ont mené une grosse négociation la semaine dernière dans un procès contre la compagnie d'électricité. Ça s'est bien passé et il est redevenu relativement humain. Jusque-là, il était… enfin tout le monde passait devant la porte de son bureau sur la pointe des pieds.

— Et à part ça ? Comment vont les autres ?

— Je n'en sais rien. Il ne se passe pas grand-chose. Si. Sonja Berg s'est fiancée avec son représentant de commerce samedi dernier. »

Sonja Berg était la secrétaire qui avait le plus d'ancienneté chez Meijer & Ditzinger. Elle était divorcée, avait des enfants déjà adultes et ses collègues avaient pu suivre la cour assidue que lui faisait ces dernières années un homme qui avait une aussi belle voiture et une montre aussi chère que les associés du cabinet. Le soupirant était représentant en calendriers et en papeterie. Sonja l'avait baptisé son « marchand de séduction et d'humour ».

« C'est pas vrai ! Raconte-moi, supplia Rebecka.

— Qu'est-ce que tu veux que je te dise. Dîner au Grand Hôtel. Une bague avec un diamant, disons, au-dessus de la moyenne. Bon alors, tu viens nous rejoindre à Riksgränsen, ou pas ?

— Peut-être bien. »

Maria Taube était très fine. Elle savait que Rebecka ne lui disait pas tout. Elles s'étaient vues deux fois depuis sa sortie de l'hôpital. La première, quand Rebecka était venue à Stockholm pour mettre son appartement en vente. Maria Taube l'avait invitée à dîner.

« Je ferai quelque chose de simple, avait-elle proposé. Et si tu n'as envie de voir personne, même pas moi… Si au dernier moment, tu préfères rester chez toi te brûler avec des cigarettes ou autre chose, tu n'auras qu'à m'appeler pour annuler. Il n'y a pas de problème. »

Rebecka avait répondu en riant :

« Tu es folle ! Tu ne peux pas me dire des trucs pareils ! Tu sais bien que je suis borderline ! Il faut être très gentille et très patiente avec moi. »

Elles avaient dîné ensemble. Et le soir, avant que Rebecka retourne à Kiruna, elles étaient allées boire un verre ou deux au café Sturehof.

« Tu ne veux pas passer au cabinet pour dire bonjour ? » lui avait demandé Maria.

Rebecka avait décliné. Une chose était de voir Maria Taube. Avec elle, tout se passait toujours bien. Mais l'idée de rencontrer les autres membres du cabinet lui était insupportable. Et surtout, elle n'avait pas envie de voir Måns avec la tête qu'elle avait à ce moment-là. La cicatrice entre sa lèvre supérieure et son nez était encore très visible. Rouge et brillante. Sa lèvre remontait comme si elle prisait du tabac ou si elle avait eu un bec-de-lièvre. Il était question de l'opérer à nouveau. Et elle avait perdu beaucoup de cheveux.

« Promets-moi de rester en contact », lui avait dit Maria Taube en prenant les deux mains de Rebecka dans les siennes.

Et ça avait été le cas. Maria Taube l'appelait de temps en temps. Rebecka était contente chaque fois mais elle ne prenait jamais l'initiative de l'appeler. Et ça n'avait pas l'air de déranger Maria.

Rebecka mit fin à la conversation téléphonique et redescendit l'escalier quatre à quatre. Sivving venait juste de poser le dîner sur la table.

Ils mangèrent en silence.

Elle pensait à Måns Wenngren. À son rire. À ses hanches minces. À ses boucles brunes. À ses yeux bleus.

Si elle avait été une belle fille et qu'elle n'avait pas souffert de phobie sociale, il y a longtemps qu'elle lui aurait sauté dessus.

Je n'en voudrai jamais d'autre que lui, se disait-elle.

Elle avait envie d'aller dans cette station de ski ce week-end pour le voir. Mais elle n'avait rien à se mettre. Ses armoires étaient pleines de beaux vêtements pour aller travailler. Mais pas pour une occasion comme celle-ci. Il lui fallait un nouveau jean. Mais qu'est-ce qu'elle allait mettre avec ? Et puis elle avait besoin d'une coupe de cheveux, aussi.

Elle continua à réfléchir à la question dans son lit.

Il ne faut pas que j'aie l'air de m'être donné du mal, se dit-elle. Mais il faut que ce soit bien quand même. Je veux qu'il apprécie ce qu'il voit.

Mercredi 19 mars 2005

Comme tous les matins, Anna-Maria Mella fut réveillée parce que Gustav lui donnait des coups de pied dans les côtes.

Elle regarda sa montre. Six heures moins dix. Il était presque l'heure de se lever de toute façon. Elle prit l'enfant dans ses bras, plongea le nez dans ses cheveux. Il ouvrit les yeux.

« Bonjour maman », dit-il.

De l'autre côté de Gustav, Robert grogna et tira la couverture au-dessus de sa tête, dans une vaine tentative de grappiller quelques minutes de sommeil supplémentaires.

« Bonjour, mon cœur », dit Anna-Maria, bouleversée.

Comment pouvait-on être aussi adorable ? Elle caressa ses doux cheveux. Déposa un baiser sur son front et sur sa bouche.

« Je t'aime, mon bébé. Tu es le plus beau petit garçon de la terre entière. »

Il lui caressa les cheveux à son tour. Tout à coup, il prit un air grave, toucha délicatement la zone autour de ses yeux et dit avec inquiétude :

« Maman, tu es pleine de rayures. »

Sous la couverture, de l'autre côté, Robert étouffa un éclat de rire.

Anna-Maria essaya de lui donner un coup de pied mais Gustav faisait rempart de son corps et elle n'y parvint pas.

Sur ces entrefaites, son téléphone sonna.

C'était l'inspecteur Fred Olsson.

« Je te réveille ? lui demanda-t-il.

— Non, ne t'inquiète pas, j'ai un service de réveil très efficace, dit Anna-Maria en riant, essayant toujours d'atteindre Robert qui s'était enroulé dans la couette et qui s'y accrochait comme si sa vie en dépendait, pendant que Gustav essayait de se faufiler en dessous par tous les moyens.

— Tu m'as dit que tu préférais avoir toutes les mauvaises nouvelles en même temps.

— Pas du tout, dit Anna-Maria, en sortant du lit et en riant toujours. Je n'ai jamais dit ça et j'ai déjà reçu la plus mauvaise nouvelle de l'année ce matin.

— Mais qu'est-ce que tu fabriques, au juste ? demanda Fred Olsson. Bon, écoute : le type au trench-coat beige…

— John McNamara.

— John McNamara. Il n'existe pas.

— Comment ça, il n'existe pas ?

— Nous avons reçu un fax de la police britannique. Le John McNamara qui a loué une voiture à l'aéroport de Kiruna est mort en Irak il y a un an et demi.

— Merde ! J'arrive ! »

Elle s'habilla en vitesse et donna quelques tapes au hasard sur la couette vivante en guise d'au revoir.

À six heures quarante-cinq, Mikael Wiik, le chef de la sécurité de Mauri Kallis, remontait l'allée de tilleuls conduisant à Regla. Il fallait une heure pour aller du centre-ville de Stockholm à la propriété. Il s'était levé à quatre heures et demie du matin pour prendre le petit déjeuner avec Mauri Kallis. Mais cela ne le dérangeait pas. Les réveils à l'aube n'étaient pas un problème pour lui. Il était au volant d'une Mercedes neuve et pour le Nouvel An il emmènerait sa compagne aux Maldives.

À deux cents mètres de la première grille, il croisa Ebba, l'épouse de Mauri, sur un cheval noir. Il ralentit longtemps avant d'arriver à sa hauteur et la salua poliment. Ebba lui rendit son salut. Il vit le cheval faire un écart au moment où les grilles s'écartaient. La voiture, elle, ne l'avait pas effrayé.

Ils sont cons, ces canassons, se dit-il en passant la deuxième grille. Ils n'ont aucune idée de ce qui est dangereux et de ce qui ne l'est pas. Ils sont foutus de se cabrer pour un bâton par terre qui n'y était pas la veille.

Mauri Kallis attendait déjà dans la salle à manger avec une pile de journaux, deux suédois et tous les autres étrangers, posée à côté de sa tasse de café.

Mikael Wiik dit bonjour à son patron et alla se servir un café et un croissant. Il avait déjà pris un solide petit déjeuner avant de partir de chez lui. Il n'était pas du genre à se goinfrer de porridge devant son employeur.

Personne ne connaît mieux un homme que son garde du corps, songeait-il en s'asseyant à table. Il savait que Mauri Kallis était fidèle à sa femme si l'on faisait abstraction des filles que ses relations d'affaires lui offraient « en dessert », pour ainsi dire. Ou quand Mauri lui-même régalait parce que c'était l'appât que le poisson attendait pour mordre à l'hameçon. Mais ça faisait partie du boulot et cela ne comptait pas.

Kallis ne buvait pas beaucoup non plus, même si Mikael Wiik le soupçonnait d'avoir consommé beaucoup plus d'alcool par le passé en compagnie de Diddi et Inna Wattrang. Et depuis deux ans qu'il était à son service, il l'avait vu le soir prendre quelques verres et fumer un joint ou deux avec Inna. Mais il ne l'avait jamais vu boire ou fumer au travail. Pendant ses dîners d'affaires ou lors de soirées au bar où chacun payait sa tournée, Mikael avait pour mission de soudoyer les barmen et les serveurs afin qu'ils ne servent à Mauri Kallis que des boissons sans alcool et qu'ils remplacent discrètement son whisky par du jus de pomme.

En voyage, Mauri Kallis choisissait toujours des hôtels disposant d'une bonne salle de sport où il s'entraînait de bonne heure le matin. Il préférait le poisson à la viande. Il lisait des biographies et des documents, jamais de romans.

« L'enterrement d'Inna, dit Mauri Kallis à Mikael Wiik. Je vais demander à Ebba de s'en occuper. Je compte sur vous pour voir les détails avec elle. Nous ne pouvons pas annuler le rendez-vous avec Gerhart Sneyers, il arrive de Belgique ou d'Indonésie après demain. Nous dînerons ici et la réunion se tiendra comme prévu samedi matin. Plusieurs membres de l'African Mining Trust seront présents, je vous donnerai la liste au plus tard demain après-midi. Ils voyagent avec leurs propres gardes du corps, bien sûr, mais vous savez ce que c'est… »

Oui, je sais, songea Mikael Wiik. Les messieurs qui étaient en route pour Regla étaient des gens bien protégés et extrêmement méfiants. Certains avaient toutes les raisons de l'être.

Gerhart Sneyers par exemple, propriétaire de mines et de gisements de pétrole, porte-parole de l'African Mining Trust, un consortium d'entrepreneurs étrangers en Afrique.

Mikael Wiik se rappella la première rencontre entre Mauri et Gerhart Sneyers. Mauri et Inna avaient pris l'avion pour Miami uniquement pour le rencontrer. Mauri était nerveux. Mikael Wiik ne l'avait jamais vu comme ça.

« De quoi ai-je l'air ? avait-il demandé à Inna. Je vais changer de cravate. Et si je n'en mettais pas du tout ? »

Inna l'avait empêché de remonter dans sa chambre.

« Tu es parfait, l'avait-elle rassuré. Et surtout n'oublie pas : c'est Sneyers qui a sollicité cette réunion. C'est lui qui a des raisons d'être nerveux et qui doit te convaincre. Tout ce que tu as à faire…

— … c'est de me caler au fond d'un fauteuil et d'écouter », avait terminé Mauri comme une leçon apprise par cœur.

Ils s'étaient donné rendez-vous dans le hall de l'hôtel Avalon. Gerhart était un homme bien conservé, d'une cinquantaine d'années. Quelques cheveux blancs se mêlaient à ses épais cheveux roux. Un beau visage avec des traits virils et anguleux. Une peau blanche constellée de taches de rousseur. En parfait gentleman, il tendit la main à Inna avant de saluer Mauri Kallis. Personne ne se préoccupa des gardes du corps avec qui Mikael échangea un imperceptible et bref hochement de tête. Après tout, ils étaient un peu collègues.

Ils étaient tous les deux en costume, avec des lunettes de soleil. On aurait dit des mafiosi. Mikael se sentait un peu comme le cousin de province avec son blouson vert menthe et sa casquette. Son amour-propre lui souffla toutes sortes de pensées désobligeantes.

Gros lard, pensa-t-il à propos du premier. Il doit être incapable de courir plus de cent mètres. Et sans battre des records.

Gamin, songea-t-il en regardant le deuxième.

Ils descendirent Ocean Drive, tous ensemble, pour se rendre à bord d'un bateau que Sneyers avait loué. Malgré le vent qui secouait les palmiers, il faisait si chaud que tout le monde transpirait. L'attention du petit jeune était constamment distraite. Il gloussait comme une fillette en regardant les culturistes brûler leur graisse superflue sur la plage, le short coincé entre les fesses afin de s'assurer par la même occasion un bronzage intégral.

Le yacht était un Fairline Squadron de soixante-quatorze pieds avec double bain de soleil sur le pont et deux moteurs Caterpillar qui lui permettaient d'atteindre trente-trois nœuds en vitesse maximale.

« *It's what the starlets want*[1], dit le gamin en anglais avec un accent épouvantable, en jetant un regard plein de sous-entendus vers le lit king size du solarium. Ils doivent faire autre chose là-dessus que des séances de bronzage », jugea-t-il utile d'expliquer.

Mauri, Inna et Gerhart Sneyers étaient entrés dans la cabine du yacht et Mikael les avait accompagnés.

Arrivé au salon, il s'était posté devant la porte.

Gerhart Sneyers était sur le point de dire quelque chose mais il s'était interrompu en voyant Mikael. Il attendit que Mauri renvoie son garde du corps sur le pont. Mais Mauri s'était contenté de lancer à Gerhart un regard l'incitant à poursuivre.

Mikael Wiik s'était dit que c'était une sorte de bras de fer. C'était à Mauri de décider qui avait le droit d'être là ou pas. Gerhart était seul. Mauri avait Inna et Mikael.

Inna avait envoyé à Mikael le regard le plus bref et le plus explicite du monde. « Vous êtes avec nous, disait-il. Nous sommes une équipe. L'équipe des conquérants. Nous sommes des gens tellement importants qu'un type comme Gerhart Sneyers fait des pieds et des mains pour nous rencontrer. »

« Il y a un moment que je m'intéresse à vous, dit Sneyers. Mais je voulais attendre de voir ce que vous alliez faire avec vos mines en Ouganda. Je ne savais pas

1. « Il faut ça pour attirer les starlettes. »

si vous alliez vendre aussitôt la prospection commencée. Je voulais savoir de quel bois vous étiez fait. Et vous ne m'avez pas déçu. Les lâches n'osent pas investir dans cette partie du monde, c'est beaucoup trop aléatoire. *But glory to the brave*[1], n'est-ce pas ? Nom de Dieu, quels gisements ! Un gamin avec son seau et sa pelle trouverait de l'or là-bas, imaginez ce que nous allons pouvoir en faire… »

Il fit une nouvelle pause afin de laisser à Mauri le temps de dire quelque chose mais Mauri continua de garder le silence.

« Vous êtes propriétaire de mines importantes en Afrique, poursuivit Sneyers, nous nous demandions si vous vouliez rejoindre notre… club d'aventuriers. »

Il parlait de l'African Mining Trust. Mikael Wiik sait qui ils sont. Il a entendu Inna et Mauri en parler. Il les a aussi entendus parler de Gerhart Sneyers.

Gerhart Sneyers est sur la liste noire de l'association Human Rights Watch qui répertorie les sociétés qui commercialisent de l'or sale en provenance du Congo.

« Ses mines en Ouganda servent principalement de lessiveuses » avait dit Mauri en parlant de l'industriel. « Les miliciens pillent les mines au Congo. Sneyers achète de l'or là-bas et en Somalie et il le revend en le faisant passer pour l'or de ses propres mines en Ouganda. »

« Nous avons des intérêts communs, continua Gerhart Sneyers. Nous avons des infrastructures et nous faisons en sorte de les protéger. Nous offrons également aux membres de notre club l'assurance d'être

---

1. « La gloire aux courageux. »

évacués d'une zone de conflit en moins de vingt-quatre heures. Où que ce soit. Croyez-moi, si vous n'avez pas rencontré de problème jusqu'ici, cela vous arrivera tôt ou tard, à vous ou à vos employés. Nous travaillons sur le long terme », dit-il en remplissant les verres d'Inna et de Mauri.

Inna avait fini son propre verre et l'avait discrètement échangé avec le verre plein de Mauri qu'elle avait vidé également. Gerhart Sneyers reprit :

« Notre but est de faire entrer des personnages politiques européens, américains et canadiens dans nos conseils d'administration, plusieurs de nos maisons mères ont d'ores et déjà des hommes d'État au comité de direction. C'est un moyen de pression supplémentaire. Nous les choisissons parmi ceux qui ont une influence sur les programmes d'aide humanitaire, si vous voyez ce que je veux dire. Une façon d'avoir un moyen de pression pour que les négros ne nous mettent pas trop de bâtons dans les roues. »

Inna s'excusa et demanda où se trouvaient les toilettes. Quand elle fut sortie, Sneyers expliqua :

« Nous allons avoir un gros problème en Ouganda. La Banque mondiale menace de suspendre son aide au développement pour pousser le gouvernement à une élection démocratique. Mais Museveni n'est pas prêt à laisser sa place. Et sans l'argent de la Banque mondiale, le pays va devenir un autre Zimbabwe. S'ils n'ont plus de raison de garder de bonnes relations avec l'Occident, ils ficheront les investisseurs étrangers dehors. Et nous perdrons tout. Il réquisitionnera l'ensemble. J'ai un plan. Mais il coûte cher.

— Oui ? dit Mauri.

— Kadaga, le cousin du Président, est général d'armée. Ils sont fâchés. Museveni doute de sa loyauté. Ce en quoi il a raison. Musevini fait en sorte d'affaiblir le pouvoir de Kadaga en ne payant pas leurs soldes à ses soldats. Il ne leur fournit pas non plus de matériel. Musevini soutient d'autres généraux en qui il a confiance. C'en est arrivé au point que le général Kadaga évite d'approcher de Kampala. Il craint d'être arrêté et condamné pour un crime imaginaire. Il se cantonne dans le nord du pays avec ses hommes où ils vivent un enfer. Parallèlement, l'Armée de résistance du Seigneur, la LRA, et plusieurs autres groupes armés se battent contre les troupes du gouvernement pour prendre le contrôle de mines situées au Congo. Nous serons bientôt chassés d'Ouganda et ils prendront possession de nos mines là-bas. Ils ont besoin de l'or pour financer leurs guerres. Si Kadaga ne peut pas payer ses soldats, ils déserteront et iront se vendre au plus offrant, les troupes du gouvernement ou les miliciens. Kadaga est prêt à négocier.

— À propos de quoi ?

— Nous lui avons proposé de lui donner les moyens nécessaires pour remonter ses forces armées. Et pour marcher sur Kampala. »

Mauri regarda Gerhart Sneyers d'un air incrédule.

« Un coup d'État ?

— Pas tout à fait. Il vaut mieux préserver les relations internationales en gardant en place un gouvernement légal. Mais si Museveni était… éliminé, un autre candidat pourrait se présenter à sa place. Un candidat soutenu par l'armée.

— Qui serait le candidat en question ? Comment pouvez-vous être sûr que ce sera mieux avec un autre Président ? »

Gerhart Sneyers sourit.

« Je ne peux évidemment pas vous révéler de qui il s'agit. Mais c'est quelqu'un d'assez malin pour rester en bons termes avec nous, quelqu'un qui saurait que nous avons scellé le destin de Museveni et que nous n'hésiterons pas à lui faire subir le même sort. Le général Kadaga le soutiendra. Et si Museveni n'est plus là, les autres généraux se rallieront à lui. La plupart d'entre eux en tout cas. *Museveni is a dead end*[1]. Alors… vous êtes avec nous ? »

Mauri Kallis n'avait pas encore bien réalisé ce qu'il venait d'entendre.

« Je vais y réfléchir, dit-il.

— Ne réfléchissez pas trop longtemps. Et en attendant, je vous conseille de transférer de l'argent dans un endroit où vous pourrez en disposer sans qu'on puisse remonter jusqu'à vous. Je vous donnerai les coordonnées d'une banque extrêmement discrète. »

Inna était revenue de sa visite aux toilettes. Gerhart Sneyers remplit leurs verres à nouveau et lança son dernier argument :

« Regardez la Chine. Elle se moque que la Banque mondiale refuse de prêter de l'argent aux pays non démocratiques. Elle prête des milliards aux pays en voie de développement pour financer des projets industriels. Et elle se taillera une énorme part du gâteau dans l'économie de demain. Pour ma part je n'ai pas

1. « Musevini est une voie sans issue. »

l'intention de rester sur le bord de la route en simple spectateur. Il y a une opportunité à saisir en Ouganda et au Congo, et c'est maintenant. »

Mikael Wiik fut interrompu dans ses pensées quand Ebba Kallis entra dans la cuisine. Elle était toujours en tenue d'équitation et se servit un grand verre de jus d'orange qu'elle but cul sec.

Mauri leva les yeux de son journal.

« Tout est prêt pour le dîner de demain, Ebba ? » lui demanda-t-il.

Elle acquiesça.

« Est-ce que tu veux bien t'occuper de l'enterrement d'Inna aussi ? Sa maman… enfin, tu la connais. Elle va mettre un an avant d'arriver à une liste d'invités qui lui convienne. Comme c'est moi qui paierai, j'aime autant que ce soit toi qui fasses les courses et pas elle. »

Ebba acquiesça à nouveau. Elle n'avait aucune envie de s'acquitter de cette tâche, mais elle savait qu'elle n'avait pas le choix.

Il sait que je ne veux pas et il me méprise d'accepter malgré tout, se disait-elle. Je suis son employée la plus mal payée. Et c'est moi qui vais devoir tenir tête à la mère d'Inna quand elle va exiger toutes sortes de choses impossibles. Il n'y a rien qui me rebute autant que de m'occuper de l'enterrement d'Inna Wattrang. Est-ce qu'on ne pourrait pas juste… la jeter dans un fossé quelque part ?

Elle n'avait pas toujours été dans cet état d'esprit. Inna l'avait séduite elle aussi, au début. À l'époque, Ebba était complètement fascinée par elle.

On est aux premiers jours du mois d'août. Il fait nuit. Mauri et Ebba viennent de se marier et d'emménager à Regla. Inna et Diddi ne vivent pas encore au haras.

Ebba est réveillée parce qu'elle sent qu'on la regarde. Intensément. Lorsqu'elle ouvre les yeux, Inna est penchée au-dessus de son lit, un doigt posé sur ses lèvres pour lui intimer le silence. Son regard brille d'espièglerie dans la pénombre.

La pluie fouette les vitres de la chambre et Inna est trempée. Mauri grommelle quelque chose dans son sommeil et se tourne sur le flanc. Ebba et Inna s'observent en retenant leur souffle. Quand sa respiration redevient calme et régulière, Ebba se lève avec d'infinies précautions et suit Inna dans l'escalier jusqu'aux cuisines.

Elles sont toutes les deux à la table de la cuisine. Ebba va chercher une serviette. Inna s'essuie les cheveux mais elle décline la proposition de vêtements secs d'Ebba. Elles ouvrent une bouteille de vin.

« Comment es-tu entrée ? s'enquiert Ebba.

— Par la fenêtre de votre chambre. C'était la seule qui était ouverte.

— Tu es folle ! Tu aurais pu te briser le cou. Et la grille ? Et le vigile ? »

Un forgeron local vient justement d'installer le portail automatique. Inna n'a pas de télécommande dans sa voiture. Le mur qui entoure le haras fait deux mètres de haut.

« J'ai garé la voiture parallèlement au mur et j'ai grimpé sur le toit. Mauri devrait peut-être songer à changer de service de sécurité. »

Des éclairs déchirent le ciel. Quelques secondes après, les coups de tonnerre éclatent.

« Viens, on va se baigner, propose Inna.

— Ce n'est pas dangereux ? »

Inna sourit et hausse les épaules.

« Si. »

Elles descendent en courant jusqu'au ponton. Il y en a deux dans la propriété. Le vieux ponton est un peu plus éloigné de la maison, il faut traverser un bosquet très dense pour y arriver. Ebba a l'intention d'y faire construire un chalet d'été pour la baignade. Elle a des tas de projets pour Regla.

Il pleut à verse. La chemise de nuit d'Ebba est trempée et elle colle à ses cuisses. Arrivées sur le ponton, les deux femmes se déshabillent complètement. Ebba est mince et elle n'a presque pas de poitrine. Inna a les formes pulpeuses d'une star de cinéma des années cinquante. Les éclairs zèbrent le ciel. Les dents d'Inna luisent, blanches dans la nuit. Elle plonge. Ebba frissonne et hésite au bout du ponton. La pluie fouette la surface de l'eau. Le lac a l'air de bouillir.

« Allez, viens, elle est bonne ! » crie Inna en nageant sur place. Ebba saute à l'eau.

L'eau est incroyablement chaude et elle n'a plus froid du tout.

La sensation est magique. Elles jouent à s'éclabousser mutuellement comme deux gamines. Elles nagent un peu sous l'eau et remontent en s'ébrouant. Les gouttes de pluie tambourinent sur leurs têtes, l'air nocturne est frais mais sous l'eau il fait aussi chaud et aussi bon que dans une baignoire. L'orage passe au-dessus d'elles. À certains moments, Ebba n'arrive même pas à compter jusqu'à dix entre l'éclair et le coup de tonnerre.

« C'est peut-être ici et maintenant que je vais mourir », songe-t-elle.

Et en même temps, elle se dit qu'à ce moment précis, cela n'aurait pas d'importance.

Ebba se servit une tasse de café et une grande assiette de salade de fruits. Mauri et Mikael Wiik discutaient des mesures de sécurité qu'il conviendrait de prendre pour le dîner du vendredi et les invités venant de l'étranger. Ebba se désintéressa de leur conversation et se remit à penser à Inna.

Au début, elles étaient amies. Inna avait permis à Ebba de se sentir exceptionnelle.

Rien ne réunit autant deux femmes que le souvenir de leurs folles de mères. Leurs mamans étaient l'une comme l'autre obsédées par la famille et toutes les deux des brocanteuses incorrigibles. Inna avait parlé à Ebba de l'armoire de cuisine de sa mère, pleine de vieille porcelaine de la Compagnie des Indes maintes fois recollée et réparée avec des agrafes métalliques, et de toutes les pièces de vaisselle ébréchée qu'il ne fallait en aucun cas jeter. Ebba avait renchéri avec la bibliothèque du château de Vikstaholm dans laquelle on avait à peine le droit d'entrer. Des étagères en métal remplies de livres anciens et de manuscrits, pêle-mêle, que personne n'était capable de mettre en ordre et qui donnaient à tout le monde mauvaise conscience, car chacun savait les avoir manipulés sans gants à un moment donné, contribuant à la dégradation des écrits d'année en année.

« J'espère sincèrement ne pas hériter de toutes ses vieilleries », avait dit Ebba en riant.

Inna l'avait aidée à résister aux fréquentes offensives de sa mère qui s'évertuait à vouloir lui transmettre une partie du patrimoine culturel de la famille contre espèces sonnantes et trébuchantes. Il est vrai que son nouveau gendre était riche.

Au début, elle avait été à la fois sa sœur et sa meilleure amie, songea Ebba.

Mais les choses avaient changé quand Ebba et Mauri avaient eu leur premier enfant. Mauri voyageait plus souvent, et quand il était à la maison il passait le plus clair de son temps au téléphone, ou plongé dans ses pensées.

Elle n'avait pas compris ce qui arrivait à son mari. Même son propre fils n'avait pas l'air de l'intéresser.

« Il faut profiter des enfants tant qu'ils sont petits car ce temps-là ne reviendra jamais », essayait-elle de lui expliquer.

Elle se souvenait de ses vaines tentatives pour engager la conversation. Il se montrait colérique et accusateur ou au contraire calme et donneur de leçons. Et il n'était jamais redevenu l'homme qu'elle avait épousé.

On avait restauré la maison du gardien et le lavoir, et Inna et Diddi étaient venus vivre à Regla.

Inna avait cessé de s'intéresser à Ebba en même temps que Mauri.

Ils sont invités à un cocktail à l'ambassade américaine. Inna bavarde avec un groupe d'hommes d'une cinquantaine d'années sur la terrasse. Elle porte une robe profondément décolletée. Son bas est filé. Ebba les rejoint, rit à une plaisanterie et se penche pour chuchoter à l'oreille d'Inna.

« Ton collant est déchiré. J'en ai une paire de rechange dans mon sac, viens avec moi dans les toilettes. »

Inna la fusille du regard, agacée.

« Arrête d'être toujours aussi inquiète », lui dit-elle avec irritation.

Puis elle se tourne à nouveau vers les autres, faisant pivoter ses épaules de façon à tourner le dos à Ebba.

Étant exclue de la conversation, Ebba part à la recherche de Mauri. Son bébé lui manque. Elle n'aurait pas dû venir.

Elle se demande tout à coup si Inna n'est pas allée déchirer son collant dans les toilettes exprès. L'échelle sur sa jambe fait frémir d'horreur toutes les femmes de l'assemblée. Les hommes, eux, s'en fichent. Et Inna est aussi extravertie et à l'aise qu'à l'accoutumée.

C'est un signal, se dit Ebba. Ce bas filé est un signal.

Mais Ebba ne comprend pas ce qu'il veut dire. Ni à qui il s'adresse.

Ebba se levait pour se verser une tasse de thé supplémentaire quand on frappa à la porte d'entrée. Une seconde plus tard, Ulrika, l'épouse de Diddi, appelait dans le couloir : « Hello, il y a quelqu'un ? »

Elle apparut sur le seuil de la cuisine, le bébé sur sa hanche. Ses cheveux étaient rassemblés avec un élastique pour qu'on ne remarque pas à quel point ils étaient gras. Elle avait les yeux rouges.

« Est-ce que quelqu'un a des nouvelles de Diddi ? demanda-t-elle au bord des larmes. Il n'est pas rentré lundi après que vous êtes allés à Kiruna. Et je ne l'ai pas vu depuis. J'ai essayé de le joindre sur son portable mais… »

Elle secoua la tête.

« Je devrais peut-être appeler la police.

— Bien sûr que non, dit Mauri Kallis sans lever les yeux de son journal. La dernière chose dont j'ai besoin est ce genre de publicité. Vendredi soir, j'attends des représentants de l'African Mining Trust…

— Tu es dingue ! » hurla Ulrika.

L'enfant dans ses bras fondit en larmes mais elle ne parut pas s'en apercevoir.

« Je ne sais pas où il est, tu comprends ? Et Inna s'est fait assassiner. Je suis sûre qu'il lui est arrivé quelque chose. Je le sens. Et toi tu penses à tes dîners d'affaires !

— Ce sont mes dîners d'affaires qui remplissent ton frigo, qui payent la maison dans laquelle tu vis et la voiture dans laquelle tu roules. Et je suis au courant qu'Inna est morte, figure-toi. Est-ce que cela ferait de moi un homme meilleur si je baissais les bras et que je laissais tout partir à vau-l'eau ? Moi, je fais ce que je peux pour rester debout et faire marcher cette boîte. Contrairement à ton Diddi ! »

Mikael Wiik plongea le nez dans son jus d'orange et tâcha de se faire oublier. Ebba Kallis se leva de sa chaise.

« Ne t'inquiète pas, ça va aller », dit-elle à Ulrika comme une maman qui console son enfant.

Elle s'avança vers la jeune femme et lui prit des bras le bébé qui pleurait toujours.

« Il rentrera bientôt, je te le promets. Il a peut-être besoin d'être un peu tranquille. C'est un choc. Pour nous tous. »

Elle dit la fin de la phrase les yeux tournés vers Mauri qui faisait semblant de lire son journal.

Si je devais choisir entre les chevaux et les humains, songea Ebba Kallis, je n'hésiterai pas une seconde.

Anna-Maria Mella cherchait dans le bureau de Rebecka Martinsson un endroit pour s'asseoir.

« Mettez tout ça par terre, lui dit Rebecka en parlant des dossiers qui encombraient le fauteuil destiné aux visiteurs.

— Merde, dit Anna-Maria découragée, s'asseyant sur la pile de chemises cartonnées. Il n'existe pas.

— Le père Noël ? »

Anna-Maria ne put s'empêcher de sourire malgré son immense déception.

« L'homme qui a loué la voiture et qui portait un manteau identique à celui que les hommes-grenouilles ont trouvé dans l'eau. John McNamara. Il n'existe pas.

— Comment ça, il n'existe pas ? C'est un faux nom ? Il est décédé ?

— Décédé. Il y a un an et demi. Le client qui a signé le contrat de location de la voiture a usurpé son identité. »

Anna-Maria se frotta le visage d'une seule main. Plusieurs fois, de haut en bas. Elle faisait ça parfois. Rebecka était fascinée par ce geste, très inhabituel chez une femme.

« Du coup, je pense qu'on peut écarter l'hypothèse d'un jeu sexuel avec quelqu'un qu'elle connaissait et qui aurait mal tourné, dit l'inspecteur Mella. Il doit être venu spécialement pour la tuer, non ? Sinon pourquoi adopter une fausse identité ?

— Donc il ne s'appelle pas McNamara, dit Rebecka. Mais c'est quand même un étranger ?

— Il a parlé anglais avec l'employé de chez Avis.

— Vous avez des nouvelles du laboratoire ? »

Anna-Maria secoua la tête.

« Je suis sûre que c'est son sang. Ça ne peut pas être un hasard. Qui se baladerait en plein hiver avec un imperméable d'été comme celui-là ? Personne. »

Elle regarda Rebecka dans les yeux.

« Je suis contente que vous ayez eu l'idée d'envoyer les plongeurs sous la cabane, dit-elle.

— C'était pour retrouver son téléphone, dit Rebecka en haussant les épaules avec humilité. Et il n'y était même pas. »

Anna-Maria croisa les mains derrière sa nuque, se cala au fond du fauteuil et ferma les yeux.

« Il ne l'a pas tuée tout de suite, dit-elle d'une voix presque rêveuse. Il a commencé par la torturer. Il l'a attachée à une chaise de cuisine et il lui a envoyé du courant électrique dans le corps. »

Et elle s'est déchiqueté la langue, songea Rebecka.

Anna-Maria rouvrit les yeux et se redressa.

« Il faut choisir à partir de quelle piste nous voulons mener cette enquête. Nous n'avons pas assez de monde pour les suivre toutes.

— Vous croyez qu'il s'agissait d'un tueur professionnel ?

— Je ne sais plus que croire.

— Pour quelles raisons torture-t-on quelqu'un ? demanda Rebecka.

— Pour le faire souffrir ou parce qu'on le hait, proposa Anna-Maria.

— Ou parce qu'on cherche à lui soutirer une information, la contra Rebecka.

— En guise d'avertissement ?

— Mauri Kallis ?

— Pourquoi pas ? dit Anna-Maria. Pour l'exemple. Ne vous avisez pas de faire telle ou telle chose, sinon voilà ce que nous ferons, à vous et à vos familles.

— Peut-être était-ce un enlèvement ? dit Rebecka. Et on l'a tuée parce qu'ils ont refusé de payer ? »

Anna-Maria hocha la tête, pensive.

« Il faut que je retourne interroger Kallis et Diddi Wattrang. Mais si ce qui est arrivé a un rapport quelconque avec la société, ils ne parleront pas. »

Elle s'interrompit et secoua la tête.

« Qu'est-ce qui vous chagrine ? demanda Rebecka.

— Ce sont ces gens. Dans mon métier on voit des tas d'individus sans histoire qui ne sont pas à l'aise avec la police. Tout le monde a au moins une fois dans sa vie roulé un peu trop vite, alors nous suscitons une sorte de respect mêlé de crainte.

— Oui ?

— On a souvent affaire à des voyous qui détestent les flics, mais chez eux aussi, il y a une sorte de respect. Mais ces gens… On a l'impression qu'ils nous regardent comme de la vermine sans éducation, payée pour mettre de l'ordre dans la rue et surtout ne pas se mêler de leurs affaires. »

Anna-Maria consulta l'heure sur son portable.

« Vous venez déjeuner avec moi ? proposa-t-elle à Rebecka. Je pensais aller me faire un chinois à Gamla Tempohuset. »

Avant de partir, Anna-Maria frappa à la porte du bureau de Sven-Erik Stålnacke.

« Tu veux venir manger avec nous ?

— Pourquoi pas », répondit Sven-Erik, en s'efforçant de ne pas montrer à sa collègue à quel point cette proposition lui faisait plaisir.

C'est fou ce qu'il peut être seul, se dit Anna-Maria, désolée.

Ce matin-là, par erreur, elle était tombée sur la prière matinale en allumant la radio dans sa voiture. Quelqu'un avait parlé de l'importance de s'arrêter, d'écouter le silence.

Le sermon avait dû être ressenti comme une gifle en pleine figure par beaucoup, se dit Anna-Maria. Sven-Erik, entre autres, devait être servi en matière de silence quand il n'était pas au commissariat.

Elle se promit d'emmener toute l'équipe faire quelque chose d'amusant aussitôt que cette enquête serait terminée. Non pas qu'elle ait de l'argent en trop sur son budget mais il y avait quand même de quoi payer un bowling et quelques pizzas.

Puis elle se dit qu'après tout, Sven-Erik pouvait proposer des sorties de temps en temps, lui aussi.

Ils marchèrent tous les trois le long de Hjalmar Lundbohmsvägen, tournèrent dans la Geologgatan et entrèrent dans la galerie marchande de Gamla Tempohuset. Aucun d'eux ne trouva de sujet de conversation.

Rebecka aussi était très solitaire, songeait Anna-Maria. Décidément, il valait mieux avoir une maison pleine de gamins turbulents qui laissaient traîner leurs affaires et un compagnon incapable d'aller au bout des choses.

Même si Rebecka a le ventre super plat et qu'elle peut garder toute son énergie pour son travail, je n'échangerais pas ma vie contre la sienne, se disait-elle tandis qu'ils suspendaient leurs vêtements sur le dos de leurs chaises avant d'aller se servir au buffet du restaurant.

Les débuts de Rebecka au bureau du procureur avaient suscité de nombreuses rumeurs. On disait qu'en deux temps trois mouvements, elle avait réglé de vieux contentieux enlisés depuis une éternité. Qu'elle envoyait elle-même les assignations en justice et les demandes de poursuites et que les secrétaires juridiques de Galliväre ne mettaient plus les pieds à Kiruna.

Ses collègues la croisaient au tribunal de temps à autre quand ils étaient appelés comme témoins. Ils la trouvaient percutante et bien préparée. Et ça leur plaisait. Ils étaient du même côté de la salle d'audience. Et avec elle, la défense trouvait à qui parler.

Vous allez voir quand mes enfants voleront de leurs propres ailes, pensait Anna-Maria en remplissant son assiette de wok de riz au poulet et aux petits légumes. Moi aussi je jetterai des piles d'affaires résolues sur son bureau.

Avec mauvaise conscience, elle fit en pensée la liste des enquêtes restées en souffrance à cause du meurtre.

Puis elle se secoua et ramena son attention sur Sven-Erik et Rebecka.

Ils échangeaient des histoires de chats. Sven-Erik venait de raconter une histoire sur Manne et c'était au tour de Rebecka.

« C'est incroyable à quel point ils parviennent à nous imposer leur personnalité, dit-elle en versant de la sauce sur son riz. Chez ma grand-mère, ils s'appelaient tous Minou. Mais bien sûr on se rappelle chacun d'entre eux. Je me souviens d'une époque où grand-mère avait deux chiens et papa un, ce qui faisait trois chiens en tout à la maison. Un jour nous avons pris un chat, un bébé. Quand nous avions des bébés chats à la maison, nous mettions toujours leur gamelle sur le plan de travail parce que au début ils étaient terrifiés par les chiens et qu'ils n'osaient pas rester par terre. Mais celui dont je vous parle était spécial. Il commençait par vider sa propre gamelle, puis il sautait par terre et allait manger dans celle des chiens. »

Sven-Erik éclata de rire et engouffra une grosse bouchée du plat le plus épicé proposé sur le buffet.

« Vous les auriez vus, poursuivit Rebecka. S'il avait été un chien, cela aurait déclenché une bagarre, mais face à ce chaton, ils ne savaient pas comment réagir. Ils se contentaient de nous regarder d'un air de dire : "Qu'est-ce qu'il fait ? Vous ne pouvez pas l'en empêcher ?" Le deuxième jour, le chaton a attaqué Jussi, le chien dominant. Il lui a sauté à la gorge avec un total mépris du danger et il est resté accroché dans ses poils. Jussi a été adorable. Il était bien trop orgueilleux pour s'abaisser à se préoccuper de ce moustique. Alors il est resté là, assis, essayant de conserver sa dignité tandis que le chaton suspendu à son cou se battait tout seul, pédalant des pattes arrière. Jussi était affreusement malheureux.

— “Qu’est-ce qu’il fait ? Vous ne pouvez pas l’en empêcher ?” » répéta Sven-Erik.

Ce fut au tour de Rebecka d’éclater de rire.

« Exactement. Ensuite, bien sûr il a eu mal au ventre à cause de toute cette nourriture pour chien qu’il avait avalée juste pour les embêter, mais il était encore trop petit pour grimper dans sa litière alors il a fait sur lui. Mon père l’a rincé à grande eau mais il n’a pas réussi à enlever complètement l’odeur et le chaton sentait le singe. Pour finir il est allé se coucher dans le plus grand panier des chiens et aucun des trois n’a osé l’en chasser. Et ils n’avaient pas envie non plus de se coucher à côté de lui à cause de l’odeur. Il y avait deux autres paniers dans l’entrée. Le chat était tranquillement en train de ronfler dans le plus grand et les trois gros chiens sont allés se coucher tous ensemble dans le plus petit panier en nous regardant avec un air de reproche. Ce chat a fait la loi chez nous jusqu’à sa mort.

— Il est mort comment ?

— Je ne sais pas. Il a disparu.

— C’est le pire, dit Sven-Erik en trempant un morceau de pain dans la sauce épicée. Tiens, voilà quelqu’un qui ne connaît rien aux chats. »

Anna-Maria et Rebecka suivirent le regard de Sven-Erik et virent l’inspecteur Tommy Rantakyrö s’approcher de leur table. Quand le chat de Sven-Erik avait disparu, il avait plaisanté sur le sujet d’une façon peu charitable. Tommy ignorait totalement qu’il n’avait jamais été pardonné pour ses péchés.

« Je savais que je vous trouverai ici », dit-il.

Il tendit une liasse de papiers à Anna-Maria.

« C'est la liste des appels entrants et sortants sur le téléphone d'Inna Wattrang. Sur sa ligne professionnelle, précisa-t-il en lui tendant une autre liasse. Mais elle avait aussi une ligne privée.

— Comment ça se fait ? » s'étonna Anna-Maria en lui prenant des mains le deuxième relevé.

Tommy Rantakyrö haussa les épaules.

« Qu'est-ce que j'en sais. Elle n'avait peut-être pas le droit de passer des appels privés sur le téléphone de la boîte. »

Rebecka Martinsson rit.

« Excusez-moi. J'oubliais que vous êtes des fonctionnaires. Moi aussi, d'ailleurs, maintenant. Il n'y a pas de mal à ça. Mais franchement, combien gagnait-elle par mois à votre avis ? Quatre-vingt-dix mille sans les primes ? À ces hauteurs de salaires, on est esclave de son job. On doit être joignable en permanence. Avoir le droit de passer des appels personnels est le moindre des avantages en nature qu'on soit en droit d'exiger.

— Alors pourquoi avait-elle deux lignes, dans ce cas ? demanda Tommy Rantakyrö.

— La société pouvait vérifier ses appels, réfléchit Anna-Maria à voix haute. Elle avait peut-être besoin d'un téléphone qui soit réellement privé. Je veux le nom, l'adresse et la pointure de tous ceux avec qui elle a parlé sur cette ligne. »

Elle agita le relevé du téléphone personnel.

Tommy Rantakyrö fit un petit salut militaire pour signifier que l'ordre serait exécuté.

Anna-Maria plongea le nez dans la liste.

« Il n'y a eu aucun appel les jours qui précèdent celui où elle a été tuée. C'est dommage.

— Elle est chez quel opérateur ? demanda Rebecka.

— Comviq, dit Anna-Maria. Elle ne pouvait donc pas avoir de réseau au chalet.

— Abisko est un petit village, dit Rebecka. Si elle a passé un coup de fil pendant qu'elle était là-haut, elle a pu le faire depuis la cabine téléphonique de la station. Ce serait intéressant de comparer les appels sortants avec ceux qui figurent sur ses relevés. »

Tommy Rantakyrö eut l'air épuisé d'avance.

« Il peut y avoir eu des centaines d'appels, se plaignit-il.

— Je ne crois pas, le rassura Rebecka. Si elle est arrivée le jeudi et qu'elle a été assassinée entre le jeudi après-midi et le samedi matin, on parle de moins de quarante-huit heures. Je doute qu'il y ait eu plus d'une vingtaine d'appels dans ce laps de temps. Les gens sont là pour faire du ski et aller au bar, pas pour passer leur temps dans une cabine téléphonique, ça m'étonnerait beaucoup en tout cas.

— Tu t'en occupes, dit Anna-Maria à Tommy Rantakyrö.

— Alerte rouge », marmonna Sven-Erik, la bouche pleine.

Per-Erik Seppälä, un reporter du journal en ligne SVT Norbotten, avait mis le cap sur eux. Anna-Maria posa les feuilles de relevés à l'envers sur la table.

Per-Erik salua tout le monde, en s'arrêtant un peu plus longuement sur Rebecka Martinsson. Alors c'était à ça qu'elle ressemblait en vrai. Il savait qu'elle était revenue s'installer à Kiruna et qu'elle avait été embauchée au bureau du procureur, mais il ne l'avait jamais rencontrée. Il dut faire un effort pour ne pas fixer la cicatrice écarlate entre l'arc de sa lèvre supérieure et ses narines. Elle avait été bien amochée lors de cet épisode tragique, un an et demi auparavant. Il avait fait un reportage là-dessus qui était passé aux infos à l'époque.

Il quitta Rebecka des yeux et se tourna vers Anna-Maria.

« Tu as une minute ? lui demanda-t-il.

— Non, je suis désolée. Nous ferons une conférence de presse dès que nous aurons quelque chose d'intéressant à vous dire.

— Ce n'est pas pour ça. Enfin, si. Ça concerne Inna Wattrang. Il y a une chose que tu dois savoir. »

Anna-Maria hocha la tête pour montrer qu'il avait toute son attention.

« Pas ici, si tu veux bien, dit Per-Erik.

— De toute façon, j'avais fini », dit Anna-Maria à l'intention de ses collègues.

Elle avait quand même réussi à manger la moitié du contenu de son assiette.

« Je ne sais pas si c'est important, commença Per-Erik Seppälä. Mais il fallait que je te le dise. Parce que si ça l'est… bref, c'est pour ça que je préférais te parler entre quatre-z-yeux. Je n'ai pas envie de crever avant l'heure. »

Ils marchaient côte à côte sur la Gruvvägan en longeant l'ancienne caserne des pompiers. Anna-Maria écoutait en silence.

« Tu sais qui est Örjan Bylund, n'est-ce pas ? poursuivit-il.

— Mmm », répondit Anna-Maria.

Örjan Bylund était journaliste au quotidien *Norrländska Socialdemokraten*. Il était décédé deux jours avant Noël, une date qui correspondait également à celle de son anniversaire.

« Il a fait un infarctus, c'est ça ? commenta Anna-Maria.

— Officiellement oui, dit Per-Erik. En réalité, il s'est suicidé. Il s'est pendu dans son bureau.

— C'est pas vrai ? » s'exclama Anna-Maria.

Elle fut surprise de ne pas en avoir été informée. Ses collègues étaient en général au courant de ce genre de choses.

« Oui. C'est ce qui s'est passé. En novembre il s'est mis à raconter autour de lui qu'il était sur un scoop à propos de Kallis Mining. La société a des concessions dans le coin. Dans les environs de Vittangi et aussi près des marais du côté de Svappavaara.

— Tu sais de quoi il s'agissait ?

— Non, mais j'ai pensé que… Je me suis dit qu'il fallait que je t'en parle. Ce n'est peut-être pas un hasard, je veux dire. D'abord lui et ensuite Inna Wattrang.

— Je trouve bizarre que personne ne m'ait dit qu'il s'était donné la mort. On appelle toujours la police en cas de suicide…

— Je sais. Sa femme ne voulait pas que ça se sache. C'est elle qui l'a trouvé. Elle l'a décroché et elle a appelé le médecin. Bylund était assez connu en ville et tu sais comment sont les gens… Alors elle a préféré appeler son médecin qui a signé le certificat de décès sans prévenir la police.

— Merde ! C'est n'importe quoi ! Ça veut dire qu'il n'y a pas eu d'autopsie non plus ! s'écria Anna-Maria Mella.

— Je n'aurais peut-être pas dû te raconter ça… mais je me suis dit que c'était important. Je ne peux pas m'empêcher de penser que ce n'était peut-être pas un suicide, finalement. Vu qu'il était en train de fouiller dans les affaires de Kallis Mining et tout ça. D'un autre côté, je ne voudrais pas qu'Airi le prenne mal.

— Airi ?

— Sa femme.

— Je comprends, le rassura Anna-Maria. Mais je vais quand même devoir l'interroger. »

Elle secoua la tête. Comment allaient-ils arriver à suivre toutes ces pistes ? Faire la synthèse des informations et avoir une vue d'ensemble. Elle commençait à trouver la tâche insurmontable.

« Si tu apprends autre chose…, dit-elle.

— Tu peux compter sur moi. J'ai vu Inna Wattrang à une conférence de presse que la Kallis Mining a tenue en ville avant l'entrée en bourse de l'une de leurs sociétés. Elle dégageait quelque chose de très spécial. J'espère que vous retrouverez le type qui a fait ça ! Mais vas-y mollo avec Airi, s'il te plaît. »

Rebecka retourna à son bureau. Elle se sentait euphorique. Cela lui avait fait du bien de ne pas manger toute seule dans son coin comme d'habitude.

Elle réactiva l'écran de l'ordinateur. Son cœur fit un bond dans sa poitrine.

Elle avait un mail de Måns Wenngren.

« Alors, tu viens ? » disait-il simplement.

Elle en eut d'abord des papillons dans l'estomac. Puis elle se dit que si vraiment il avait eu envie de la voir, il aurait envoyé un message un peu plus long que ça. Et enfin, elle songea que s'il n'avait pas eu envie qu'elle vienne, il n'aurait pas écrit du tout.

« Ce n'était pas un homme heureux. Je le sais bien. Il prenait des antidépresseurs… et des somnifères aussi, pour dormir. Mais quand même. Je n'aurais pas imaginé qu'il… Vous préférez un expresso ou un café filtre ? Pour moi c'est pareil. »

La veuve d'Örjan Bylund, Airi, tourna le dos à Anna-Maria Mella et à Sven Erik Stålnacke, et mit quelques viennoiseries à réchauffer dans le micro-ondes.

Sven-Erik n'était pas à l'aise. Il n'aimait pas faire ce qu'ils étaient en train de faire. Venir gratter une plaie qui devait tout juste commencer à se refermer.

« C'est vous qui avez convaincu le médecin de ne pas appeler la police ? » demanda Anna-Maria.

Airi Bylund acquiesça, leur tournant toujours le dos.

« Vous savez bien comment sont les gens. Il faut toujours qu'ils parlent. Mais il ne faudra pas en tenir rigueur au docteur Ernander. J'assume l'entière responsabilité de cette décision.

— Ce n'est pas comme ça que ça marche, riposta Anna-Maria. Mais bon, nous ne sommes pas là pour chercher des coupables. »

Sven-Erik vit la main d'Airi Bylund essuyer furtivement une larme sur sa joue. Il eut envie de la prendre dans ses bras pour la consoler. Puis il se rendit compte qu'il avait aussi envie de poser la main sur ses fesses opulentes, eut honte et rejeta cette pensée déplacée. Cette pauvre femme était en train de pleurer un mari qui s'était pendu.

Sven-Erik trouvait l'atmosphère de la cuisine très plaisante. Plusieurs tapis de chiffons tissés maison recouvraient le sol en linoléum dont le motif imitait un carrelage en terre cuite. Le long du mur se trouvait un canapé-lit un peu trop grand et trop mou pour s'y asseoir, mais idéal pour une petite sieste après le repas. Il était jonché de coussins accueillants, pas ces petits machins fermes agrémentés de boutons décoratifs.

La pièce était trop encombrée à son goût, mais les femmes sont comme ça. Elles n'aiment pas laisser la moindre place inoccupée. Au moins, Airi Bylund ne faisait pas collection d'objets bizarres du genre lutins en porcelaine, hippopotames ou flacons de verre. Il se souvenait d'avoir un jour interrogé un témoin qui avait rempli toute sa maison de boîtes d'allumettes venant du monde entier.

Les fenêtres étaient envahies de plantes en pot, suspendues ou posées sur le rebord. Sur le plan de travail se trouvait le four à micro-ondes et un échafaudage de paniers en osier servant à faire sécher des champignons ou des herbes. De minuscules maniques qui avaient l'air d'avoir été confectionnées par un de ses petits-enfants étaient accrochées au mur. À proximité de la cuisinière à bois étaient alignés des pots avec des couvercles et des inscriptions en caractères penchés : « *Farine* », « *Sucre* », « *Fruits confits* », etc. L'un des bocaux avait perdu son couvercle et Airi l'utilisait pour y ranger le fouet et les ustensiles en bois.

Il y avait vraiment quelque chose avec ces pots en faïence. Sa sœur avait les mêmes et sa femme Hjördis en était dingue. Elle les avait emportés avec elle quand elle l'avait quitté.

« Est-ce qu'il avait un bureau dans lequel nous pourrions jeter un coup d'œil ? » demanda Anna-Maria.

Si la cuisine d'Airi Bylund était encombrée, au moins elle l'était de façon harmonieuse et avec un certain souci de rangement. Dans le bureau de feu son mari, les articles de journaux et les livres étaient entassés à même le sol en piles bancales. Sur une table de camping s'étalait un puzzle à mille pièces inachevé, les morceaux manquants posés à l'endroit et triés par couleur. Sur les murs on voyait d'autres puzzles, achevés et collés sur des planches de contreplaqué. Sur un vieux canapé gisaient des vêtements et une couverture.

« Je n'ai pas eu le temps… ou pas eu le courage… », s'excusa Airi en montrant le désordre.

Tant mieux, songea Anna-Maria.

« On enverra quelqu'un pour emporter les papiers, les articles et ce genre de choses, dit-elle. On vous les rapportera plus tard. Il n'avait pas d'ordinateur ?

— Si. Mais je l'ai donné à un de mes petits-fils. »

Elle les regarda d'un air confus.

« Son patron ne m'a pas dit qu'il voulait le récupérer, alors…

— Et ce petit-fils à qui vous avez donné l'ordinateur…

— Axel. Il a treize ans. »

Anna-Maria sortit son téléphone de sa poche.

« Je peux avoir son numéro ? »

Axel était chez lui. Il confirma que l'ordinateur était en lieu sûr dans sa chambre.

« Tu as vidé le disque dur ? lui demanda Anna-Maria.

— Non. Il avait déjà été nettoyé. Il ne faisait que 20 gigas et je veux pouvoir télécharger des trucs sur Pirate Bay. Alors si vous me prenez l'ordi de papi, j'en voudrais un avec un microprocesseur de 2,1 gigas. »

Anna-Maria ne put pas s'empêcher d'éclater de rire. Quel négociateur !

« Dans tes rêves, répliqua-t-elle. Mais comme je suis gentille, je te le rendrai quand nous n'en aurons plus besoin. »

Quand elle eut raccroché elle demanda à Airi :

« C'est vous qui avez effacé le contenu de l'ordinateur de votre mari ?

— Non, répondit-elle. Je ne sais même pas me servir d'un magnétoscope. »

Elles échangèrent un regard et après un court silence Anna-Maria lui dit :

« Ce serait peut-être une bonne idée d'apprendre. C'est pratique quand on se sent seul. Est-ce que quelqu'un de son journal est venu toucher à l'ordi ?

— Non. Personne. »

Anna-Maria appela Fred Olsson. Il décrocha dès la première sonnerie.

« Quand un disque dur a été vidé, on peut récupérer les documents et les fichiers quand même, non ?

— Oui, s'il n'a pas pris un coup d'EMP.

— Hein ?

— S'il n'a pas été bombardé avec une impulsion électromagnétique. Il y a des sociétés spécialisées dans ce genre de manipulation. Mais apporte-le-moi. J'ai des logiciels ici pour récupérer les informations sur un disque dur…

— J'arrive. Attends-moi. J'en ai pour un petit moment. »

Quand Anna-Maria eut terminé sa conversation, Airi la regarda d'un air pensif. Elle ouvrit la bouche, puis la referma.

« Oui ? lui dit Anna-Maria.

— Non, rien… enfin… quand je l'ai trouvé, c'était dans cette pièce, c'est pour ça que le plafonnier est posé sur le lit… »

Sven-Erik et Anna-Maria levèrent les yeux vers le crochet au centre du plafond.

« La porte du bureau était fermée, poursuivit Airi Bylund. Mais le chat était à l'intérieur.

— Et alors ?

— Il n'avait pas le droit d'être ici. Nous avions un autre chat il y a une dizaine d'années et il avait la mauvaise habitude de se glisser en douce dans son bureau et de pisser sur ses papiers. Et aussi dans ses chaussons en peau de mouton. Depuis, les chats sont bannis.

— Peut-être que ça n'avait plus d'importance puisque de toute façon… »

Sven-Erik s'interrompit au milieu de sa phrase.

« Je me suis dit la même chose, sur le moment.

— Vous croyez qu'il a été assassiné ? » lui demanda Anna-Maria de but en blanc.

Airi Bylund prit son temps avant de répondre.

« Dans un sens, je l'espère. Même si cela peut paraître bizarre. J'ai tellement de mal à comprendre. »

Elle se couvrit la bouche avec la main.

« Mais c'est vrai que ce n'était pas un homme heureux. Il ne l'a jamais été.

— Alors comme ça, vous avez un chat ? lui demanda Sven-Erik que la franchise brutale d'Anna-Maria mettait mal à l'aise.

— Oui. » Le visage d'Ari Bylund s'éclaira d'un timide sourire. « Une femelle. Elle est dans la chambre à coucher. Venez avec moi, si vous voulez voir quelque chose de charmant. »

Sur le couvre-lit en patchwork, la chatte dormait, quatre chatons emmêlés entre ses pattes.

Sven-Erik s'agenouilla comme devant un autel.

La maman se réveilla instantanément mais elle resta sur le lit. L'un des chatons s'éveilla aussi et s'approcha maladroitement de Sven-Erik. C'était une petite femelle écaille de tortue avec une tache noire autour d'un œil.

« Elle est drôle, n'est-ce pas ? On dirait qu'elle s'est battue.

— Salut, Boxeuse », dit Sven-Erik à la petite chatte qui se mit à grimper tranquillement le long de son bras en s'aidant de ses griffes pointues pour garder l'équilibre. Elle monta jusqu'à son épaule, passa derrière sa nuque et alla s'installer sur son autre épaule.

« Eh bien alors, toi, dit Sven-Erik avec une tendresse infinie.

— Vous la voulez ? lui demanda Airi Bylund. J'ai du mal à les caser.

— Non, non », s'empressa de riposter Sven-Erik, sentant la douce fourrure du chaton contre sa joue.

La petite chatte sauta sur le lit et alla réveiller un de ses frères en lui mordant la queue.

« Embarque ce chat et on y va », lui dit Anna-Maria.

Sven-Erik secoua obstinément la tête.

« Non, dit-il. Après on s'attache trop. »

Ils remercièrent et prirent congé. Airi les raccompagna à la porte. Avant de partir, Anna-Maria lui posa une dernière question :

« Votre mari a été incinéré ?

— Non. Enterré. Moi, j'ai toujours dit que je voulais qu'on disperse mes cendres au-dessus de Taalojärvi.

— Taalojärvi, vraiment ? Quel est votre nom de jeune fille ?

— Eh bien, Tieva.

— C'est vrai ? s'exclama Sven-Erik. Il y a vingt ans, je me trouvais à Salmi. J'allais à Kattuvuoma en motoneige. En face de la ville, sur la rive est du détroit, au pied de Taalojärvi, je suis passé devant un chalet. J'ai frappé à la porte et demandé le chemin de Kattuvuoma. La femme qui m'a ouvert la porte m'a dit : "Les autres traversent le lac puis les marais et puis ils tournent à gauche vers Kattuvuoma." Nous avons bavardé encore un peu mais je voyais bien qu'elle était sur ses gardes. Alors j'ai fait un effort et je me suis mis à parler finnois au lieu de suédois. Tout de suite, elle s'est dégelée. »

Airi Bylund pouffa de rire.

« Elle vous prenait pour un Rousku, un sale Suédois.

— C'est ça. Quand je suis remonté sur mon scooter, au moment de partir, elle m'a demandé : "Puisque tu parles finnois, dis-moi d'où tu viens et qui sont tes parents." Je lui ai répondu que j'étais le fils de Valfrid Stålnacke et que je venais de Laukkuluspa. "*Voi hyvänen aika !*" elle s'est écriée en battant des mains. "C'est pas possible ! Alors nous sommes cousins, mon garçon ! Il ne faut pas traverser le lac. La glace est collante et c'est dangereux. Tu dois faire le tour." »

Sven-Erik rigola.

« Elle s'appelait Tieva. C'était votre grand-mère ?

— Ne dites pas de bêtises, dit Airi Bylund en rougissant. C'était ma mère. »

Quand ils furent dehors, Anna-Maria partit au pas de charge. Sven-Erik dut se mettre au petit trot pour la rattraper.

« On va chercher l'ordinateur ? demanda-t-il.

— Je veux le faire exhumer, répliqua Anna-Maria.

— Mais on est en plein hiver. Le sol est gelé.

— Je m'en fous. Je veux qu'on me sorte le corps d'Örjan Bylund tout de suite ! Il faut que Pohjanen fasse une autopsie ! Où est-ce que tu vas ? »

Sven-Erik avait fait demi-tour et il retournait vers la maison d'Airi Bylund.

« Je vais en informer Airi Bylund, qu'est-ce que tu crois ? Vas-y ! Je te rejoins au commissariat. »

Rebecka Martinsson rentra chez elle vers six heures du soir. Les nuages s'étaient regroupés et le ciel commençait à s'assombrir. À l'instant où elle sortait de sa voiture devant sa maison en ciment gris, il se mit à neiger. Des cristaux légers comme du duvet scintillaient dans la lumière de la terrasse.

Elle s'arrêta et tira la langue, les bras écartés le long du corps, le visage levé, les yeux clos. Elle sentit les flocons tout doux atterrir sur ses cils et sur sa langue. Cela ne lui fit pas tout à fait le même effet que lorsqu'elle était enfant. Quand elle jouait à faire l'ange, couchée dans la neige. Une de ces choses qu'on adore faire quand on est une petite fille. Mais quand on est adulte, tout ce qu'on y gagne c'est de faire rentrer de la neige dans son col.

Il n'est rien pour moi, songea-t-elle, rouvrant les yeux, regardant la rivière plongée dans l'obscurité et les lumières des maisons sur l'autre rive.

Il ne pense pas à moi. Il m'écrit des mails mais cela ne signifie rien.

Elle avait tenté de répondre au moins vingt fois à Måns Wenngren cet après-midi mais elle avait effacé le message chaque fois sans l'envoyer. Elle ne voulait pas qu'il devine son empressement.

Laisse tomber, lui disait sa tête. Il n'est pas intéressé.

Mais son cœur lui disait obstinément le contraire.

Bien sûr que si, disait-il, et elle s'imaginait avec Måns dans une barque, ramant. Il laisse traîner sa main au fil de l'eau. Il a remonté les manches de sa chemise blanche d'avocat. Son visage est doux et détendu. Ou : allongée par terre dans la chambre devant la cheminée allumée. Måns entre ses cuisses.

Quand elle se déshabilla pour remplacer sa tenue de bureau par un jean et un pull-over, elle en profita pour se regarder dans la glace. Pâle et mince. De trop petits seins. Est-ce qu'ils n'avaient pas une drôle de forme ? Ils ne ressemblaient pas à deux collines mais plutôt à deux cornets de glace miniatures posés à l'envers. Elle se sentit soudain terriblement gênée et étrangère face à ce corps dont personne ne voulait et à l'intérieur duquel aucun enfant n'avait jamais eu le droit d'arriver à terme. Elle se dépêcha d'enfiler ses vêtements.

Elle se servit un whisky et alla s'asseoir à la vieille table pliante de sa grand-mère dans la cuisine. Elle but à plus grandes gorgées que d'habitude. L'alcool lui réchauffa l'estomac et chassa rapidement ses idées noires.

La dernière fois qu'elle était tombée vraiment amoureuse… c'était de Thomas Söderberg, ce qui en disait long sur son talent pour choisir un homme. Il valait mieux ne pas y penser.

Elle avait eu quelques petits amis entre-temps, tous des étudiants de la faculté de droit. Elle n'en avait choisi aucun. Ils l'avaient invitée à dîner, elle s'était laissé embrasser et elle avait atterri sous une couette avec eux. Des histoires tristes et prévisibles dès leur commencement. Le mépris était toujours tapi au fond d'elle. Mépris parce qu'ils n'étaient que des gamins, des gosses de la moyenne bourgeoisie, tous convaincus qu'ils auraient de meilleures notes qu'elle s'ils se donnaient la peine d'étudier sérieusement. Mépris pour leur pathétique révolte contre leurs parents, consistant principalement en une consommation modérée de drogues et un abus d'alcool. Mépris pour leur certitude de valoir mieux que leurs congénères. Elle méprisait même leur mépris pour ceux qu'ils appelaient les bourgeois et qu'ils deviendraient aussitôt qu'ils seraient des hommes mariés.

Et à présent il y avait Måns. « Verser quelques gouttes d'école privée, une larme d'École des beaux-arts, ajouter une dose d'arrogance, une bonne rasade d'alcool et de talent juridique dans un magnifique corps de sexe masculin, et bien agiter. »

Son père à elle n'avait pas dû en revenir quand sa mère l'avait choisi. Car Rebecka était convaincue que c'était ainsi que les choses s'étaient passées. Sa mère avait choisi son père comme elle aurait cueilli un fruit sur un arbre.

Elle eut subitement envie de regarder des photos de sa mère. Mais elle les avait toutes arrachées des albums de grand-mère après la mort de celle-ci.

Elle mit ses bottes de caoutchouc et courut chez Sivving.

Dans le sous-sol de la maison régnait encore une vague odeur de saucisse grillée. Sur la paillasse de l'évier, une assiette propre, un verre, une casserole en aluminium et une poêle séchaient à l'envers sur un torchon à carreaux rouges et blancs. Sivving dormait tout habillé sur son couvre-lit, le journal local étalé sur son visage. Il y avait un gros trou à l'une de ses chaussettes de laine. Rebecka se sentit étrangement bouleversée de le surprendre ainsi.

Bella se leva précipitamment et faillit faire tomber une chaise en venant lui faire la fête. Rebecka la gratta entre les oreilles et les coups réguliers de sa queue battant contre le pied de la table réveillèrent Sivving.

« Rebecka ! s'écria-t-il, enchanté. Tu veux un café ? »

Elle accepta la proposition, et pendant qu'il le préparait elle lui fit part de sa requête.

Sivving monta l'escalier et redescendit, deux albums sous le bras.

« Je parie que nous allons trouver des photos de ta mère là-dedans. Mais évidemment, ce sont surtout des photos de Maj-Lis et des enfants. »

Rebecka feuilleta l'album. Sur l'un des clichés, sa mère et Maj-Lis étaient assises sur une peau de renne dans la neige de printemps, plissant les yeux et riant devant l'objectif.

« Nous sommes pareilles, dit Rebecka.

— C'est vrai, acquiesça Sivving.

— Comment papa et elle se sont-ils rencontrés ?

— Je ne sais pas. À un bal, je suppose. Il dansait très bien, ton père. Une fois qu'il avait osé se lancer. »

Rebecka tenta de se représenter la scène. Sa mère sur une piste de danse entre les bras de son père. Son père qui avait puisé son assurance dans l'alcool, laissant errer sa main dans le dos de sa cavalière.

Elle se sentit envahie par un sentiment qu'elle connaissait bien. Un étrange mélange de honte et de colère. La colère qui était devenue son arme contre la pitié condescendante des villageois.

Derrière le dos de Rebecka, ils l'appelaient « pauvre petite ». *Piika riepu.* « Heureusement qu'elle a sa grand-mère », disaient-ils. La question était de savoir combien de temps encore Theresia Martinsson aurait la force de s'occuper de sa petite-fille. Personne n'était parfait. Mais être incapable de s'occuper de son propre enfant…

Sivving la surveillait du coin de l'œil.

« Maj-Lis aimait beaucoup ta maman, dit-il.

— Tu crois ? »

Rebecka se rendit compte que sa voix était à peine un chuchotement.

« Elles avaient toujours un tas de choses à se dire. Elles passaient des heures à rigoler ensemble à la table de la cuisine. »

C'est vrai, songea Rebecka. Je me souviens de cette maman-là aussi. Elle cherchait une photo sur laquelle sa mère ne posait pas. Une photo où elle ne tournait pas vers l'objectif son profil le plus avantageux avec un sourire de star de cinéma.

Et à l'aune d'un village comme Kurravaara, c'est ce qu'elle était.

Souvenirs…

Rebecka se réveille le matin dans son deux-pièces en ville. Elles ont déménagé de Kurravaara. Papa est resté vivre au rez-de-chaussée de la maison de grand-mère. Ils disent que c'est plus pratique que Rebecka aille habiter en ville avec maman. Pour être près de l'école et tout ça. Elle se réveille un matin et l'appartement sent bon le propre. Tout a été nettoyé. Et maman a changé l'emplacement de tous les meubles. Le seul qui soit resté à son ancienne place est le lit de Rebecka. Son petit déjeuner l'attend sur la table. Des scones tout frais. Maman fume une cigarette sur le balcon et elle a l'air contente.

Elle a dû déplacer des meubles et faire le ménage toute la nuit. Que vont penser les voisins ? se dit Rebecka.

Elle descend l'escalier sur la pointe des pieds et les yeux baissés. Si Laila, la voisine qui habite au rez-de-chaussée, ouvre sa porte, Rebecka pense qu'elle mourra de honte.

Deuxième souvenir : « Allez vous asseoir deux par deux. »

Petra : « Je ne veux pas être à côté de Rebecka. »

La maîtresse : « Qu'est-ce que c'est que ces bêtises ? »

Toute la classe écoute. Rebecka baisse les yeux.

Petra : « Elle sent le pipi. »

C'est parce qu'il n'y a plus de courant dans l'appartement. On leur a coupé l'électricité. On est encore au mois de septembre et il ne fait pas froid, mais maman ne peut pas faire fonctionner la machine à laver.

Quand Rebecka rentre à la maison en pleurant, sa mère se met en colère. Elle traîne Rebecka jusqu'au bureau des télécom et se met à engueuler le personnel. Ils ont beau lui expliquer qu'elle doit s'adresser à la compagnie d'électricité et que ce n'est pas la même chose, rien n'y fait.

En regardant ces photos, Rebecka réalisa tout à coup que sur la plupart, sa mère avait l'âge qu'elle a maintenant.

Je suppose qu'elle faisait de son mieux, se dit-elle aujourd'hui.

Devant la femme souriante assise sur cette peau de renne, il lui vint des envies de réconciliation. Comme si quelque chose en elle s'apaisait. Peut-être parce qu'elle venait de se rendre compte que sa maman n'était pas très âgée à cette époque-là.

Quel genre de mère aurais-je été si j'avais décidé de garder mon enfant ? songea Rebecka. Dieu du Ciel !

Après quelque temps sa mère prit l'habitude de la déposer chez grand-mère chaque fois qu'elle n'avait pas envie de s'occuper d'elle, et elle passait toutes ses vacances d'été à Kurravaara.

Au moins ici, tous les enfants étaient sales, se dit-elle. Ils devaient tous sentir le pipi.

Sivving l'interrompt dans ses pensées.

« Est-ce que je peux te demander un coup de main ? »

Il faisait toujours en sorte de lui trouver quelque chose à faire. Rebecka soupçonnait son vieil ami de ne pas avoir réellement besoin d'aide et de chercher des prétextes pour lui changer les idées. C'est bien connu. L'exercice physique empêche de gamberger.

Cette fois, il voulait qu'elle monte sur le toit avec la pelle pour faire tomber un paquet de neige.

« Tu comprends, il risque de descendre d'un coup et je voudrais éviter que Bella se retrouve en dessous quand ça arrivera. Ou moi, si je suis distrait. »

Elle grimpa dans le noir sur la toiture de Sivving, une corde autour de la taille et une pelle à la main. L'éclairage extérieur de la ferme n'était pas d'une grande efficacité. Il neigeait toujours et l'ancienne couche de neige sous la fraîche était dure et glissante. Sivving avait une pelle également, mais il ne s'en servait que pour s'appuyer dessus. Il resta en bas à lui donner des conseils et des ordres. Rebecka faisait les choses à sa manière et cela énervait le vieil homme, parce que, évidemment, sa manière à lui était la meilleure. Ça avait toujours été comme ça entre eux. Quand elle redescendit, elle était en nage.

Mais la dépense physique ne suffit pas. En prenant sa douche, chez elle, elle se remit à penser à Måns. Enveloppée dans sa serviette de bain, elle regarda l'heure. Il n'était que neuf heures du soir.

Elle avait besoin de s'occuper l'esprit avec un travail intellectuel. Elle décida de se mettre à l'ordinateur et de continuer ses recherches sur Inna Wattrang.

À dix heures moins le quart on frappa à la porte. La voix d'Anna-Maria Mella résonna dans l'entrée.

« Ohé ! Il y a quelqu'un ? »

Rebecka ouvrit la porte du palier du premier et cria :

« En haut !

— Le père Noël existe, dit Anna-Maria, essoufflée en arrivant en haut de l'escalier. »

Elle avait un carton dans les bras. Rebecka se souvint de sa plaisanterie du matin et rigola :

« Je vous jure que j'ai été sage », affirma-t-elle.

Anna-Maria rit également. Leurs relations étaient plus simples depuis qu'elles travaillaient ensemble sur l'affaire Inna Wattrang.

« Ce sont des fichiers et des documents trouvés dans le bureau d'Örjan Bylund », expliqua Anna-Maria peu après avec un geste du menton vers le carton.

Elle s'assit à la table de la cuisine et parla à Rebecka du défunt journaliste pendant que celle-ci préparait du café.

« Il a laissé entendre à un de ses confrères qu'il travaillait à un sujet de fond sur Kallis Mining. Un mois et demi plus tard, il était mort. »

Rebecka se retourna.

« Comment ?

— Il s'est pendu dans son bureau à son domicile. Sauf que je ne suis pas très sûre que ce soit vrai. J'ai demandé l'autorisation d'exhumer le corps et de pratiquer une autopsie. J'espère que j'aurai rapidement une réponse d'en haut. Tenez, c'est pour vous ! »

Elle posa une clé USB sur la table.

« Le contenu de l'ordi d'Örjan Bylund. Le disque dur avait été effacé mais Fred Olsson a résolu le problème. »

Anna-Maria regarda autour d'elle. La pièce était chaleureuse. Meublée avec un mélange de mobilier campagnard ancien et quelques meubles datant des années quarante et cinquante. Plusieurs plateaux peints à la main suspendus au mur dans des embrasses brodées. Très décoratif et un peu désuet. Comme dans la maison de sa grand-mère, songea Anna-Maria.

« C'est joli chez vous », dit-elle.

Rebecka lui versa une tasse de café.

« Merci ! J'espère que vous l'aimez noir. »

Rebecka regarda sa cuisine. Elle l'aimait bien aussi. Elle n'en avait pas fait un mausolée en hommage à sa grand-mère paternelle mais elle avait conservé la plupart de ses objets. Quand elle était revenue s'installer ici, elle avait tout de suite su que c'était ainsi qu'elle voulait vivre. En retournant dans son appartement de Stockholm à sa sortie de l'HP, elle avait contemplé ses chaises danoises dessinées par Arne Jacobsen et ses lampes créées par Poul Henningsen, le canapé italien de chez Asplund qu'elle s'était offert le jour où elle avait passé l'examen du barreau et elle s'était dit que tout ça ne lui ressemblait pas. Elle avait décidé de tout vendre avec l'appartement.

« Il faut que je vérifie l'origine d'une somme qui a été versée au compte d'Inna Wattrang, dit Rebecka à Anna-Maria. Quelqu'un a viré deux cent mille couronnes en liquide sur son compte personnel.

— D'accord, répondit Anna-Maria. Pour demain ? »

Rebecka acquiesça.

C'est tout simplement génial, se dit Anna-Maria. C'est exactement le genre de choses que nous ne trouvons jamais le temps de faire. Je devrais peut-être proposer à Rebecka de partager notre soirée bowling. Elle et Sven-Erik pourraient parler « chats » ensemble.

« En réalité, je suis devenue trop vieille pour faire ça, dit Anna-Maria avec un coup d'œil à sa tasse. Quand je bois du café le soir à présent, je me réveille au milieu de la nuit et je me mets à penser à un tas de trucs. »

Elle fit un geste circulaire pour illustrer ses pensées tournant en boucle dans sa tête.

« Moi c'est pareil », avoua Rebecka.

Elles rirent toutes les deux, conscientes qu'elles avaient quand même bu cette tasse de café, juste pour se rapprocher l'une de l'autre.

Dehors, la neige tombait toujours.

Jeudi 20 mars 2005

Il neigea toute la nuit de mercredi à jeudi. Dans la matinée du jeudi, la neige cessa de tomber, et la journée fut belle et ensoleillée. Il ne faisait que trois degrés en dessous de zéro. À neuf heures et quart du matin, on déterra le cercueil d'Örjan Bylund. Le soir précédent, les employés du cimetière avaient finalement accepté de déblayer la neige et de poser un chauffage électrogène sur la tombe.

Anna-Maria avait longuement œuvré dans ce sens.

« Il nous faut l'autorisation de la préfecture avant, lui disaient-ils.

— Il vous la faut pour exhumer le cadavre, c'est vrai, avait répondu Anna-Maria. Je vous demande simplement de chauffer la sépulture maintenant pour qu'on puisse ouvrir la tombe rapidement quand la décision sera tombée. »

Le sol était maintenant dégelé et on put en extraire le cercueil avec la mini-pelle du cimetière.

Une dizaine de photographes étaient venus couvrir l'événement. Anna-Maria se sentit un peu coupable envers Airi Bylund en les voyant arriver.

J'essaye d'élucider un meurtre, se défendit-elle

vis-à-vis d'elle-même. Je ne suis pas là pour faire du sensationnel.

Ils eurent les images qu'ils étaient venus chercher. La fosse sale, la terre, les pauvres restes d'un bouquet de roses, le cercueil noir. Et tout autour un paysage de fin d'hiver, la neige fraîche et le soleil dans un ciel sans nuages.

Le médecin légiste Lars Pohjanen et son assistante, la technicienne d'autopsie Anna Granlund, attendaient à l'hôpital pour réceptionner la dépouille.

Anna-Maria consulta l'heure.

« Encore une demi-heure, dit-elle à Sven-Erik. Et on appelle pour savoir où ils en sont. »

Au même instant, le téléphone sonna dans sa poche. C'était Rebecka Martinsson.

« J'ai vérifié ce virement au bénéfice d'Inna Wattrang. Je crois qu'on tient quelque chose. Le 15 janvier, quelqu'un est entré dans la petite succursale de la SEB qui se trouve dans Hantverkargatan à Stockholm et a versé deux cent mille couronnes sur son compte. Dans la rubrique "information complémentaire", cette personne a ajouté la phrase : "Ce n'est pas pour acheter ton silence."

— "Ce n'est pas pour acheter ton silence", répéta Anna-Maria. J'aimerais bien voir ce bordereau de versement.

— J'ai demandé à la banque de le scanner et de vous l'envoyer par mail. Vous penserez à allumer votre ordinateur !

— Vous devriez quitter le bureau du procureur et venir travailler avec nous ! s'exclama Anna-Maria. Il n'y a pas que l'argent dans la vie. »

Rebecka rit à l'autre bout de la ligne.

« Il faut que j'y aille. On m'attend au tribunal.

— Aujourd'hui aussi ! Vous n'y étiez pas déjà lundi et mardi ?

— C'est-à-dire que… Gudrun Haapalahti, du secrétariat, a complètement cessé d'y envoyer les autres.

— Vous devriez râler, lui suggéra Anna-Maria, pour se montrer solidaire.

— Jamais de la vie, riposta Rebecka en riant. À bientôt ! »

Anna-Maria se tourna vers Sven-Erik.

« On y va ! » dit-elle.

Elle appela Tommy Rantakyrö.

« Tu peux vérifier un truc pour moi ? dit-elle sans préambule, et sans attendre sa réponse elle poursuivit : Essaye de voir si l'une des personnes avec qui Inna Wattrang a parlé sur l'un de ses deux téléphones habite ou travaille à proximité de la succursale SEB de Hantverkargatan à Stockholm.

— Je peux savoir pourquoi c'est moi qui me retrouve dans cet enfer téléphonique ? grogna Tommy Rantakyrö. Je dois remonter jusqu'à quand ?

— Six mois ? »

Un gémissement se fit entendre au bout du fil.

« Bon, allez, commence en janvier, va. Le virement qui a été fait sur son compte date du 15 janvier.

— Au fait, j'allais justement t'appeler, dit Tommy avant qu'Anna-Maria ait eu le temps de raccrocher.

— Oui ?

— Tu m'avais demandé de contrôler les appels de la cabine téléphonique de la station touristique d'Abisko.

— Oui ?

— Quelqu'un, et je suppose que c'est elle, a appelé Diddi Wattrang, son frère, jeudi, tard dans la soirée.

— Il m'a dit qu'il ne savait pas où elle était, dit Anna-Maria.

— Ils se sont parlé pendant exactement quatre minutes et vingt-trois secondes. Je pense qu'il a menti, pas toi ? »

Mauri Kallis regardait dehors depuis la fenêtre de son bureau.

Sa femme Ebba marchait sur les graviers blancs de la cour. Sa bombe sous le bras, elle tenait le nouvel étalon arabe au bout d'une longe souple. Le filet en cuir noir luisait de sueur. L'animal baissait le nez dans une attitude lasse et détendue.

Ulrika Wattrang arrivait dans la direction opposée. Son petit garçon n'était pas avec elle. Elle avait dû le laisser avec la baby-sitter.

Il se demanda si Diddi était rentré. Personnellement il s'en fichait. Il se sortirait aussi bien de sa réunion avec l'African Mining Trust sans lui. Mieux même. Il ne fallait pas compter sur Diddi ces temps-ci. Mauri aurait aussi bien pu mettre un chimpanzé au poste qu'il occupait. Désormais, trouver des investisseurs pour le projet de Mauri ne posait plus problème. Maintenant que la bulle technologique avait éclaté et que l'appétit des Chinois pour l'acier était devenu insatiable, tout le monde se bousculait pour en être.

Il allait devoir se débarrasser de Diddi Wattrang. Ce n'était plus qu'une question de temps avant que lui, sa femme et leur petit prince prennent leurs cliques et leurs claques et s'en aillent au diable.

Ulrika s'arrêta pour parler à Ebba.

Son épouse leva les yeux vers sa fenêtre et il s'empressa de se dissimuler derrière le rideau qui bougea légèrement. Mauri se dit que cela ne devait pas se voir depuis l'extérieur.

Décidément je ne l'aime pas, songea-t-il, plein d'amertume en pensant à Ebba.

Quand elle lui avait suggéré qu'ils fassent chambre à part, il avait accepté sans discuter. Elle essayait sans doute de provoquer une dispute mais il avait seulement été soulagé. Cela lui avait évité de rester allongé près d'elle soir après soir à prétendre ne pas se rendre compte qu'elle pleurait en lui tournant le dos.

Je n'aime pas Diddi non plus. Je ne me souviens même pas de ce que je trouvais tellement merveilleux chez lui.

C'est Inna que j'aimais.

Il neige. Dans deux semaines, c'est Noël. Mauri et Diddi sont en troisième année. Mauri travaille déjà à mi-temps comme courtier en bourse. Il a commencé à se spécialiser dans la spéculation sur les matières premières. Il faudra encore dix-sept ans pour qu'il se retrouve en couverture de *BusinessWeek*.

La place de Stureplan ressemble à une carte postale, ou à une de ces boules en plexiglas dans lesquelles la neige tombe lorsqu'on les agite.

De jolies femmes boivent des boissons chaudes dans les cafés, à leurs pieds des sacs en papier glacé pleins de cadeaux achetés dans les grands magasins. Et dehors tombe la neige.

Des petites filles et des petits garçons en manteaux et en duffel-coats, comme des adultes en miniature, tirent sur la main de leurs parents pour apercevoir les décorations de Noël dans les vitrines. Diddi, lui, se moque de la féerie de Noël dans le quartier d'Östermalm.

« Ils sont jaloux des Londoniens ! » dit-il en rigolant.

Ils vont dîner au café Riche. Ils sont déjà passablement saouls bien qu'il ne soit que dix-huit heures. Mais ce jour-là ils ont décidé de célébrer dignement le début des vacances de Noël.

À l'angle de Birger Jarlsgatan et de Grev Turegatan, ils tombent sur Inna.

Elle marche bras dessus, bras dessous avec un vieux. Un homme beaucoup plus âgé qu'elle en tout cas. Il est maigre comme le sont les vieillards. On voit déjà la mort poindre sur ses traits. Ses os tendent la peau de son visage avec l'air de dire : « Bientôt il ne restera plus que moi. » L'épiderme n'offre plus de résistance. Sans élasticité, il parvient à peine à recouvrir son front sur lequel on devine les bosses du crâne. Les pommettes saillent au-dessus de ses joues creusées. On pourrait compter les os de ses poignets.

Mauri s'aperçoit trop tard que Diddi avait l'intention de passer à côté d'elle en prétendant ne pas l'avoir vue. Lui s'arrête, évidemment, et les présentations sont inévitables.

Inna ne semble pas gênée le moins du monde. Mauri la regarde et se dit qu'elle ressemble à un cadeau de

Noël. Son sourire et son regard donnent toujours l'impression qu'elle vous réserve une belle surprise.

« Je vous présente Ecke », dit-elle en se serrant tendrement contre son compagnon.

Ces surnoms qu'ils se donnent toujours entre gens de la haute ! Mauri ne cessera jamais de s'en étonner. Il y a les Noppe et les Bobbo et les Guggu. Inna s'appelle en réalité Honorine. Un William ne se fera jamais appeler Wille alors qu'un Walter deviendra automatiquement Walle.

De la manche de son manteau de cachemire luxueux mais élimé, l'homme sort une main maigre et constellée de taches de vieillesse. Mauri la trouve répugnante. Il résiste à la tentation de respirer la sienne ensuite pour vérifier si elle pue.

« Je ne comprends pas, dit-il à Diddi après qu'ils ont pris congé d'Inna et son ami. C'est lui le fameux Ecke ? »

Inna l'a mentionné en leur présence à plusieurs reprises. Elle ne peut pas venir parce qu'elle part à la campagne avec Ecke, Ecke et elle ont vu tel ou tel film. Mauri se représentait un garçon de bonne famille avec des cheveux blonds coiffés en arrière. Il s'est dit aussi que le type devait être un homme marié, vu qu'elle ne le leur présentait pas et se montrait si discrète à son sujet. Mais il est vrai qu'Inna est toujours discrète quand il s'agit de ses conquêtes. Il est arrivé à Mauri de se dire que les amants d'Inna devaient être plus âgés et qu'ils n'auraient rien à leur dire, à lui et à Diddi, qui n'étaient après tout que des gamins qui usaient encore leurs pantalons sur les bancs de l'école. Mais pas avec des types aussi vieux quand même.

Comme Diddi ne répond pas, Mauri poursuit :

« C'est un papi ! Qu'est-ce qu'elle peut bien lui trouver ? »

Diddi répond distraitement, mais Mauri voit bien que son indifférence est feinte et qu'il s'y accroche de toutes ses forces parce qu'elle est tout ce qui lui reste :

« Tu es d'une naïveté ! » dit-il.

Ils restent un moment ainsi, debout sur le trottoir devant le restaurant Riche, au milieu de la carte postale. Diddi écrase sa cigarette dans la neige et fixe Mauri d'un regard intense.

Il va m'embrasser, songe Mauri. Et il n'a pas le temps de s'en effrayer que le moment est déjà passé.

Un autre épisode. C'est encore l'hiver. Et il neige toujours. Inna a un « bon ami » comme elle les appelle. Ce n'est pas le même que la dernière fois. Il y a longtemps que son aventure avec Ecke est terminée. Elle doit se rendre à un dîner de remise de prix Nobel avec cet homme et Diddi décide qu'ils la rejoindront chez elle dans son studio à Linnégatan pour boire ensemble une bouteille de champagne et l'aider à fermer sa robe du soir.

Elle leur ouvre la porte et elle n'a jamais été plus belle. Elle porte une robe longue couleur coquelicot et un rouge à lèvres brillant assorti.

« Alors ? » leur demande-t-elle.

Mauri est incapable de répondre. L'expression « belle à couper le souffle » vient de prendre à ses yeux tout son sens.

Il lève la bouteille de champagne et se dirige vers la kitchenette pour cacher ses sentiments et prendre des coupes.

Quand il revient, elle est en train de se maquiller les yeux à la petite table de salle à manger. Diddi se tient derrière elle, penché au-dessus de son épaule, appuyé d'une main au plateau de table. Son autre main est glissée dans le décolleté de sa robe et il lui caresse les seins.

Ils guettent tous les deux la réaction de Mauri dans le miroir. Diddi lève un sourcil, imperceptiblement, mais il ne retire pas sa main du décolleté de sa sœur.

Inna sourit, comme s'il s'agissait d'une bonne blague.

Mauri est imperturbable. Il les toise en s'évertuant à garder le contrôle de chaque millimètre de la très fine fibre musculaire de son visage. Au bout de trois secondes exactement, il hausse les sourcils avec une expression d'une décadence très wildienne et dit :

« Tiens, mon vieux ! Je t'ai servi une coupe, dès que tu auras une main libre, bien sûr ! Santé ! »

Ils rient. Il est des leurs.

Puis ils boivent dans les coupes de cristal dont Inna a hérité.

Ebba Kallis et Ulrika Wattrang se croisèrent dans la cour devant la maison. Ebba leva les yeux vers la fenêtre de Mauri. Elle vit le rideau bouger.

« Tu as des nouvelles de Diddi ? demanda-t-elle.

Ulrika Wattrang secoua la tête.

« Je suis tellement inquiète, dit-elle. Je n'en dors plus. Hier soir, j'ai dû prendre un somnifère alors que je sais que ce n'est pas bien tant que j'allaite. »

Echnaton commençait à tirer sur ses rênes, impatient. Il voulait rentrer à l'écurie, qu'on le débarrasse de la selle et qu'on le bouchonne.

« Je suis sûre qu'il va bientôt t'appeler », dit Ebba avec sollicitude.

Une larme roula sur la joue d'Ulrika. Elle secoua la tête l'air découragé.

Oh ! ce que j'en ai marre, songeait Ebba. Je n'en peux plus de ses pleurnicheries.

« Il faut que tu comprennes qu'il vit un moment difficile », dit-elle avec toute la compassion dont elle était capable.

Comme nous tous, pensait-elle avec dureté.

Ces derniers six mois, elle ne comptait plus le nombre de fois où Ulrika était venue la trouver en pleurant. « Il me rejette, il est distant, je ne sais pas où il s'en va quand il disparaît, j'essaye de savoir s'il s'intéresse au moins à Philip, mais il se contente de… » Et elle se mettait à serrer le bébé si fort dans ses bras qu'il se réveillait en hurlant. Il était si inconsolable qu'Ebba devait le prendre et le promener pour le calmer.

Echnaton vint coller ses naseaux contre son cou et souffla, faisant voler ses cheveux. Ulrika rit entre ses larmes.

« J'ai l'impression qu'il est déjà amoureux de toi », dit-elle.

C'est vrai, songea Ebba avec un regard en direction de la fenêtre de son mari. Les chevaux, eux, m'aiment.

Elle avait acheté cet étalon en tenant compte de ses origines pour bien moins cher qu'il ne valait. Et si elle avait pu faire cette bonne affaire c'était simplement parce qu'il avait la réputation d'être très difficile à monter. Elle se souvient de son excitation au moment où on avait descendu le cheval du van. Elle revoit encore les narines dilatées et les yeux fous de sa ravissante petite tête noire. Elle se rappelle ses ruades assassines. Ce jour-là, il avait fallu trois solides gaillards pour le tenir.

« Bonne chance », avait dit le transporteur en riant quand on avait enfin réussi à le faire entrer dans son box et qu'il put repartir fêter Noël en famille. L'étalon était resté frémissant dans sa cellule en roulant des yeux.

Ebba ne l'avait pas monté en carrière avec une cravache et des rênes courtes. Au contraire, ils avaient chassé ensemble le diable qu'il avait au corps. Elle l'avait laissé courir et sauter, vite et haut. Elle avait mit son gilet de protection et elle l'avait poussé au lieu de le freiner. Ils étaient couverts de boue tous les deux quand enfin ils étaient rentrés de leur course sauvage. La palefrenière qui attendait à l'écurie pour aider Ebba n'avait pas pu retenir un éclat de rire en les voyant arriver. À présent, Echnaton tremblait sur ses jambes au milieu de l'écurie. Ebba l'avait douché à l'eau tiède et il hennissait de satisfaction en frottant son chanfrein contre l'épaule de sa cavalière.

En ce moment, elle avait douze chevaux au travail. Elle en achetait des jeunes, souvent des cas considérés comme irrécupérables, et elle les dressait. Elle allait bientôt commencer à faire de l'élevage. Mauri se moquait d'elle parce qu'elle achetait plus de chevaux qu'elle n'en vendait. Et elle acceptait sagement de tenir le rôle de l'épouse aux passions dispendieuses. Chevaux de sang et chiens perdus sans collier.

« Regla est à toi », lui avait dit Mauri quand ils s'étaient mariés.

C'était une sorte de compensation et une façon d'assurer son avenir puisqu'il était seul propriétaire de Kallis Mining.

Le problème étant que Regla avait été acheté et rénové avec l'argent des banques et Mauri n'avait jamais soldé les crédits.

Bref, si elle quittait Mauri, elle devrait aussi quitter le haras. Les chevaux, les chiens, le personnel, les voisins. Ce domaine était toute sa vie.

Elle avait fait son choix. Elle souriait et jouait les parfaites maîtresses de maison quand il recevait. Elle le tenait informé de la scolarité des enfants et de leurs activités extra-scolaires. S'occuper de l'enterrement d'Inna sans se plaindre était dans la suite logique des choses.

Nous sommes tous pareils. Des esclaves. La liberté nous est à jamais inaccessible. Mais si nous nous épuisons suffisamment, il nous reste une chance de ne pas devenir fous.

Au moment où elle se faisait cette réflexion, Ester traversait justement la cour en courant et en levant haut les genoux.

Anna-Maria Mella franchit le seuil de chez elle jeudi vers l'heure du déjeuner en disant : « Salut la maison ! » Son cœur bondit de joie en voyant que la table était débarrassée après le repas et les miettes enlevées.

Elle se versa une assiette de corn-flakes avec du lait, se fit une tartine de pâté de foie et composa le numéro du médecin légiste Lars Pohjanen.

« Alors ? » dit-elle sans se présenter lorsqu'il décrocha. À l'autre bout du fil, on aurait dit le cri d'un corbeau coincé dans une cheminée. Il fallait connaître le docteur Lars Pohjanen pour savoir qu'il était simplement en train de rigoler.

« Un vrai roquet.

— Alors donne à ton roquet préféré ce qu'elle veut. De quoi est mort Örjan Bylund ? Il s'est pendu ou pas ?

— Ce qu'elle veut ! » Le ton de Pohjanen se fit méprisant. « Est-ce que tes collègues ont perdu la tête ? Il fallait m'envoyer ce type pour que je l'autopsie quand vous l'avez trouvé ! C'est quand même incroyable que les policiers soient incapables de suivre les règles les plus élémentaires tout en exigeant des autres qu'ils les suivent à la lettre. »

Anna-Maria s'abstint de répondre vertement que la police n'avait pas été appelée sur les lieux parce qu'un de ses collègues à lui, un médecin, avait jugé bon de transgresser la loi et les usages en établissant un constat de décès par arrêt cardiaque avant de laisser les pompes funèbres emporter le corps. Mais il était plus important pour elle de mettre Pohjanen de bonne humeur que d'avoir le dernier mot.

Elle balbutia quelque chose qui pouvait passer pour des excuses et laissa Pohjanen poursuivre.

« Bon, dit-il, plus calme. Heureusement qu'il a été enterré en hiver, les tissus ne sont pas trop putréfiés. Mais évidemment maintenant qu'il est décongelé, ça va aller très vite.

— Mmm, acquiesça Anna-Maria en mordant dans sa tartine de pâté.

— Je comprends qu'on ait pu conclure à un suicide, les lésions externes évoquent une pendaison volontaire. Il y a une trace de corde autour du cou. On l'avait déjà décroché au moment où le médecin de famille l'a examiné, n'est-ce pas ?

— Oui, c'est sa femme qui a coupé la corde. Elle tenait à éviter les ragots. Örjan Bylund était un homme connu à Kiruna. Il a travaillé au journal local pendant plus de trente ans.

— Il est difficile de savoir si les lésions correspondent à… hhrrr… hrrrr… la corde au bout de laquelle il était pendu… hrr… »

Pohjanen s'interrompit pour se racler la gorge.

Anna-Maria Mella écarta le téléphone de son oreille en attendant qu'il ait fini. Cela ne la dérangeait pas de parler de cadavres pendant qu'elle mangeait mais écouter les bruits de gorge du médecin légiste lui coupait l'appétit. Il pouvait s'énerver contre les policiers qui transgressent les règles ! Lui qui était médecin et qui fumait comme un pompier. Et ce malgré l'ablation d'une tumeur à la gorge quelques années plus tôt.

Pohjanen reprit de sa voix caverneuse :

« J'avais quelques doutes déjà au moment de l'examen superficiel. J'avais remarqué de petits saignements du tissu conjonctif. Rien de bien méchant, des têtes d'épingle tout au plus. Mais il y avait aussi toutes ces hémorragies internes, en plusieurs endroits, autour du larynx et au niveau des muscles.

— Et alors ?

— Et alors, quand quelqu'un se pend, on ne trouve de lésion interne que sous et autour de l'emplacement de la corde.

— D'accord.

— Mais les lésions qu'on a ici sont trop étendues. En outre, l'os hyoïde est fracturé. »

Anna-Maria eut l'impression que Pohjanen était sur le point de raccrocher.

« Attends, dit Anna-Maria. Quelles sont tes conclusions ?

— On l'a étranglé, bien sûr. Ces lésions internes ne peuvent pas provenir d'une pendaison. Moi je parierais pour une mort par étranglement, avec les mains. Il avait bu. Beaucoup, même. J'irais interroger son épouse si j'étais toi. Il arrive qu'elles profitent de l'occasion quand leurs maris sont ivres morts.

— Ce n'est pas sa femme qui l'a tué, dit Anna-Maria. L'affaire est plus grave que cela. Beaucoup plus grave que cela. »

Par sa fenêtre, Mauri Kallis vit Ester qui partait courir. Elle salua Ulrika et Ebba au passage et continua vers le bois qui séparait le nouveau ponton de l'ancien. Elle allait toujours courir de ce côté-là, suivant un sentier qui menait au vieux débarcadère, où était amarré le bateau à moteur du garde-chasse de Mauri.

Cette passion pour l'entraînement physique avait chez elle complètement remplacé la peinture. Le phénomène était surprenant. Elle passait maintenant tous son temps à se documenter sur les protéines et la croissance musculaire, elle levait des poids et faisait son jogging tous les jours.

Elle courait en fermant les yeux. Comme si c'était un défi qu'elle s'était lancé. Courir sans entrer en collision avec les arbres. Ne rien voir et laisser ses pieds lui montrer le chemin.

Il se rappella un dîner, récemment. Il y avait les cousines d'Ebba de Scanie, Inna, Diddi avec sa femme et le petit prince. Ester venait d'emménager dans la pièce sous les combles et Inna avait réussi à la convaincre de dîner avec eux malgré ses réticences.

« Je dois m'entraîner, avait-elle d'abord répondu, les yeux baissés.

— Si tu ne manges pas, tu pourras t'entraîner autant que tu voudras, ça ne te servira à rien, lui avait expliqué Inna. Va faire ton footing et viens nous rejoindre quand tu auras fini. Tu pourras repartir tout de suite après, promis. Personne ne t'en voudra de sortir de table la première. »

Au beau milieu du dîner, avec nappe blanche, candélabres et couverts en argent, Ester était venue à table. Elle avait les cheveux mouillés et le visage écorché, sanguinolent.

Ebba l'avait présentée. Pâle et embarrassée derrière un sourire d'hôtesse et des phrases comme « école d'art » et « exposition remarquée à la galerie Lars Zanton ».

Inna avait eu le plus grand mal à garder son sérieux.

Ester avait mangé, concentrée, silencieuse, le visage en sang, prenant de grosses bouchées et laissant sa serviette inutilisée à côté de son assiette.

Lorsqu'ils étaient sortis fumer sur la terrasse après le dîner, Diddi avait expliqué :

« Je l'ai vue courir dans le bois jusqu'au vieux ponton, les yeux bandés. C'est pour ça qu'elle est dans cet état… »

Il leva la main vers son visage en faisant mine de se griffer pour illustrer sa phrase.

« Pourquoi est-ce qu'elle fait ça ? demanda une cousine d'Ester.

— Parce qu'elle est folle, proposa Diddi.

— Oui ! acquiesça gaiement Inna. Et c'est pour ça que nous devons vite la persuader de reprendre la peinture. »

Ester traversait la pelouse en ligne droite et faillit rentrer dans Ebba, Ulrika et le cheval noir. Jadis elle aurait remarqué sa jolie petite tête racée, sa belle allure et ses yeux immenses. Les lignes et les courbes qui se dessinaient sur son dos quand Ebba lui faisait dessiner des voltes dans la carrière. Courbe de l'encolure, panache de la queue, flexion des jambes, arrondi des sabots. Les lignes de la cavalière, le dos droit, le cou fin, le nez aquilin, les rênes tendues entre ses mains.

Mais Ester ne s'intéressait plus à ces choses-là, à présent. Elle ne voyait plus que les muscles de l'animal. Elle salua Ebba et Ulrika de la tête et songea qu'elle aussi était un étalon arabe.

Léger est mon fardeau, se disait-elle tandis qu'elle galopait vers le petit bois qui séparait le haras du lac Mälar. Elle commençait à connaître le sentier par cœur. Bientôt, elle pourrait parcourir le même trajet les yeux bandés sans heurter un seul arbre.

Les chiens furent les premiers à s'apercevoir que maman était malade. Elle l'avait caché à Ester, à Antte et à leur père.

Je n'avais rien compris, songeait Ester en courant. C'est étrange. Parfois le temps et l'espace cessent d'être des murs infranchissables, ils deviennent aussi transparents que du verre et je peux voir au travers. On peut connaître des choses sur les gens. De grandes et de petites choses. Pourtant quand il s'agissait d'elle, je ne voyais rien du tout. J'étais trop occupée par la peinture. J'étais tellement contente d'avoir enfin le droit de me servir de peinture à l'huile que je n'ai rien compris. Je ne voulais pas comprendre pourquoi elle me laissait enfin tenir le pinceau.

Elle courait plus vite. Les branches lui déchiraient le visage. Ça n'avait pas d'importance, elle en ressentait presque un soulagement.

« Bon, dit sa mère. Tu as toujours voulu peindre à l'huile. Tu veux que je t'apprenne ? »

Elle me permet de tendre moi-même la toile. Je me donne tant de mal pour la fixer sur le châssis que j'en ai mal à la tête. Je veux que le résultat soit parfait. Je tire et je plie et j'agrafe comme si ma vie en dépendait. C'est papa qui a fabriqué le châssis. Il ne veut pas que maman achète des cadres bon marché en bois vert qui risquent de se déformer.

Maman ne fait aucune remarque et je sais que cela veut dire que j'ai tendu la toile à la perfection. Elle en utilise une de qualité médiocre ce qui oblige à faire une sous-couche à la tempera. Elle me confie cette tâche. Puis elle trace des lignes de repère au fusain. Je dois rester à côté d'elle pour l'observer. Vexée, je me dis que lorsque je pourrai peindre vraiment toute seule, mes propres tableaux, je ne me servirai pas de fusain. Je travaillerai directement au pinceau. Dans ma tête j'imagine déjà des esquisses à la terre de Sienne brûlée ou au sang de bœuf.

Maman m'explique et je peins les grandes surfaces prédélimitées. La neige avec du blanc mélangé à du jaune cadmium. L'ombre de la montagne au bleu céruléum. Et la roche qui tire vers le violet foncé.

C'est difficile pour maman de ne pas tenir le pinceau elle-même. À plusieurs reprises, elle me le prend des mains.

« Tu dois donner de longs coups de pinceau, pas des petits coups hésitants en tremblant comme un faon. Mets de la couleur, n'aie pas peur. Ajoute du jaune, plus de jaune. Ne tiens pas le pinceau comme ça, ce n'est pas un stylo. »

Je commence par me rebiffer. Elle le sait, pourtant. Quand les couleurs sont trop criardes et trop agitées, les tableaux sont plus difficiles à vendre. Mais c'est ce qu'elle aime. C'est déjà arrivé. Le soir, papa regarde le tableau achevé et il dit : « Ça ne va pas. » Et elle est obligée de le modifier. Elle doit atténuer les couleurs trop franches pour les rendre plus douces. Dans ces cas-là, je la console :

« Le vrai tableau est toujours en dessous. Nous, on l'a vu. »

Maman repeint patiemment par-dessus mais le pinceau appuie un peu trop fort sur la toile.

« À quoi bon, dit-elle. Ce sont tous des imbéciles. »

Elle devenait de plus en plus irascible, songeait Ester en zigzaguant entre les arbres. Je ne comprenais pas pourquoi. Seuls les chiens comprenaient.

Maman a préparé une épaisse soupe de viande. Elle pose le gros fait-tout sur la table de la cuisine pour le laisser refroidir. Ensuite, elle versera la soupe dans des récipients en plastique et elle les mettra au congélateur. Pendant que la soupe refroidit, elle s'assied à son tour dans l'atelier pour faire quelques animaux en céramique.

Alertée par un bruit venant de l'étage supérieur, elle essuie ses mains couvertes de glaise dans son tablier et remonte dans la cuisine. Musta est debout sur la table. Elle a fait tomber le couvercle du chaudron et elle est en train de pêcher les os dans la soupe. Elle se brûle le museau sur la soupe bouillante mais ne peut s'empêcher de réessayer. Elle se brûle encore et aboie, furieuse, comme si la soupe faisait exprès de lui brûler la truffe et devait être réprimandée.

« Bon Dieu, mais ce n'est pas vrai ! » s'écrie maman avec un geste brusque vers la table pour chasser Musta ou peut-être pour la frapper.

À la vitesse de l'éclair, Musta lance une attaque. Elle grogne, essaye de mordre la main de maman, retrousse les babines.

Maman retire sa main, choquée. Aucun animal n'a jamais tenté de l'agresser auparavant. Elle va chercher le balai dans le coin de la pièce et l'utilise pour faire redescendre Musta de la table.

Cette fois, Musta la mord pour de bon. La soupe de viande est à elle et elle ne laissera personne la lui prendre.

Maman sort en marche arrière de la cuisine. Je rentre au même moment, je monte l'escalier et me cogne presque à elle sur le palier du premier. Elle se retourne, très pâle, serre son poing fermé et ensanglanté contre sa poitrine. Derrière elle je vois Musta debout sur la table de la cuisine. Comme un petit démon poilu montrant les crocs. Elle a les oreilles rabattues en arrière. Je regarde la chienne puis maman. Qu'a-t-il bien pu se passer ici ?

« Appelle papa et dis-lui de rentrer », me demande maman d'une voix blanche.

Papa arrive avec la Volvo un quart d'heure plus tard. Il ne dit pas grand-chose. Il va chercher le fusil et le jette à l'arrière de la voiture. Puis il revient chercher Musta. Elle n'a pas le temps de sauter de la table en le voyant. Elle gémit de douleur et de soumission quand il l'attrape par la nuque et la queue et la jette dans la voiture. Elle se couche sur la housse du fusil.

Monter dans la voiture est pour elle synonyme de travail passionnant à accomplir dehors. Elle ne sait pas ce qui l'attend. Nous ne la reverrons plus. Papa rentre le soir sans chien et personne n'évoque le sujet.

Musta était une chienne de tête extraordinaire. Papa a sûrement été triste de perdre un animal de travail aussi performant. Elle était capable de poursuivre un renne échappé dans la montagne et de revenir avec lui deux heures après.

Elle avait senti ce qui arrivait à maman. Eatnázan s'affaiblissait. Et Musta avait essayé de prendre sa place à la tête de la tribu.

Cet après-midi-là, maman est restée longtemps seule dans la cuisine. Elle me rembarrait si j'essayais de lui parler. Alors je me suis tenue à l'écart. J'ai compris qu'elle avait honte. Honte d'avoir eu peur de la chienne. Honte parce que sa peur et sa faiblesse avaient causé la mort de Musta.

Sven-Erik Stålnacke retourna voir Aira Bylund pendant sa pause déjeuner. Il s'était proposé pour le faire et Anna-Maria était ravie d'échapper à cette corvée. Assis à la table de cuisine d'Airi, il l'informa que son mari ne s'était pas suicidé et qu'il avait été assassiné.

Les mains d'Airi s'agitèrent dans tous les sens, comme si elles ne savaient plus où se poser. Elle effaça un pli inexistant sur la nappe.

« Vous me dites qu'il n'a pas mis fin à ses jours », dit-elle enfin, après un long silence.

Sven-Erik Stålnacke ouvrit la fermeture éclair de son blouson. Il faisait chaud dans la pièce. Elle venait de faire du pain. La chatte et ses chatons n'étaient visibles nulle part.

« Oui », confirma-t-il.

Un ou deux tics nerveux agitèrent les lèvres d'Airi Bylund. Elle se leva pour aller faire du café.

« J'y ai souvent pensé, dit-elle à Sven-Erik, le dos tourné. Je ne sais pas pourquoi. Il était le genre d'homme à broyer du noir, c'est vrai. Mais de là à partir comme ça… sans un mot. Et puis il y avait les garçons. Ils sont adultes maintenant, mais quand même… Nous avoir laissé tomber comme ça, du jour au lendemain. »

Elle posa des petits pains sur un plat et le plat sur la table.

« J'étais en colère. Vous ne pouvez pas savoir comme je lui en ai voulu.

— Il ne s'est pas suicidé », dit Sven-Erik en la regardant droit dans les yeux.

Elle soutint son regard. Il lut dans le sien ces derniers mois de colère, de peine et de douleur. Un poing dressé vers le ciel, un désespoir impuissant né d'une question sans réponse, celle de sa propre part de responsabilité.

Il se dit qu'elle avait de beaux yeux. Un soleil noir avec des rayons bleus dans un ciel gris. De beaux yeux et un cul magnifique.

Elle se mit à pleurer mais elle continua à le regarder pendant que les larmes coulaient sur ses joues.

Sven-Erik se leva et la prit dans ses bras. Il posa une main sur sa nuque, sentant la douceur de ses cheveux dans le creux de sa paume. La maman chat arriva en trottinant de la chambre à coucher, ses petits la suivant de près et vinrent tourner autour des jambes de Sven-Erik et d'Airi.

« Oh, mon Dieu ! s'écria Airi au bout d'un moment, reniflant et essuyant ses yeux dans sa manche. Le café va être froid.

— Ce n'est pas grave, dit Sven-Erik en la berçant doucement. Nous le ferons réchauffer au micro-ondes. »

Anna-Maria Mella entra dans le bureau du procureur Alf Björnfot à deux heures et quart de l'après-midi.

« Bonjour Anna-Maria, dit-il gaiement. Je suis content que vous ayez pu venir. Comment ça va ?

— Bien, je suppose », répondit Anna-Maria.

Elle se demandait ce qu'il lui voulait et aurait bien aimé qu'il aille droit au but.

Rebecka Martinsson était là aussi. Elle resta devant la fenêtre et la salua d'un bref hochement de tête.

« Et Sven-Erik ? demanda le procureur. Il n'est pas là ?

— Je l'ai appelé pour lui dire que vous vouliez nous voir. Il ne va pas tarder. Puis-je savoir ce qui... »

Le procureur se pencha vers elle en agitant un fax.

« Le laboratoire SKL nous a envoyé ses conclusions sur l'analyse de l'imperméable que les plongeurs ont trouvé dans le lac de Torneträsk, dit-il. Le sang trouvé sur l'épaule droite est celui d'Inna Wattrang. Et ils ont trouvé une trace ADN à l'intérieur du col... »

Il lui tendit le fax.

« ... Et la police britannique a trouvé un ADN correspondant dans son fichier d'empreintes génétiques.

— Morgan Douglas, lut Anna-Maria.

— Parachutiste dans l'armée britannique. Dans le milieu des années quatre-vingt-dix, il s'en prend à un officier, il est condamné pour violences et renvoyé de l'armée. Il entre ensuite chez Blackwater, une société spécialisée dans la protection des personnes et de leurs propriétés dans différentes régions agitées de la planète. Il travaille en Centrafrique et en Irak, au commencement du conflit. Un de ses collègues y est pris en otage par un groupe islamiste et exécuté. L'histoire remonte à un an à peu près. Je vous laisse deviner comment s'appelait le collègue en question.

— John McNamara, je présume, répondit Anna-Maria Mella.

— Exact. Et il a utilisé le passeport de son ami décédé pour entrer en Suède et louer la voiture à l'aéroport de Kiruna.

— Et maintenant ? On sait où il est ?

— La police britannique l'ignore, dit Rebecka Martinsson. Il n'est plus chez Blackwater, ça on en est sûr, mais ils refusent de donner la raison de son départ. Apparemment, il aurait démissionné. C'est toujours un peu difficile de soutirer des informations à ces boîtes de sécurité. Ils ne coopèrent pas volontiers avec la police. Ils n'ont pas très envie qu'on vienne fouiller dans leurs affaires. D'après l'ancien patron de Morgan Douglas chez Blackwater, il aurait été débauché par une société concurrente et il serait retourné en Afrique.

— Nous avons lancé un avis de recherche bien sûr, ajouta Alf Björnfot. Mais il y a peu de chances que nous le retrouvions. Il faudrait qu'il rentre en Angleterre, ensuite…

— Alors on fait quoi, maintenant, l'interrompit Anna-Maria. On l'oublie ?

— Non, bien sûr que non, riposta le procureur. Un type qui loue des voitures et qui voyage avec le passeport d'un autre…

— … et qu'on a payé pour tuer Inna Wattrang, termina Anna-Maria Mella. La question est de savoir qui l'a engagé. »

Alf Björnfot acquiesça.

« Il y a une personne qui savait où elle était, dit Anna-Maria. Et qui a menti à ce sujet. Son frère. Elle lui a téléphoné de la cabine publique d'Abisko.

— Vous prendrez le premier avion demain matin », dit Alf Björnfot en regardant l'heure.

On frappa doucement à la porte et Sven-Erik entra.

« Il faut que tu rentres préparer ton sac, lui dit Anna-Maria. Nous devrions pouvoir attraper le dernier avion pour rentrer demain soir. On achètera des brosses à dents sur place et… Mais qu'est-ce que je vois, là ?

— Eh oui, me voilà devenu papa », dit Sven-Erik.

Il rougit. Un chaton glissait la tête dans l'échancrure de son blouson.

« Il vient de chez Airi Bylund ? s'enquit Anna-Maria. Mais oui, je la reconnais. Salut Boxeuse !

— Regardez-moi ça, s'exclama Rebecka qui s'était approchée pour voir le chaton. Tu t'es pris un drôle d'œil au beurre noir, toi, dis donc ! »

Elle caressa la tête de la petite chatte avec sa tache sur l'œil. Mais cette dernière s'impatientait. Elle avait surtout envie de sortir du blouson de Sven-Erik et de partir à la découverte de son nouvel environnement. Téméraire, elle grimpa sur son épaule et s'y installa dans un équilibre précaire. Quand Sven-Erik essaya de la faire descendre, elle planta les griffes.

« Je peux m'en occuper en votre absence, si vous voulez », proposa Rebecka.

Alf Björnfot, Anna-Maria et Rebecka souriaient comme s'ils étaient en train de contempler l'enfant Jésus dans la crèche.

Sven-Erik éclata de rire. La chatte s'aggrippait obstinément à sa veste et avait maintenant entrepris de descendre le long de son dos, l'obligeant à se courber pour ne pas qu'elle dégringole. Les autres durent détacher les petites griffes une à une pour le libérer, la traitant tour à tour de « Boxeuse », de « Terreur », de « Crevette » et de « Voyou ».

Ebba Kallis fut réveillée parce qu'on sonnait à sa porte à une heure et demie du matin. Elle ouvrit et découvrit Ulrika Wattrang tremblant de froid en robe de chambre.

« Excuse-moi, lui dit Ulrika bouleversée, est-ce que tu peux me prêter trois mille couronnes ? Diddi vient de rentrer de Stockholm à l'instant, en taxi. Le chauffeur est furieux. Il a perdu son portefeuille et je n'ai pas autant d'argent sur moi. »

Mauri apparut dans l'escalier.

« Diddi est revenu, dit Ebba sans le regarder. En taxi. Et il n'a pas de quoi payer la course. »

Mauri laissa échapper un soupir de lassitude et remonta chercher son portefeuille dans sa chambre.

Ils se rendirent tous ensemble devant la maison de Diddi et d'Ulrika.

Diddi et le chauffeur parlementaient devant le taxi.

« Non, je ne la ramènerai pas à Stockholm. Vous descendez tous les deux ici. Et vous me donnez mon argent.

— Mais je ne sais même pas qui elle est, se défendait Diddi. J'ai besoin d'aller dormir.

— Vous n'irez nulle part, disait le chauffeur de taxi en attrapant Diddi par le bras. Pas avant de m'avoir payé.

— C'est bon, dit Mauri. Trois mille, c'est ça ? Vous êtes sûr du prix ? »

Il tendit sa carte American Express au chauffeur.

« Écoutez, ils m'ont d'abord fait faire tout le tour de Stockholm pour déposer des gens et je peux vous assurer que c'était une drôle d'engeance. Vous pouvez vérifier l'itinéraire si ça vous chante. »

Mauri secoua la tête et le chauffeur fit passer la carte dans son lecteur. Pendant ce temps, Diddi s'assoupissait debout, appuyé à la carrosserie.

« Et elle ? » demanda le chauffeur tandis que Mauri signait le reçu.

Il fit un geste du menton vers la banquette arrière où une jeune femme qui devait avoir à peu près vingt-cinq ans dormait profondément. Ses cheveux étaient longs et décolorés. Malgré la pénombre dans l'habitacle, on pouvait voir qu'elle était exagérément maquillée, avec des faux cils et un rouge à lèvres rose layette. Elle portait des bas résille et des bottes à talons. Sa robe était minimaliste.

Ulrika cacha son visage entre ses mains.

« Je n'en peux plus, gémit-elle.

— Elle n'habite pas ici, dit Mauri froidement.

— Si je dois la ramener, il faut me donner une rallonge. J'ai terminé mon service, moi. »

Mauri lui tendit sa carte sans un mot.

Le chauffeur monta dans sa voiture et fit un nouveau retrait. Puis il ressortit et fit signer le reçu à Mauri. Tout le monde se taisait.

« Vous pouvez m'ouvrir la grille ? » dit le chauffeur en s'asseyant derrière le volant.

Quand il démarra le moteur et partit, Diddi, qui était toujours appuyé à la voiture, tomba à la renverse sans essayer de se retenir.

Ulrika poussa un cri.

Mauri le remit debout. Ils le tournèrent de façon à ce que l'arrière de sa tête soit éclairée par la lumière du perron et ils inspectèrent sa nuque.

« Il saigne un peu, dit Ebba. Mais ça n'a pas l'air très grave.

— La grille ! » s'écria Ulrika, se précipitant dans la maison pour l'ouvrir depuis l'interphone.

Diddi saisit Mauri par les deux bras.

« Je crois que j'ai fait une grosse bêtise, dit-il.

— Ce n'est pas à moi que tu dois des excuses, lui dit Mauri avec dureté en se dégageant de son emprise. Rentrer ici avec une prostituée ! Tu l'as invitée à l'enterrement, aussi ? »

Diddi vacilla sur place.

« Va te faire foutre, Mauri », dit-il.

Mauri lui tourna le dos et retourna vers la maison à grandes enjambées. Ebba se précipita derrière lui.

Diddi ouvrit la bouche pour leur crier quelque chose mais Ulrika vint rapidement près de lui.

« Viens, dit-elle. Ça suffit maintenant. »

Vendredi 21 mars 2005

Anna-Maria Mella et Sven-Erik Stålnacke arrivèrent à Regla à dix heures du matin. Ils garèrent la Passat de location devant le premier portail de la propriété. Ils avaient pris l'avion à Kiruna de bonne heure et loué une voiture à Arlanda.

« C'est un vrai château fort, fit remarquer Anna-Maria en regardant à travers les barreaux les grilles doublées d'un mur d'enceinte qui entouraient le haras. Qu'est-ce qu'on fait avec ça ? »

Elle regarda l'interphone pendant quelques secondes et finit par presser le bouton sur lequel était représenté un combiné de téléphone. Au bout d'un moment, une voix répondit, leur demandant qui ils étaient et qui ils venaient voir.

Anna-Maria se présenta ainsi que Sven-Erik et exposa le motif de leur visite. Ils souhaitaient s'entretenir avec Diddi Wattrang ou avec Mauri Kallis.

La voix dans l'interphone les pria de patienter un petit instant. Après quoi il s'écoula un bon quart d'heure.

« Qu'est-ce qu'ils fabriquent ? » vociféra Anna-Maria en appuyant comme une folle sur le bouton avec le combiné de téléphone. Mais cette fois, personne ne répondit.

Sven-Erik s'éloigna à travers les arbres pour pisser un coup.

Quel bel endroit, se dit-il en admirant les grands chênes noueux et autres feuillus dont il ne connaissait pas le nom. La neige avait disparu. Anémones et hellébores commençaient à percer au travers de l'épais tapis de feuilles mortes de l'an passé. Il y avait du printemps dans l'air. Le soleil brillait. Il pensa à son chat. Et à Airi. Airi lui avait proposé de s'occuper de Boxeuse chaque fois qu'il en aurait besoin, mais Rebecka avait proposé ses services spontanément. Et c'était très bien comme ça. Qu'aurait pensé Airi s'il lui avait rapporté la chatte pour qu'elle la garde, le jour même où il l'avait adoptée.

Anna-Maria l'appelait depuis le gigantesque portail en fer forgé.

« Il y a quelqu'un qui vient. »

Une Mercedes vint se garer de l'autre côté de la grille. Mikael Wiik, le garde du corps de Mauri Kallis, en sortit.

Le portail était flanqué d'une petite porte prévue pour les piétons. Mikael Wiik salua les deux inspecteurs avec courtoisie mais il n'ouvrit ni le portail ni le portillon.

« Nous souhaiterions parler à Diddi Wattrang, dit Anna-Maria.

— C'est malheureusement impossible, répondit le chef de la sécurité. Diddi Wattrang est à Toronto.

— À Mauri Kallis dans ce cas.

— Désolé. Il est extrêmement occupé en ce moment. Je peux peut-être vous aider ?

— Oui, répliqua Anna-Maria, excédée. Vous pouvez nous aider à rencontrer Diddi Wattrang ou Mauri Kallis.

— Je peux vous donner le numéro de la secrétaire de M. Kallis. Elle vous donnera un rendez-vous.

— Vous n'avez pas l'air de comprendre que nous sommes venus dans le cadre d'une enquête pour meurtre, riposta Anna-Maria. Vous feriez mieux de nous laisser entrer. »

L'expression de Mikael Wiik se durcit légèrement.

« Vous avez déjà interrogé M. Kallis et également M. Wattrang. Vous devez comprendre que ce sont des gens qui ont énormément à faire. Je pourrai peut-être vous obtenir un rendez-vous avec Mauri Kallis lundi, ce qui est normalement irréalisable. En revanche je ne peux pas vous dire quand reviendra M. Wattrang. »

Il tendit une carte de visite à Anna-Maria à travers les barreaux.

« Voici le numéro de la ligne directe du secrétariat de M. Kallis. Y a-t-il autre chose que je puisse faire pour vous ? Je dois… »

Il n'alla pas plus loin car une voiture était apparue dans l'allée se dirigeant vers Regla. Une Chevrolet Chevy Van aux vitres fumées qui s'arrêta derrière la Volkswagen de location d'Anna-Maria et Sven-Erik. Un homme en sortit, en costume sombre et polo noir.

Anna-Maria baissa les yeux vers les chaussures de l'homme : légères mais solides, en Gore-Tex.

Un autre homme était assis à la place du passager. Il était coiffé en brosse et vêtu de noir. L'inspecteur

Mella eut le temps d'apercevoir deux hommes sur la banquette arrière avant que la portière de la voiture se referme. Qui étaient ces gens ?

L'homme qui était sorti de la voiture ne dit rien, ne se présenta pas, se contenta de hocher la tête à l'intention de Mikael Wiik. Mikael Wiik répondit à son salut de manière quasi imperceptible.

« Alors, si c'est tout ce qu'il y avait pour votre service... », dit Mikael Wiik aux deux inspecteurs.

Anna-Maria rongeait son frein. Elle n'avait rien à opposer à son refus de les laisser entrer.

Sven-Erik lui lança un regard qui disait : « Désolé. Pas d'idées. »

« Et vous, qui êtes-vous ? s'enquit Anna-Maria auprès du nouvel arrivant.

— Je vais reculer afin que vous puissiez partir », dit l'homme au lieu de répondre à la question, tout en remontant dans la Chevrolet.

La visite à Regla était terminée avant même d'avoir commencé. Avant de s'asseoir au volant, Anna-Maria remarqua une jeune femme à l'intérieur des grilles. Elle était en survêtement et se tenait immobile au milieu d'un parterre d'anémones.

« Qu'est-ce qu'elle fait là ? demanda-t-elle à Sven-Erik.

— On dirait qu'elle regarde les fleurs, mais je t'accorde qu'elle a l'air un peu désorientée. Eh ! Attention aux racines, jeune fille ! »

La fin de la phrase s'adressait à la jeune joggeuse qui s'était soudain mise à faire plusieurs pas en arrière sans regarder où elle allait.

Ester Kallis regardait le sol. Il y avait tout à coup des fleurs partout sur la pelouse. C'était la première fois qu'elle les remarquait. Toutes ces anémones étaient-elles là hier ? Elle regarda autour d'elle quelques instants, sans prêter attention aux voitures et aux gens qui se trouvaient près de la grille.

Puis elle leva les yeux vers la chênaie.

C'est alors qu'elle sentit sa présence. Elle savait qu'il était là. À un kilomètre de distance à peu près. Un loup perché sur un chêne.

Il les observait avec ses jumelles. Faisait le compte des gens qui entraient et de ceux qui sortaient. Et en ce moment, c'était elle qu'il regardait.

Elle fit quelques pas en arrière et faillit trébucher sur une racine.

Puis elle se mit à courir. S'échappa au galop, loin de la forêt et des fleurs. L'histoire était bientôt terminée.

C'est presque l'été. Ester a quinze ans et elle vient de finir le collège. On lui a offert un bloc de papier à aquarelles en récompense de son brevet. La montagne est pleine de fleurs. Chaque jour elle se cache dans les fourrés à la lisière de la forêt pour dessiner. Le soir, elle rentre à la maison, dévorée par les moustiques et enchantée de sa journée. Elle rejoint sa mère dans l'atelier et elle met de la couleur dans ses dessins. C'est merveilleux de travailler avec du bon papier sur lequel elle peut peindre sans qu'il gondole. Maman s'arrête un instant pour regarder ses dessins : anémones sauvages, sceptre de Charles découvert au bord du lac de Nuotjanjaure, framboisiers à fleurs blanches, boutons d'or grassouillets. Ester a soigné les détails. Sa mère la félicite pour les fines nervures sur les pétales.

« C'est ravissant », dit-elle.

Elle lui conseille de noter les noms latins des fleurs à côté de leurs noms lapons.

« Ils aiment bien ça », lui explique-t-elle.

« Ils », ce sont les touristes de la station. Maman trouve qu'Ester devrait encadrer ses tableaux en passe-partout et aller les vendre à Abisko. « C'est bon marché et joli », dit-elle. Ester hésite.

« Tu pourras t'acheter de la peinture à l'huile avec l'argent », ajoute sa mère. L'argument suffit à convaincre Ester.

Ester attend dans le hall d'accueil de la station touristique. Elle regarde passer par la fenêtre un convoi de minerai en route pour Narvik. Il est dix heures du matin. Dehors, au soleil, un groupe de randonneurs est occupé à régler les sangles de leurs sacs à dos. Un chien court dans leurs jambes en remuant la queue, fou d'excitation. Elle pense à Musta.

Soudain, elle sent la présence de quelqu'un derrière elle en train de regarder ses dessins. Elle se retourne et se trouve nez à nez avec une femme d'une cinquantaine d'années, en anorak rouge et pantalon couleur mastic. Ses vêtements viennent du magasin d'équipement Fjällräven et ont l'air de n'avoir jamais été portés. « Ils » achètent pour plusieurs milliers de couronnes de vêtements pour aller marcher une seule journée.

La femme se penche sur ses aquarelles.

« Ce n'est pas toi qui as fait ça, si ? »

Ester hoche la tête. Elle devrait évidemment dire quelque chose mais ses lèvres restent closes. Elle ne parvient ni à penser, ni à parler.

La femme ne semble pas remarquer son silence. Elle soulève les dessins l'un après l'autre et les observe avec attention. Ensuite elle regarde Ester avec le même regard intrigué.

« Quel âge as-tu ?

— Quinze ans », répond Ester au prix d'un effort et les yeux rivés au sol.

La femme agite une main et un homme d'à peu près son âge se matérialise brusquement à ses côtés. Il sort son portefeuille et la femme achète à Ester trois de ses tableaux.

« Est-ce que tu peins autre chose que des fleurs ? » lui demande-t-elle.

Ester acquiesce et sans qu'elle sache comment c'est arrivé, ils conviennent de lui rendre visite à l'atelier de sa mère.

Ils viennent le soir même dans une Audi de location. La femme porte maintenant un jean et un gilet luxueux dans sa simplicité. L'homme porte encore son pantalon Fjällräven d'une propreté parfaite, une chemise et un chapeau de cow-boy en cuir. Il marche en retrait de la femme. Elle tend la main la première. Se présente sous le nom de Gunilla Petrini et raconte à maman qu'elle est la conservatrice du musée Färgfabriken et qu'elle fait partie de la Commission nationale pour la promotion de l'art.

Maman se tourne vers Ester et la regarde un long moment.

« Qu'est-ce qu'il y a ? lui chuchote Ester dans la cuisine pendant que Gunilla Petrini feuillette son carton à dessins.

— Tu m'as dit que c'était une touriste qui venait jeter un coup d'œil. »

Ester hoche la tête. Ce sont bien des touristes.

Maman ouvre le placard et trouve un demi-paquet de biscuits à leur offrir. Ester l'observe avec surprise tandis qu'elle dispose soigneusement les biscuits en cercle sur un plat.

Gunilla Petrini et son compagnon regardent également les tableaux de maman avec un intérêt poli, mais quand la femme plonge le nez dans le carton d'Ester, on dirait un lièvre dans un champ.

Son mari a une préférence pour les dessins qu'Ester a faits quand maman et elle sont allées aux bains publics à Kiruna. Sur l'un d'entre eux, on voit Siiri Aidanpää les yeux fermés sous le sèche-cheveux. Elle a des bigoudis sur la tête et des boucles d'oreilles en argent en forme de symbole sami alors qu'elle n'est même pas lapone. Sa poitrine opulente est serrée dans un soutien-gorge sans dentelles d'une taille considérable, son ventre et ses fesses sont bien en chair.

« Qu'elle est belle », dit-il de la vieille dame de soixante-dix ans.

Ester a peint sa culotte en rose saumon. C'est l'unique tache de couleur du tableau. C'est parce qu'un jour, elle a vu de vieilles photographies colorisées, qu'elle a essayé d'imiter l'impression de douceur qu'elle a ressentie alors.

Sur les autres dessins des bains publics, on voit des vieux messieurs qui nagent en file indienne dans le couloir de remise en forme de la piscine, les anciennes cabines d'essayage datant du début des années soixante en bois sombre avec une couchette et une petite penderie, le panneau au-dessus de l'entrée des douches avec son inscription en lettres argentées et en caractères Futura qui dit « Lampe à quartz ». Tous les autres tableaux sont des paysages de Rensjön ou d'Abisko.

Comme le monde est petit, songent Gunilla Petrini et son mari.

« Donc, comme je vous le disais, je suis conservatrice du musée Färgfabriken », répète Gunilla Petrini à maman.

Elles discutent en tête à tête. Ester et le mari de Gunilla sortent regarder les rennes dans l'enclos de l'autre côté de la voie ferrée.

« Je fais partie de la Commission pour la promotion de l'art en Suède et j'achète des œuvres pour une série de grosses sociétés. Je suis très influente dans le monde de l'art. »

Maman sourit. Elle avait déjà compris.

« Je suis très impressionnée par le travail d'Ester. Et ça ne m'arrive pas souvent. Elle ne va plus au collège, n'est-ce pas ? Quels sont ses projets pour la suite ?

— Ester n'est pas très intéressée par les études, mais elle a été acceptée en filière professionnelle sanitaire et sociale. »

Gunilla Petrini inspire longuement, tâchant de garder son calme. Elle se voit soudain dans le rôle du preux chevalier venant au secours de la jeune fille en détresse. Filière professionnelle sanitaire et sociale !

« Vous n'avez jamais envisagé de la laisser faire des études artistiques ? demande-t-elle d'une voix douce.

Elle est peut-être un peu jeune pour entrer à la faculté des arts mais il existe des écoles préparatoires. L'école d'arts plastiques de Lovén par exemple. Le directeur et moi sommes de vieux amis.

— Stockholm, dit maman.

— C'est une grande ville, mais je serais là pour m'occuper d'elle, bien entendu. »

Gunilla Petrini se trompe. La mère d'Ester ne s'inquiète pas du fait que sa fille est trop jeune pour vivre dans la capitale. Au contraire, c'est l'envie qu'elle vient d'exprimer, parce qu'elle-même est exilée dans cette existence, avec mari et enfants. C'est le regret de tous ces tableaux enfermés dans son esprit qui ne verront jamais le jour.

Plus tard ce soir-là, dans la cuisine, la mère et la fille en parlent.

« Ils te trouvent exotique, forcément, dit maman en entrechoquant les assiettes. Une Indienne en costume lapon qui peint des montagnes et des rennes.

— Je n'ai pas envie d'y aller, réplique Ester pour calmer sa mère bien qu'elle ne sache pas très bien ce qui l'énerve tant.

— Bien sûr que tu vas y aller », riposte maman avec autorité.

Papa ne se prononce pas. Pour les choses importantes, c'est maman qui décide.

Anna-Maria Mella et Sven-Erik Stålnacke partirent de Regla. Dans le rétroviseur, Anna-Maria vit Mikael Wiik ouvrir le portail à la Chevrolet aux vitres fumées.

« C'était qui, ces types ? » se demanda-t-elle, à voix haute.

Et en se posant la question, elle trouva la réponse. Les chaussures pratiques, le regard de connivence entre Mikael Wiik et le chauffeur du véhicule.

« C'était des agents de sécurité, dit-elle à Sven-Erik. Je me demande ce qui se trame.

— Ils doivent organiser un genre de réunion au sommet, à part qu'eux ont des gardes du corps, contrairement aux politiciens suédois. »

Le téléphone d'Anna-Maria sonna et Sven-Erik lui tint le volant pendant qu'elle fouillait dans sa poche. C'était Tommy Rantakyrö.

« Bonjour, ici le standardiste de madame », dit-il d'un ton faussement contrarié.

Anna-Maria rit à la plaisanterie.

« Le virement sur le compte d'Inna Wattrang, poursuivit son collaborateur, a été effectué à la succursale Skandinaviska Enskilda Banken qui se trouve dans Hantverkargatan. Il y a un type qui a appelé Inna

Wattrang un nombre incalculable de fois depuis une ligne privée dans le même quartier.

— Sois gentil de m'envoyer l'adresse par SMS, Sven-Erik n'est pas rassuré quand il me voit noter des adresses en conduisant. »

Elle jeta un regard taquin à Sven-Erik.

« Je m'en occupe, promit Tommy Rantakyrö. Garde les mains sur le volant. »

Une heure et dix minutes plus tard, ils faisaient le pied de grue devant la porte cochère du 34 Norr Mälarstrand où résidait le dénommé Malte Gabrielsson. Ils attendirent qu'une dame sorte promener son chien pour entrer dans le bâtiment.

Sven-Erik chercha le nom de Malte Gabrielsson sur la liste des résidants pendant qu'Anna-Maria examinait les lieux. D'un côté la porte d'entrée, de l'autre l'accès à la cour de l'immeuble.

« Regarde », dit-elle, tournée vers la cour.

Sven-Erik suivit son regard sans comprendre ce qu'elle essayait de lui montrer.

« Ils font le tri sélectif. Viens. »

Anna-Maria commença à fouiller les sacs-poubelle.

« Bingo, dit-elle au bout d'un moment, brandissant un magazine de golf qui portait une étiquette avec le nom de Malte Gabrielsson. C'est la caisse du résidant M. Gabrielsson. »

Elle continua à farfouiller dans les papiers, et au bout de quelques minutes elle tendit à Sven-Erik une enveloppe. Au dos quelqu'un avait noté une liste de courses avec un stylo à encre.

« Lait, moutarde, crème fraîche, menthe…, lut Sven-Erik.

— On s'en fiche de ça. Je te parle de l'écriture. C'est la même que le message sur le bordereau de la banque qui disait : "Ce n'est pas pour acheter ton silence." »

Malte Gabrielsson habitait au troisième étage. Ils sonnèrent à la porte. Au bout de quelques minutes, on vint l'entrouvrir prudemment. Un homme d'une soixantaine d'années les regarda par-dessus la chaîne de sécurité. Il était en robe de chambre.

« Monsieur Malte Gabrielsson ? dit Anna-Maria.

— Oui ?

— Anna-Maria Mella et Sven-Erik Stålnacke, police judiciaire de Kiruna. Nous aimerions vous poser quelques questions à propos d'Inna Wattrang.

— Excusez-moi, mais puis-je vous demander comment vous êtes entrés dans l'immeuble ? Il y a un digicode à la porte.

— Pouvons-nous entrer ?

— Suis-je soupçonné de quelque chose ?

— Pas du tout, nous voudrions simplement…

— Écoutez. Je suis terriblement enrhumé et… bref, je ne suis pas très en forme. Alors si vous avez des questions à me poser, je vais vous demander de repasser à un autre moment.

— Je vous assure que ce ne sera pas long », insista Anna-Maria mais avant qu'elle soit arrivée au bout de sa phrase, Malte Gabrielsson avait refermé la porte.

Anna-Maria appuya son front contre le chambranle.

« Donnez-moi la force, murmura-t-elle. J'en ai vraiment marre de ces gens qui me traitent comme si j'étais leur femme de ménage polonaise. »

Elle frappa violemment à la porte.

« Ouvrez, nom de Dieu ! » gueula-t-elle.

Elle ouvrit l'abattant de la boîte aux lettres et cria à l'intérieur de l'appartement :

« Nous enquêtons sur une affaire de meurtre. Si j'étais vous, je parlerais maintenant. Sinon je vous envoie des collègues en uniforme sur votre lieu de travail et ils vous emmèneront au commissariat pour un interrogatoire. Ou frapper à la porte de tous vos voisins pour leur poser des questions sur vous. Nous savons que vous avez versé deux cent mille couronnes à Inna Wattrang avant sa mort. Nous pouvons le prouver. C'est votre écriture qui se trouve sur le bordereau de virement. Vous ne vous débarrasserez pas de moi comme ça. »

La porte s'ouvrit à nouveau et Malte Gabrielsson ôta la chaîne de sécurité.

« Entrez », dit-il avec un regard inquiet vers la cage d'escalier.

Tout à coup il était devenu l'amabilité même. Debout dans son vestibule, en robe de chambre, il prit leurs blousons et les suspendit au portemanteau. Il se comportait comme s'il ne les avait pas rembarrés la minute d'avant.

« Je peux vous offrir quelque chose ? proposa-t-il quand ils furent assis tous les trois dans son salon. Je n'ai pas pu faire de courses à cause de mon rhume, mais je peux vous faire un petit café, si vous voulez. »

Les canapés étaient blancs, la moquette était blanche, les murs étaient blancs. De grandes toiles abstraites et quelques objets d'art apportaient à eux seuls quelques rares taches de couleur. L'appartement était extraordinairement clair. Haut de plafond avec de grandes fenêtres. Il n'y avait pas le moindre objet qui ne fût à sa place. La plaque sur la porte indiquait son nom et aucun autre. Il devait donc habiter seul dans ce logement immaculé.

« Merci, ça ira », répondit Anna-Maria Mella.

Puis elle alla droit au but :

« "Ce n'est pas pour acheter ton silence." C'était pour quoi, alors, cet argent ? »

Malte Gabrielsson alla pêcher dans la poche de sa robe de chambre un mouchoir roulé en une toute petite boule compacte et il entreprit d'essuyer avec des tapotements délicats son nez abîmé par la rhinite. Anna-Maria frissonna de dégoût à l'idée de récupérer un mouchoir aussi morveux et de devoir le mettre à laver.

« C'était un cadeau, rien d'autre, dit l'enrhumé.

— À d'autres, répliqua Anna-Maria en souriant. On ne se débarrasse pas de moi aussi facilement.

— Bon, d'accord, dit-il. Vous l'auriez découvert tôt ou tard… Inna et moi avons eu une liaison pendant quelque temps. Nous nous sommes disputés et je lui ai mis une ou deux claques.

— Mais encore ? »

Malte Gabrielsson eut tout à coup un air triste, pathétique et vulnérable dans sa robe de chambre.

« Je crois que je l'ai giflée parce que je sentais qu'elle s'était lassée de moi. Elle m'aurait quitté quoi que je fasse. Cette idée m'était insupportable. Alors je me suis autorisé à… perdre mon sang-froid, si je peux m'exprimer ainsi. Comme ça, je pouvais toujours m'imaginer que c'était à cause de ça. Je savais que c'était fini de toute façon. J'y ai beaucoup repensé par la suite.

— Pourquoi lui avez-vous donné de l'argent ?

— Un coup de tête. Je lui avais laissé un message sur son répondeur qui disait : "Ce n'est pas pour acheter ton silence. Je suis un salaud. Si tu veux aller porter plainte, fais-le. Achète-toi quelque chose de joli. Un tableau ou un bijou. Merci pour ce moment, Inna."

— Deux cent mille couronnes, c'est bien payé pour une ou deux gifles, fit remarquer Anna-Maria.

— Devant la loi, cela reste un acte de violence. Je suis avocat. Si elle m'avait dénoncé, j'aurais été rayé du barreau. »

Il regarda Anna-Maria droit dans les yeux et dit avec force :

« Je ne l'ai pas tuée.

— Vous la connaissiez. Y a-t-il quelqu'un dans son entourage qui pouvait souhaiter sa mort ?

— Je l'ignore.

— Quelles relations avait-elle avec son frère ?

— Elle n'en parlait pas très souvent. J'ai eu le sentiment qu'elle avait du mal à le supporter ces derniers temps. Qu'elle en avait assez de réparer ses bêtises. Pourquoi ne lui posez-vous pas la question directement ?

— J'aimerais bien mais il est en voyage d'affaires au Canada.

— Alors comme ça, Mauri et Diddi sont au Canada ! »

Malte Gabrielsson s'épongea le nez derechef.

« Ils n'ont pas mis longtemps à faire leur deuil, dites donc !

— Mauri Kallis n'est pas au Canada. Seulement Diddi Wattrang », précisa Anna-Maria.

Malte Gabrielsson interrompit son mouchage.

« Diddi tout seul ? J'en doute !

— Que voulez-vous dire ?

— D'après Inna, il y a longtemps que Mauri n'a pas laissé Diddi traiter une quelconque affaire tout seul. Il n'a aucun discernement. Il aurait pris un tas de décisions stupides, *quick and dirty*, comme on dit. Vite fait, mal fait. Non, quand il part en voyage d'affaires, c'est toujours soit avec Inna – enfin, c'était toujours –, soit avec Mauri, soit avec les deux. Jamais seul. Il commet trop de maladresses. Je crois que Mauri ne lui fait plus confiance non plus. »

Quand ils furent de retour dans la rue, Sven-Erik poussa un soupir :

« Les gens me font de la peine.

— De la peine ? s'exclama Anna-Maria. Tu ne vas pas plaindre ce type-là quand même ?

— Il m'a semblé incroyablement seul. Un avocat, ça doit gagner beaucoup d'argent. Eh bien tu vois, là, il est malade et il n'a personne pour s'occuper de lui. Et puis cet appartement ! Tu trouves que ça ressemble à un foyer, toi ? Il devrait prendre un chat.

— Tu veux qu'il le mette dans la machine à laver ! Arrête ! C'est un sale type qui frappe les femmes et qui pleurniche sur son sort parce que celle-là l'a plaqué. Et son histoire d'une claque ou deux, c'est lui qui le dit ! Je n'y crois pas une seconde. Bon, qu'est-ce que tu dirais d'aller manger un bout ? »

Inna Wattrang passe en voiture la grille du domaine de Regla. Nous sommes le 2 décembre. Elle se gare devant l'ancien lavoir qui est maintenant sa maison et se prépare à sortir de la voiture. Ça ne va pas être facile.

Elle a fait toute la route depuis Stockholm dans cet état mais maintenant qu'elle est arrivée à destination, elle réalise qu'elle n'a plus aucune force dans les bras. Elle parvient à peine à remettre le levier en position parking pour pouvoir sortir la clé du contact.

Elle se demande comment elle est rentrée jusqu'ici. Elle a fait tout le trajet presque sans rien y voir, en se bornant à suivre les feux arrière de la voiture devant elle. L'un de ses yeux est complètement fermé et elle a gardé le menton levé tout le temps pour que son nez ne se remette pas à saigner.

Elle cherche à tâtons la boucle de la ceinture de sécurité pour se détacher et réalise qu'elle ne l'a pas attachée. Elle n'a même pas remarqué le signal sonore qui a forcément dû lui indiquer cet oubli.

Elle se sent raide et lorsqu'elle tend la main pour ouvrir la portière, une douleur intense la transperce au-dessus de la poitrine. Quand elle inspire sous l'effet de la douleur, celle-ci est deux fois plus forte. Il a dû lui casser plusieurs côtes.

Elle en rirait presque si tout cela n'était pas si lamentable. Elle s'extrait de la voiture avec difficulté, s'accroche à la portière d'une main, ne réussit pas à se mettre debout, reste pliée en deux, le souffle coupé à cause de ses côtes fêlées. Elle cherche les clés de la porte d'entrée en espérant que son nez ne va pas se remettre à saigner. Elle aime bien le sac Vuitton qu'elle porte aujourd'hui et ne voudrait pas le tacher.

Elle n'arrive pas à mettre la main sur cette fichue clé. Il fait trop sombre. Elle met le cap sur le lampadaire en fer forgé noir qui se trouve à l'angle de la maison. Alors qu'elle est justement bien visible dans le halo du réverbère, elle entend les voix d'Ebba et d'Ulrika dans la nuit. Les épouses de Mauri et de Diddi ne sont qu'à quelques mètres de l'endroit où elle se trouve. Parfois, elles prennent le bateau pour Hedlandet afin de rejoindre des amies avec qui elles se rendent à des dégustations de vin, font des dîners entre filles et passent de bons moments, sans leurs enfants. Quand elles rentrent, elles prennent la plupart du temps le raccourci qui passe devant chez Inna. Les deux femmes papotent gaiement et semblent beaucoup s'amuser.

Elles aussi ont dû avoir une soirée mouvementée, se dit Inna avec un sourire amer.

Elle songe un instant à se cacher mais se dit qu'elle friserait le grotesque en essayant de fuir dans l'obscurité, clopin-clopant comme une version féminine de Quasimodo.

Ulrika l'aperçoit la première.

« Inna ! » s'exclame-t-elle, la voix vaguement interrogative parce que déjà elle s'est aperçue que quelque chose ne va pas. Elle est saoule, ou quoi ? doit-elle se demander. Pourquoi se tient-elle courbée comme ça ?

Ebba l'appelle à son tour.

« Inna ? Inna, réponds ! »

Toutes les deux se mettent à courir sur les graviers de la cour.

Elles la harcèlent de questions. Inna a l'impression d'être enfermée dans un placard en compagnie d'un essaim d'abeilles.

Bien sûr, elle ne leur dit pas la vérité. En général, elle ment très bien. Mais ce soir, elle est un peu trop fatiguée et elle a vraiment mal partout.

Elle invente rapidement une histoire. Dit qu'une bande de voyous l'a agressée dans le quartier de Humlegården... Oui, ils ont volé son portefeuille... Non, elle ne veut pas qu'Ulrika et Ebba appellent la police... Pourquoi ? Parce qu'elle ne veut pas, voilà tout !

« Il faut juste que j'aille m'allonger, tente-t-elle. Est-ce que l'une d'entre vous pourrait m'aider à trouver mes putains de clés dans mon foutu sac à main ? »

Elle jure pour ne pas se mettre à pleurer.

« Ce n'est peut-être pas bon pour toi de t'allonger, lui dit Ulrika pendant qu'Ebba fouille le sac d'Inna et finit par trouver la clé de sa porte d'entrée. Ils t'ont donné des coups de pied ? Tu as peut-être une hémorragie interne. Il faudrait au moins appeler un médecin, Inna. »

Inna retient un cri d'exaspération. Si elle avait une arme, elle les tuerait toutes les deux pour avoir la paix.

« Je n'ai pas d'hémorragie interne ! » rugit-elle.

Ebba ouvre la porte et allume la lumière.

« Ton portefeuille est là », dit-elle en le sortant du sac. Elle fait une drôle de tête. Dans la lumière du vestibule, elles voient mieux l'étendue des dégâts. Et elles ne savent que penser.

Inna s'efforce de sourire.

« Merci. Vous êtes... adorables... »

Merde. Elle leur parle comme s'il s'agissait de deux ours en peluche, ne parvient pas à s'exprimer naturellement. Elle voudrait tellement qu'elles s'en aillent.

« … On parlera de ça demain, d'accord ? J'ai seulement besoin qu'on me fiche la paix, maintenant… S'il vous plaît, ne dites rien à Diddi et à Mauri. Demain, il fera jour. »

Elle ferme la porte sur leurs regards de biches effrayées.

Elle se débarrasse de ses chaussures et se hisse marche après marche en haut de l'escalier. Elle ouvre l'armoire à pharmacie, avale plusieurs anxiolitiques, faisant couler l'eau dans le creux de sa main pour les avaler. Elle prend aussi deux comprimés de somnifères qu'elle fait fondre lentement dans sa bouche pour que l'effet soit plus rapide.

Elle se demande si elle a le courage de redescendre dans la cuisine chercher la bouteille de whisky.

Elle s'assied au bord de son lit et bascule en arrière, goûtant la saveur amère de l'Imovane dans sa bouche. Dégueulasse. Ça va aller maintenant.

La porte s'ouvre et se referme dans l'entrée. Des pas précipités dans l'escalier. La voix de Diddi.

« C'est moi. »

C'est toujours comme ça qu'il s'annonce. Il ouvre la porte et entre en disant ces mots-là, toujours. Et depuis qu'il est marié, ils donnent à Inna l'impression de jouer le rôle de la maîtresse qu'on a installée dans ses meubles.

« Qui ? est la seule question qu'il lui pose en voyant son nez tuméfié, sa lèvre éclatée, son œil fermé et son chemisier couvert de sang.

— Malte, répond-elle. Il s'est un peu énervé. »

Elle lui sourit avec toute l'autodérision dont elle est encore capable. Rire est exclu à cause de ses côtes, toujours douloureuses malgré les médicaments.

« Tu trouves que j'ai une sale gueule ? Tu devrais voir l'état de la moquette blanche de sa chambre », plaisante-t-elle.

Diddi ne trouve pas ça drôle.

Mon Dieu, ce qu'il est devenu triste, songe Inna. Il lui donne envie de vomir.

« Tu as très mal ? lui demande-t-il.

— Ça va déjà mieux.

— Tu veux qu'on s'occupe de toi ? Tu as besoin de quelque chose en particulier ?

— De la glace. Je vais être complètement défigurée demain. Et une ligne de coke. »

Il lui apporte ce qu'elle demande et lui verse aussi un verre de whisky. Elle commence à aller presque bien en dépit des circonstances. Elle a moins mal, le whisky la réchauffe à l'intérieur et la détend, la cocaïne lui redonne de l'énergie.

Diddi déboutonne le chemisier de sa sœur et il le lui enlève délicatement. Il trempe une serviette-éponge dans l'eau chaude et lave le sang sur son visage et dans ses cheveux.

Inna presse un torchon plein de glace sur son œil et lance quelques répliques à la Rocky Balboa :

« *I can't see nothing, you got to open my eye... Cut me, Mick... If you stop this fight, I'll kill you*[1]... »

Diddi s'assied entre ses jambes et glisse ses mains sous sa robe. Il détache les clips du porte-jarretelles, dépose des baisers au creux de ses genoux pendant qu'il lui retire les bas.

---

1. « Je ne vois rien, il faut que tu m'ouvres cet œil... Découpe la paupière, Mick... Si tu stoppes ce combat, je te tue. »

Ses mains remontent le long de ses cuisses nues. Tremblantes de désir. À l'intérieur de sa culotte, elle est encore gluante du sperme d'un autre homme. C'est incroyablement excitant.

Mauri et lui se moquent souvent des amants d'Inna. Elle a le chic pour tomber sur des hommes improbables. Mauri et lui se demandent souvent où elle les trouve.

On déposerait Inna sur une île déserte au milieu de l'océan, il arriverait quand même un type avec une perruque et un smoking plein d'obscures attentes qu'Inna est capable de satisfaire.

Parfois, elle leur raconte. Pour les distraire. Comme l'année dernière quand elle leur a envoyé un texto d'un palace à Buenos Aires. « Je ne suis pas sortie de la chambre d'hôtel depuis une semaine », disait son message.

Quand elle était rentrée, ils attendaient comme deux labradors impatients qu'elle veuille bien leur jeter un os. « Raconte ! Raconte ! »

Inna avait éclaté de rire.

L'ami en question était un courtier en bateaux, un *boat spotter* comme on les appelle.

« Il se promène dans toutes les villes portuaires de la planète. Il s'installe dans un hôtel de luxe avec vue sur le port et passe une semaine sur la terrasse à repérer des bateaux. Merci de la fermer pendant que je parle. »

Mauri et Diddi obtempèrent.

« Il les filme aussi, avait-elle poursuivi. Au mariage de sa fille l'année dernière il a passé des films de bateaux entrant et sortant de différents ports un peu partout dans le monde. Ça a duré vingt minutes. Cela n'a amusé que très moyennement la noce. »

Elle avait fait un geste de couci-couça pour illustrer l'intérêt mitigé des convives.

« Et toi, qu'est-ce que tu faisais pendant qu'il répertoriait les bateaux ? lui avait demandé Mauri.

— J'ai lu une montagne de bouquins. Lui ce qu'il voulait c'est que je reste allongée sur le lit à l'écouter parler de ce qu'il faisait. Cela dit, maintenant vous pouvez me demander n'importe quoi sur les navires citernes et je vous répondrai. »

Ils avaient rigolé. Diddi, lui, s'était dit avec fierté que cette fille était sa sœur. Pour elle, tout allait toujours bien. Elle rencontrait d'étranges camarades de jeu. Elle les aimait. Elle les trouvait intéressants. Elle les aidait à réaliser leurs rêves. Et le plus souvent c'était aussi innocent que son histoire de *boat spotter*.

À vrai dire, tout était innocent à ses yeux.

Les jeux auxquels nous jouons tous les deux le sont aussi, songe Diddi en cherchant du bout des doigts le sexe d'Inna. Tout est admis du moment que toutes les parties sont consentantes.

Il a la nostalgie du sentiment qui les animait jadis. Le sentiment que la vie était aussi volatile que l'éther. Que chaque heure n'existe que dans le présent et s'enfuit ensuite à jamais. La certitude d'être pour toujours un grand enfant.

Il a perdu tout cela avec l'arrivée d'Ulrika et du bébé. Il ne sait pas au juste comment c'est arrivé. Tout a changé le jour où il s'est marié.

Il attend d'Inna qu'elle lui rende sa légèreté et son insouciance. Il voudrait à nouveau flotter dans sa vie comme un bouchon dans la mer. Être emporté jusqu'à la plage, rouler un peu sur la grève, ramasser un joli coquillage, le lâcher et être à nouveau pris par la marée. C'est comme ça que devrait être la vie, exactement comme ça.

« Arrête », dit Inna, agacée, en repoussant sa main.

Mais Diddi ne l'écoute pas.

« Je t'aime, dit-il, la tête posée sur ses genoux. Tu es belle.

— Je n'ai pas envie, dit-elle. Arrête. »

Et comme il ne s'arrête pas, elle dit :

« Pense à Ulrika et à ton petit prince. »

Diddi cesse instantanément. Il s'éloigne. Pose les mains sur ses genoux comme deux objets de porcelaine, très fragiles, chacun sur son piédestal. Il est certain qu'elle va venir le consoler. Qu'elle va calmer le jeu d'une façon ou d'une autre.

Mais elle n'en fait rien. Au lieu de cela, elle prend son paquet de cigarettes, en sort une et l'allume.

Cela le met de mauvaise humeur. Il se sent rejeté et humilié. Alors il cherche à la blesser.

« Qu'est-ce qui t'arrive ? » lui dit-il avec l'air de l'accuser d'être devenue bigote.

Il a toujours aimé ses femmes, et quelques hommes aussi, avec tendresse. Il ne comprend pas les rapports violents et l'amour vache. Mais jusqu'ici, il n'a jamais éprouvé le besoin de s'en excuser. Quand ses partenaires ont réclamé ce genre de choses, il a poliment décliné et leur a souhaité beaucoup de plaisir. Une fois, il est même resté pour regarder. Par courtoisie. Et peut-être aussi parce qu'il avait envie de rester au chaud.

Quant à Inna. Elle a tout essayé. Il n'y a qu'à voir dans quel état elle est aujourd'hui. Alors qu'est-ce qu'il lui prend tout à coup ?

Il lui pose la question.

« Qu'est-ce qu'il te prend ? Il n'y a plus que les trucs pervers qui t'excitent maintenant ? Il faut te tabasser comme une pute camée pour que tu y trouves ton compte ?

— Arrête, s'il te plaît », dit-elle d'une voix lasse et suppliante qu'il ne lui connaît pas.

À présent, Diddi est presque désespéré. Il sent qu'il est sur le point de la perdre pour de bon. Qu'il l'a peut-être déjà perdue. Elle a disparu dans un monde peuplé de vieux types répugnants, animés de désirs bizarres. Des images de grands appartements moisis dans les quartiers chic des grandes capitales européennes défilent dans sa tête. L'air immobile sent la merde et les remontées des vieilles canalisations. D'épais rideaux poussiéreux occultent la lumière du soleil en permanence.

« Qu'est-ce que tu leur trouves à ces horribles vieillards ? demande-t-il en mettant autant de répulsion dans sa voix que possible.

— Je t'ai demandé d'arrêter.

— Je me rappelle quand tu avais douze ans. Tu…

— Arrête ! Arrête ! Arrête ! »

Inna se lève. Les médicaments ont eu raison de ses douleurs physiques. Elle tombe à genoux devant lui, pose une main sur sa joue et le regarde avec une compassion infinie. Elle lui caresse les cheveux. Le console. Tout en lui disant d'une voix douce la seule chose qu'il n'a pas envie d'entendre.

« Ta jeunesse s'est envolée. Et c'est affreusement triste. Mais une femme, un enfant, une maison, des dîners de couples, être invité dans la grande maison, tout cela te va très bien en réalité. Tu commences à perdre tes cheveux. Cette longue mèche raide devient pathétique. Bientôt tu vas devoir t'en servir pour cacher ta calvitie. C'est pour ça que tu as besoin de tant d'argent depuis quelque temps. Tu ne t'en es pas rendu compte ? Avant, tu pouvais tout avoir gratis. La compagnie, la coke. Maintenant tu dois acheter tout ça. »

Elle se relève. Aspire une bouffée de sa cigarette.

« Où vas-tu chercher tout cet argent ? Combien est-ce que tu dépenses ? Quatre-vingt mille par mois ? Je sais que tu as détourné de l'argent de la société. Au moment où Quebec Invest a vendu et où la valeur de Northern Explore a chuté. Je sais que c'est toi qui as trafiqué les comptes. Un journaliste de *NSD* m'a appelée pour me poser un tas de questions. Mauri serait fou de rage s'il l'apprenait. »

Diddi est sur le point de se mettre à pleurer. Comment Inna et lui en sont-ils arrivés là ?

Il voudrait s'enfuir de cette pièce. Et en même temps, c'est la dernière chose qu'il a envie de faire. Il a l'impression que s'il part maintenant, il ne pourra plus jamais revenir.

Ils ont toujours été déloyaux, elle comme lui. Enfin, pas vraiment déloyaux, mais ils ne se sont jamais encombrés des autres. Dans leur vie, les gens vont et viennent. On s'ouvre à eux et on les quitte le moment venu. Et ce moment arrive toujours, tôt ou tard. Mais Diddi a toujours cru qu'entre Inna et lui, c'était différent. Leur mère était un personnage en carton-pâte qui ne s'intéressait qu'à l'argent et à sa position sociale. Mais Inna est un être de chair et de sang. Elle est sa vie.

Il se rend compte à présent qu'Inna n'est plus l'exception qui confirme la règle. Qu'il s'est détaché d'elle. Sans s'en rendre compte, il l'a laissée partir.

« Va-t'en », dit-elle de sa voix aimable, celle qu'elle utilise avec n'importe qui.

C'est une femme si douce et si gentille.

« On parlera de tout cela demain. »

Il secoue sa tête blonde. Repousse sa mèche raide et note la façon familière dont elle lui fouette le front. Ils n'en parleront pas demain. Tout est dit et tout est terminé.

Il secoue la tête pendant le temps qu'il met à descendre l'escalier, à traverser la cour d'Inna, à parcourir la distance qui sépare le lavoir de la ferme plongée dans l'obscurité où il va retrouver sa femme et son petit garçon.

Ulrika l'attend sur le seuil.

« Comment va Inna ? » lui demande-t-elle.

Leur petit prince dort à poings fermés. Elle se blottit contre lui. Il se force à refermer ses bras autour d'elle. Au-dessus de la tête de son épouse, il regarde son propre reflet dans le miroir doré de l'entrée.

Il ne reconnaît pas l'individu qu'il voit. La peau de son visage est comme un masque qui se décolle de ses points d'attache.

Inna est au courant de l'affaire Quebec Invest, c'est ennuyeux, très ennuyeux. Qu'est-ce qu'elle a dit, exactement ? Elle a parlé d'un journaliste qui posait des questions…

Inna est allongée sur son lit. Elle tient la serviette humide contre son nez qui s'est remis à saigner. Elle entend à nouveau la porte du rez-de-chaussée s'ouvrir et se refermer. Cette fois c'est la voix de Mauri qui dit :

« Il y a quelqu'un ? »

Elle gémit intérieurement. Elle n'a pas le courage de donner des explications. Elle n'en a pas l'intention. Elle n'a plus la force de leur interdire d'appeler la police et le médecin.

Mauri a au moins pris la peine de frapper. D'abord à la porte d'entrée, puis sur le montant de la porte, avant de crier depuis le bas de l'escalier. C'est tout juste s'il ne frappe pas aussi à la rampe d'escalier tout en la prévenant qu'il monte la voir. Et enfin il donne un coup à la porte de sa chambre qui est restée ouverte, avant de passer prudemment la tête à l'intérieur.

Il découvre son visage tuméfié, ses lèvres déchirées, ses bras couverts de bleus et dit :

« Tu crois que tu vas pouvoir mettre un peu de poudre là-dessus ? J'ai besoin que tu viennes avec moi à Kampala demain pour rencontrer la ministre des Finances. »

Inna rit. Elle est enchantée que Mauri joue l'indifférence et garde le masque.

Lorsque Inna et Mauri atterrissent à Kampala, la capitale de l'Ouganda, le 3 décembre et qu'ils sortent de l'avion climatisé, la chaleur et l'humidité leur explosent au visage comme un airbag. Ils sont instantanément en nage. Le taxi n'a pas de climatisation et les sièges sont en similicuir. En quelques secondes ils ont le dos et les fesses trempés. Ils transfèrent leur poids d'une cuisse à l'autre pour éviter un contact trop long avec la banquette. Le chauffeur agite un immense éventail et accompagne à tue-tête et sans aucun complexe les morceaux diffusés par son autoradio. La circulation est dense et chaotique, la voiture souvent à l'arrêt, et l'homme en profite pour bavarder avec d'autres chauffeurs de taxi ou pour engueuler à grand renfort de cris et de gestes les enfants qui surgissent de toutes parts pour vendre à ses passagers diverses breloques, ou simplement tendre une main ouverte. « Miss », disent-ils en frappant à la vitre d'Inna. Pendant ce temps, Inna et Mauri transpirent comme des bêtes de somme au fond de la banquette, derrière les vitres fermées, avec l'impression d'être dans un aquarium.

Mauri est furieux. Quelqu'un était supposé les attendre à l'aéroport. Mais aucune voiture ministérielle n'est venue les accueillir, ce qui les a contraints à prendre ce fichu taxi. La dernière fois qu'il est venu à Kampala, il a vu les parcs luxurieux, les pelouses bien vertes et les collines autour de la ville. Cette fois il ne remarque que les colonies de marabouts qui se rassemblent sur les toits des maisons avec leurs goitres rouges et répugnants.

L'air conditionné fonctionne dans le bâtiment du gouvernement. Il n'y fait que vingt-deux degrés et Inna et Mauri tremblent de froid dans leurs vêtements humides. Un secrétaire ministériel les prend en charge et la ministre des Finances vient à leur rencontre au sommet du large escalier en marbre blanc recouvert d'un tapis rouge, avec sa rampe en bois d'ébène. C'est une femme aux hanches larges, âgée d'une soixantaine d'années. Elle porte un tailleur bleu marine, ses cheveux ont été détendus au fer à lisser et rassemblés en chignon au-dessus de sa tête. Ses souliers noirs sont usés. Le cuir a pris la forme de ses petits orteils. Elle serre chaleureusement la main à ses visiteurs, riant et bavardant, recouvrant leur main droite de sa main gauche. Elle leur demande comment s'est passé leur voyage et s'enquiert du temps qu'il fait en Suède tout en les pilotant vers son bureau. Elle les invite à s'asseoir et leur sert un thé glacé.

Elle joint les mains et demande d'un ton catastrophé ce qui est arrivé à Inna.

« *Girl, you look like someone who's tried to cross Luwum Street during rush hour*[1]. »

---

1. « Ma fille, vous ressemblez à quelqu'un qui aurait essayé de traverser l'avenue Luwum à l'heure de pointe. »

Inna prétend à nouveau avoir été victime d'une agression par une bande de voyous dans le quartier de Humlegården.

« Ce qui est à peine croyable, c'est que le plus jeune ne devait pas avoir plus de onze ans », ajoute-t-elle à l'histoire qu'elle a inventée pour Ulrika et Ebba.

C'est par ses détails qu'un mensonge devient crédible, songe Mauri. Inna ment avec une facilité qu'il lui envie.

« C'est à se demander où va le monde », dit la ministre en leur servant un deuxième verre de thé glacé.

Il y a un petit flottement. Ils pensent tous la même chose mais aucun ne l'exprime à voix haute. Une femme qui se fait tabasser dans une rue de Stockholm et voler son sac par une bande de gamins, ce n'est rien en comparaison de ce qui se passe en Nord-Ouganda. Les forces de sécurité de l'armée et les rebelles de Lord's Resistance Army sèment la terreur et la mort parmi les habitants dans le nord du pays. Les exécutions, la torture, les viols font partie du quotidien de ces pauvres gens. La LRA recrute de force les enfants-soldats. Les rebelles entrent la nuit dans les maisons, posent le canon d'une arme sur la tempe des parents, obligent les enfants à tuer leurs grands-parents sous peine de faire mourir leur mère sous leur yeux et ils les emmènent avec eux. Ils ne risquent pas de se sauver. Où iraient-ils ?

De peur d'être enlevés, vingt mille enfants migrent chaque nuit vers la ville de Gulu où ils dorment dans la rue, près des églises, des hôpitaux et des stations de bus. Quand vient le matin, ils rentrent chez eux.

Kampala est en revanche une ville bien ordonnée où on peut s'asseoir à la terrasse des cafés et faire des affaires. Les Kampalais préfèrent ignorer ce qui se passe dans les États du Nord. Mauri, Inna et la ministre des Finances évitent soigneusement de s'attarder sur la question de la violence et des enfants.

Au lieu de ça, on en vient à la raison qui les a amenés à se rencontrer aujourd'hui. Là aussi, ils avancent en terrain miné. Tout le monde aimerait parvenir à un accord mais pas aux conditions de celui qui est en face.

Kallis Mining a dû cesser son exploitation minière à Kilembe. Cinq mois plus tôt, trois ingénieurs miniers belges ont été assassinés quand une milice Hema a attaqué un autocar en route pour Gulu. À présent toute l'infrastructure est sur le point de s'écrouler. Kallis Mining a construit une route, en collaboration avec deux autres compagnies minières, pour permettre la circulation entre le nord-ouest de l'Ouganda et Kampala. Il y a trois ans cette route était neuve. Aujourd'hui, elle est presque impraticable en certains endroits. Les groupes rebelles l'ont barrée et abîmée en y posant des mines. Après la tombée de la nuit, ils installent des barrages ici ou là et ensuite tout peut arriver. On y croise des gosses de onze ans, drogués et totalement inconscients de ce qu'ils font. Et un peu plus loin leurs frères d'armes plus âgés.

« Je n'ai pas construit cette mine pour qu'elle tombe aux mains des miliciens », dit Mauri.

Les vigiles qui montaient la garde autour de la concession ont depuis longtemps pris la poudre d'escampette. Et il a appris que sa mine est désormais le théâtre de forages illégaux. On ne sait pas exactement qui sont les individus qui vandalisent le site, détruisent le parc automobile et utilisent le matériel que les responsables de la société n'ont pas eu le temps d'emporter en partant, mais Mauri a entendu dire qu'il s'agissait de groupes alliés à l'armée du gouvernement. Il semble donc plus que probable que c'est le président Museveni lui-même qui pille l'exploitation.

« C'est un problème d'État, dit la ministre des Finances. Mais que pouvons-nous faire ? Nos troupes ne peuvent pas être partout. Nous devons avant tout protéger les écoles et les hôpitaux. »

Elle se fout de moi, songe Mauri. Si leur armée ne me vole pas elle-même, elle est occupée à prendre le contrôle des mines au nord-est du Congo, à piller les gisements là-bas et à transporter l'or de l'autre côté de la frontière.

La version officielle est évidemment que tout l'or vendu à l'étranger provient de gisements appartenant à l'État ougandais alors que tout le monde sait qu'il n'en est rien.

« Vous allez avoir beaucoup de mal à attirer les investisseurs étrangers dans votre pays, la prévient Mauri. Tant que vous n'aurez pas rétabli l'ordre dans le nord, ils resteront sourds à vos propositions.

— Nous sommes très intéressés par les investisseurs étrangers. Mais que voulez-vous que je fasse de plus ? Nous vous avons déjà proposé de racheter vos mines…

— Pour une bouchée de pain !

— Pour le prix que vous les avez payées.

— Alors que j'ai investi plus de dix millions de dollars en infrastructures et en matériel !

— Qui ne sont d'aucune utilité à personne ! Même pas à nous. Il y a trop de problèmes dans la région.

— C'est un euphémisme ! Vous ne semblez pas admettre qu'il n'existe qu'une seule manière de les résoudre : protéger les investisseurs. Vous deviendriez un pays riche !

— Ah oui ? Comment ?

— Réseau routier. Écoles. Développement économique et social. Emplois, revenus fiscaux.

— Vous êtes sûr ? Pourtant, pendant les trois années où vous avez exploité cette mine, votre société n'a pas fait de bénéfices. Et il n'y a eu aucune retombée fiscale en ce qui nous concerne.

— Nous avons déjà eu cette discussion ! Vous savez bien qu'au début, on fait des investissements. On ne peut pas espérer faire des bénéfices avant cinq années d'exercice.

— Bref, vous avez tout et nous n'avons rien. Et maintenant que vous avez un problème vous venez nous demander d'envoyer l'armée pour protéger votre entreprise. Alors moi je vous réponds : prenez l'État comme associé. Il me sera plus facile de débloquer des moyens pour protéger une société dans laquelle nous avons des intérêts. »

Mauri hoche la tête, l'air de réfléchir.

« Vous pourriez aussi nous aider avec d'autres problèmes auxquels nous avons été confrontés. La concession a subitement été déclarée trop polluante. Et sur la fin, nous avons eu de gros soucis avec les syndicats. Peut-être votre Président pourrait-il tenir les engagements qui ont été pris lors de nos premières négociations ? Quand nous avons acheté cette mine, il nous a promis de construire une centrale électrique au bord du fleuve Nil Albert.

— Réfléchissez à ma proposition.

— Qui est ?

— L'État se porte acquéreur de cinquante pour cent des actions de Kilembe Gold.

— Payés de quelle manière ?

— Je suis sûre que nous trouverons un accord. Pour l'instant, le Président se concentre sur les questions sanitaires et l'information sur le SIDA. Nous sommes un exemple pour nos voisins. Nous pourrions éventuellement renoncer à nos dividendes à hauteur de notre prise de participation. »

La ministre des Finances lance sa proposition d'un ton léger, comme s'ils étaient les meilleurs amis du monde.

Malgré le caractère incisif de ses mots, Mauri s'exprime d'une voix qui est à mi-chemin entre la courtoisie et l'indifférence.

Inna sait en général habilement détendre l'atmosphère mais ce jour-là, elle n'en a pas la force. Sous le ton léger et poli, gronde le cliquetis des armes.

Mauri et Inna boivent un certain nombre de whiskys au bar de l'hôtel sous la fraîcheur relative d'un ventilateur, en écoutant le répertoire de reprises d'un mauvais pianiste. L'établissement a trop de personnel et pas assez de clients. On y rencontre seulement quelques rares Occidentaux qui se fichent de payer leurs boissons trois fois plus cher que dans les autres bars de la ville. Elles sont de toute façon ridiculement bon marché en comparaison de ce qu'elles coûtent chez eux.

Et en même temps, ils partagent un sentiment de colère. Il n'est pas facile d'accepter de se faire rouler. De savoir qu'on paye plus que les autres. Juste parce qu'on est blanc. Si on en avait le courage, il faudrait constamment marchander. Et même en marchandant, on se fait avoir.

On s'irrite aussi de voir les serveurs plaisanter avec les filles derrière le bar. Qui est là pour se divertir ? Eux ou les clients ? Qui y gagne ?

Mauri boit pour empêcher tout cela de tourner en boucle. Sa tête est polluée. Des flaques noires remontent sans arrêt à la surface. Il refuse de les voir. Il voudrait qu'elles coulent au fond et se fassent oublier. Il voudrait dormir et ne plus penser à rien jusqu'à demain.

Si Inna ne s'était pas justement fait tabassée à ce moment-là, tout aurait été différent. Ils en auraient parlé tous les deux. Elle l'aurait aidé à voir le bon côté des choses. Peut-être même aurait-elle réussi à le faire rire et à prendre les choses avec philosophie. Dans la vie, ça va, ça vient. Il faut en prendre son parti.

Mais ce jour-là elle n'en a pas la force. Elle boit parce que son visage lui fait atrocement mal. Elle se demande si ses plaies à la lèvre et à l'arcade sourcilière vont s'infecter. Elles ne sont pas cicatrisées et elle craint qu'elles ne se transforment en ulcère tropical.

Depuis cet épisode, elle n'est plus la même. Elle est plus calme. Il s'avérera par la suite qu'il y a plusieurs raisons à cela.

Mauri est réveillé au milieu de la nuit par les lames de fond qui soulèvent les flaques noires.

La climatisation est en panne. Il ouvre la fenêtre sur le ciel nocturne mais aucune fraîcheur n'entre dans la chambre, seulement le crissement obstiné des cigales et le chant des crapauds.

Comment expliquer ça à quelqu'un ? Qui comprendrait ?

Quand Inna arrive en courant vers lui suivie de sa secrétaire, brandissant le journal *BusinessWeek* avec sa photo en couverture, il est incapable de partager leur joie. Est-ce qu'il ressent de la fierté ? Absolument pas. Au contraire, c'est de la honte qui le traverse comme un pal.

Il est devenu leur pute à tous. La coupe du monde qu'on se passe de main en main dans une prison de haute sécurité.

Quand la Confédération des entreprises suédoises et l'Organisation patronale lui demandent de venir donner des conférences, qu'elles font payer trois mille couronnes à chaque participant et qu'il fait salle comble, ce n'est rien d'autre que de la prostitution.

On le montre en exemple pour prouver que tout le monde a les mêmes chances de réussir. Que n'importe qui peut y arriver. Regardez Mauri Kallis. Ce n'est pas plus difficile que ça d'arriver au sommet quand on le veut vraiment.

Grâce à Mauri, les garçons et les filles de Tensta ou de la cité interculturelle de Botkyrka, les chômeurs du Norrlands Inland ne peuvent s'en prendre qu'à eux-mêmes. Enlevez-leur leurs allocations, donnez-leur l'envie de se mettre au boulot. Donnez-leur un exemple comme Mauri Kallis.

Ils lui administrent de grandes claques dans le dos et lui serrent la main, mais il ne sera jamais l'un d'entre eux. Eux, ils ont un nom, ils ont une famille et de l'argent qui remonte à loin.

Mauri est et sera toujours un parvenu.

Il se rappelle la première fois qu'il a rencontré la mère d'Ebba. Il était invité au château. Une invitation qu'il avait prise comme un honneur jusqu'au moment où on lui laissa voir les livres de comptes : il comprit que si la famille d'Ebba organisait des conférences dans la propriété, ce n'était pas, comme sa mère l'avait prétendu dans une interview pour *Fermes et Châteaux*, parce que la maison faisait partie d'un patrimoine culturel appartenant à tous, mais simplement pour avoir les moyens de la garder.

Lors de sa première visite au château, Mauri avait apporté un bouquet de fleurs et une boîte de pralinés. Il avait mis un costume malgré la chaleur. On était à la mi-juillet. Il ignorait comment il fallait s'habiller pour déjeuner dans ce genre d'endroit.

La mère d'Ebba avait souri quand il lui avait tendu le bouquet et les chocolats. Son sourire était à la fois indulgent et amusé. Le chocolat bon marché fut servi avec le café. On le laissa là, à moitié fondu dans sa boîte. Personne n'y toucha. La maman d'Ebba avait un jardin plein de roses et de fleurs de toutes sortes. Ses magnifiques compositions florales trônaient dans des vases immenses. Il ne sut jamais où disparut son petit bouquet. Sans doute directement au compost.

Ebba et lui allèrent se promener jusqu'aux anciens pavillons de bain pour saluer le papa d'Ebba. Le drapeau était levé sur le mât du pavillon. Ce qui voulait dire que son petit papa était à la baignade et que ce n'était pas le moment de le déranger. Mais comme c'était la première fois qu'Ebba leur amenait son petit ami, papa avait permis qu'ils viennent le retrouver. Comme il faisait très chaud, Mauri avait retiré sa veste. Il la portait sur le bras. Le premier bouton de sa chemise était ouvert et il avait roulé sa cravate dans sa poche. Tous les autres portaient des vêtements d'été, lâches mais d'aspect coûteux.

Le papa d'Ebba était assis dans une chaise longue sur le ponton. Il se leva pour leur faire un accueil chaleureux. Il était complètement nu. Et pas du tout gêné. Son machin se balançait mollement entre ses jambes.

Et c'est Mauri qui avait eu l'impression de ne pas être à sa place.

Enfin, songe Mauri dans la torride nuit africaine tandis que toutes les vexations et toutes les humiliations de sa vie reviennent le hanter, son beau-père ne s'était plus jamais permis d'apparaître nu devant lui. Les fois suivantes, quand il était venu le voir à son bureau en compagnie de ses vieux amis pour demander à Mauri de placer leur argent, ils étaient tous en costume et ils l'avaient invité à déjeuner chez Riche.

Il se rappelle la première fois qu'il a survolé le nord de l'Ouganda.

C'était à bord d'un petit Cessna. Inna et Diddi étaient là tous les deux. Mauri avait commencé les négociations pour acquérir la mine de Kilembe.

Ils avaient échangé un regard en montant dans l'avion. Le pilote était visiblement sous l'effet d'une drogue quelconque.

« Il y en a qui planent déjà », avait fait remarquer Inna à haute voix.

Personne ne comprenait le suédois de toute façon. Ils avaient pouffé de rire. Tous trois mettaient un point d'honneur à rire de tout. À afficher un mépris total pour la mort.

Pour commencer Mauri avait dû combattre sa terreur, mais très vite il s'était laissé allé à la fascination du spectacle.

La forêt tropicale verte et dense épousait les courbes souples des montagnes. Dans les vallées ondoyaient des fleuves d'eau douce dans lesquels évoluaient des crocodiles à la peau scintillante. Une terre rouge et fertile s'étalait à la surface de ces montagnes qui contenaient assez d'or pour nourrir toute une population.

L'expérience avait quelque chose de mystique. Mauri s'était senti comme un prince étendant ses ailes et volant au-dessus de son royaume.

Le vacarme des moteurs lui évitait d'avoir à parler avec ses compagnons. Le sentiment de ne faire qu'un avec tout cela était enivrant.

Comment pouvait-il espérer devenir un jour quelqu'un au Canada ?

Sans parler de Kiruna !

La compagnie minière LKAB serait toujours la première là-bas. Même s'il se mettait à forer, même s'il avait sa propre mine, il ne vendrait pas grand-chose. Les infrastructures étaient saturées. Le transport du minerai était monopolisé par la LKAB, elle n'arrivait même pas à transporter tout ce qu'elle avait à vendre. Il devait constamment supplier, le bonnet à la main, et s'attendre à un refus.

Tandis qu'ici ! Ici, il deviendrait riche. Vraiment riche. Le premier arrivé gagnerait le pactole. Mais il lui faudrait bâtir des villes, construire des routes, des voies ferrées, des centrales électriques.

Plus tard il dit à Diddi et à Inna :

« Cette mine n'est qu'un vaste trou de boue. Ils n'ont aucun matériel, même pas une pioche. Ils creusent à la main et malgré cela, ils arrivent quand même à trouver quelque chose. Il y a des richesses incroyables dans cet endroit.

— Et des tonnes de problèmes, marmonna Diddi.

— Évidemment, répliqua Mauri. S'il n'y avait pas de problèmes, les trouillards auraient déjà rappliqué. Je veux être le premier. Au Congo, c'est trop dur. Mais ici ! L'Ouganda a signé des accords internationaux qui protègent les investisseurs étrangers…

— On n'a plus qu'à espérer que les Ougandais tiennent à leurs aides internationales.

— Les Ougandais veulent voir leur activité minière se développer.

Ils savent qu'ils sont assis sur un trésor et ils n'ont pas le savoir-faire pour l'extraire. Il y a cinq ans, les miliciens du groupe Hema ont tenté d'excaver à la dynamite précisément dans cette mine-là. Quelques pauvres géologues leur ont déconseillé de le faire, mais personne ne les a écoutés, bien sûr. Une centaine d'hommes sont morts comme des rats dans le puits.

— On va au-devant de gros problèmes, répéta Diddi, sceptique.

— Tu as raison, répondit Mauri. Et j'y compte bien. Mais ça ne nous fait pas peur ! Si ? On a l'habitude.

— Tu es mon héros, dit Inna. Je trouve que tu devrais l'acheter, cette mine. »

Inna tente de soigner ses douleurs au visage par le sommeil. Mauri écoute chanter les crapauds dans la nuit africaine.

Gerhart Sneyers avait raison, songe Mauri.

« Ils n'ont pas le savoir-faire pour exploiter leurs propres ressources, dit Sneyers dans la tête de Mauri, mettant tous les pays africains dans le même sac. Mais ils n'aiment pas non plus qu'on le fasse à leur place, arguant que les ressources qui se trouvent dans leur propre pays leur appartiennent. On ne peut pas discuter avec eux. »

Sur le moment le discours du Hollandais l'avait choqué, il l'avait trouvé emprunt de préjugés et s'était dit que Sneyers avait oublié le passé colonial de l'Afrique. De surcroît, Sneyers n'hésitait pas à traiter les Africains de « nègres » et à appeler les pays d'Afrique « les pays sous-développés ».

Mais dès le mois de juillet, quand les ingénieurs belges avaient été tués, Mauri avait compris que les problèmes en Ouganda n'étaient pas passagers. Il avait mis son projet de Kilembe entre parenthèses, rapatrié ses employés occidentaux et formé deux cents hommes et femmes de la région pour surveiller les alentours de la mine. Un mois plus tard, il avait appris que tous l'avaient abandonnée à son sort afin de sauver leur peau.

À l'époque, pour faire entrer des investisseurs au capital de Kallis Mining, il leur avait garanti une rentabilité minimum du projet en Ouganda, et ils n'avaient pas mis longtemps à venir réclamer leur dû.

Après la réunion à Miami au mois de mai, Sneyers lui avait ouvert un compte sur lequel il lui avait conseillé de verser de l'argent en vue de ses dépenses à venir.

« On ne doit pas pouvoir retrouver la trace de ces comptes », avait-il précisé.

Depuis juillet, Mauri met de l'argent de côté. Il vend des actions à droite à gauche. Il se dit qu'il pourra toujours se servir de ce compte pour couvrir les exigences de ses actionnaires dans la mine de Kilembe. Il ne doit pas vendre trop précipitamment pour libérer du capital, car cela risquerait de nuire gravement à la réputation de Kallis Mining sur le marché et de rendre les autres investisseurs frileux. Il a utilisé une partie des liquidités ainsi dégagées pour renforcer les moyens des armées de Kadaga dans le nord du pays, ce qui lui a permis de sécuriser les zones autour de la mine de Kilembe et plusieurs autres dans la même région. Mais d'après Sneyers, ce n'est pas une solution à long terme. Kadaga peut protéger les mines mais pas les infrastructures. Il reste donc impossible de sortir quoi que soit des exploitations et de le transporter en lieu sûr. D'autre part, Mauri Kallis est dans l'impossibilité d'extraire de l'or de sa mine – l'autorisation d'exploitation n'a pas été renouvelée et tout forage est actuellement illégal.

Le rendez-vous qu'ils ont eu aujourd'hui avec la ministre des Finances a réglé la question. Si Mauri avait des scrupules jusqu'ici, il n'en a plus. Il sait maintenant qu'il a eu tort de vouloir se comporter en honnête homme dans un pays profondément corrompu. Les écailles lui sont tombées des yeux.

Gerhart Sneyers a raison. Museveni est une voie sans issue.

Sans compter que c'est un tyran et un dictateur. Il devrait être jugé pour crimes de guerre. L'éliminer apparaît de jour en jour plus légitime.

Mauri a décidé de défendre ce qui lui appartient et il n'a aucune intention de baisser son froc à l'avenir.

Rebecka Martinsson examinait les fichiers contenus dans l'ordinateur du journaliste Örjan Bylund. Elle était au lit, l'ordinateur posé sur les genoux. Elle s'était mise en pyjama et s'était brossé les dents. Il était à peine dix-neuf heures. Boxeuse visitait chaque coin et chaque recoin de la pièce et revenait voir Rebecka, uniquement pour l'embêter en se promenant sur les touches du clavier.

« Dis donc, toi ! Si tu n'es pas sage, je vais le dire à Sven-Erik. »

Elle avait allumé le feu. Il brûlait bien et comme c'était des bûches de pin, on aurait dit que des coups de feu éclataient dans le poêle. Boxeuse sursautait chaque fois et prenait un air à la fois effrayé et curieux.

Quel monstre effrayant est-ce là ! avait-elle l'air de se dire. À travers la grille le feu luisait comme un œil rouge.

Örjan Bylund cherchait quelque chose. Mais quoi ? En tapant Kallis Mining sur Google, Rebecka obtenait plus de deux cent quatre-vingt mille réponses. Elle vérifia la liste des cookies du journaliste pour voir quelles pages il avait ouvertes.

Kallis Mining était le principal actionnaire de la compagnie minière S/A Northern Explore. Au mois de septembre, l'action avait eu des hauts et des bas. Pour commencer, la société d'investissement Quebec Invest avait vendu la totalité de son portefeuille, ce qui avait créé quelques remous sur le marché boursier et fait chuter la valeur du titre. Ensuite les bons résultats des forages dans la région de Svappavaara avaient redonné le moral aux investisseurs et les cours avaient rebondi.

Qui gagne de l'argent sur les fluctuations des marchés boursiers ? songea Rebecka. Ceux qui achètent quand les cours sont bas et revendent au moment où ils grimpent. *Follow the money*. Suivez l'argent.

L'un des articles consulté par Örjan Bylund concernait le nouveau conseil d'administration, nommé lors d'une assemblée générale extraordinaire, suite au rachat des parts de la société canadienne. Un habitant de Kiruna avait été nommé au bureau.

« Sven Israelsson entre au conseil d'administration de Northern Explore », disait le titre de l'article.

Elle fut interrompue par la petite mélodie de la sonnerie de son téléphone portable.

Le numéro de Måns s'affichait sur l'écran.

Son cœur effectua un programme olympique de gymnastique artistique dans sa poitrine.

« Salut Martinsson, dit-il de sa voix un peu traînante.

— Salut », répondit Rebecka, essayant en vain de trouver autre chose à dire.

Après mûre réflexion, elle ajouta :

« Comment ça va ?

— Bien, très bien. Nous sommes à Arlanda, toute la bande. Nous n'allons pas tarder à embarquer.

— Ah ! Bon... Super ! »

Il rigola à l'autre bout du fil.

« Toujours aussi bavarde, Martinsson ! Je suis sûr que ça va être sympa, là-haut. Même si je préfère voir la nature à la télévision. Tu viens nous rejoindre ?

— Je ne sais pas. Ce n'est pas tout près. »

Il y eut un petit moment de silence

« Viens. Je voudrais que tu viennes.

— Pourquoi ?

— Parce que j'aimerais réussir à te convaincre de revenir travailler au cabinet.

— Cela n'arrivera pas.

— Tu dis ça maintenant. Mais je n'ai même pas encore commencé à essayer de te convaincre. On t'a réservé une chambre la nuit de samedi à dimanche. On compte sur toi pour venir nous montrer comment on fait du ski. »

Ce fut au tour de Rebecka de rire.

« Alors je viendrai peut-être. »

Elle se rendit compte avec soulagement que cela ne l'ennuyait pas de revoir ses collègues du cabinet. Et puis elle verrait Måns. Il avait envie de la voir. Elle ne savait pas faire du ski alpin, bien sûr. Dans sa famille, ils n'avaient pas les moyens de pratiquer ce genre de sport quand elle était petite. Et qui l'aurait accompagnée à la piste de slalom qui se trouvait en ville ? Mais tant pis. Ce n'était pas le plus important.

« Il faut que j'y aille, dit Måns. Tu me promets de venir ? »

Elle promit. D'une voix grave et tendre, il dit :

« Salut Martinsson. À très bientôt, alors. »
Et elle roucoula :
« À bientôt. »

Rebecka revint à son écran. À l'étranger, le retrait de Quebec Invest du groupe Northern Explore avait donné lieu à un court article dans le magazine spécialisé anglophone *Prospecting & Mining* sous le titre « Chicken Race[1] ». « Nous sommes partis trop tôt », avait déclaré le DG de Quebec Invest Inc. pour commenter le fait que la S/A Northern Explore avait trouvé à la fois de l'or et du cuivre peu de temps après que la société d'investissement canadienne fut sortie du capital. Il précisait qu'en qualité d'actionnaire de Northern Explore, Quebec Invest n'avait pas trouvé les forages d'essai assez probants pour croire que le jeu en valait la chandelle. Le directeur de Quebec Invest ajoutait qu'une collaboration future entre sa société et la Kallis Mining lui paraissait improbable.

Pourquoi a-t-il dit ça ? se demanda Rebecka. Ils devraient tenter leur chance à nouveau, au contraire. Surtout après avoir constaté qu'une fois de plus, Kallis Mining avait eu la main heureuse.

Qui était ce Sven Israelsson qui était entré au conseil d'administration ? Pourquoi Örjan Bylund avait-il fait tant de recherches sur son nom ?

---

1. Une course entre deux voitures roulant l'une vers l'autre et dans laquelle le perdant est celui qui tourne le premier son volant pour éviter la collision. Populaire dans les années cinquante, immortalisée dans le film *La Fureur de vivre*, avec James Dean.

Rebecka fit la même chose et elle trouva plusieurs articles très intéressant dans lesquels elle se plongea.

Boxeuse jouait avec un bouton qui ne pendait plus qu'à un fil sur sa veste de pyjama. Elle lui donnait un coup de patte, le regardait se balancer puis elle le coinçait entre ses deux pattes avant et plantait ses dents pointues dedans. Elle jouait au prédateur. Le bouton était son infortunée victime.

À sept heures et demie du matin, Rebecka appela le procureur Alf Björnfot.

« Vous savez ce que faisait Sven Israelsson avant d'entrer au conseil d'administration de Northern Explore ? lui demanda-t-elle.

— Non, répondit Alf Björnfot en éteignant la télévision qu'il avait allumée à tout hasard, sans espoir d'y trouver un truc intéressant.

— Il était directeur de la SGAB à Kiruna, une grosse société scandinave d'analyses chimiques qui a failli se faire racheter par un groupe américain il y a deux ans environ. Kallis Mining a pris cinquante pour cent dans la société et elle est restée à Kiruna. J'ai trouvé l'information intéressante dans la mesure où une société d'investissement canadienne, la Quebec Invest, a vendu tout son portefeuille à Northern Explore l'année dernière, juste avant que celle-ci fasse savoir qu'elle avait découvert des gisements d'or et de cuivre rentables près de Svappavaara.

— Je ne vois pas le rapport avec Sven Israelsson…

— Je me dis la chose suivante : Sven Israelsson est P-DG de la société qui analyse les forages tests réalisés par Northern Explore dans la région de Svappavaara.

Il se sent redevable à Kallis Mining pour avoir sauvé la SGAB du rachat. Ils auraient tous été licenciés ou contraints d'aller travailler aux États-Unis. Dans un article, le DG de Quebec Invest se plaignait que les analyses sur les forages d'essai avaient été bâclées. Il déclare à la fin de l'interview qu'une collaboration avec Kallis Mining dans l'avenir lui paraît "improbable". On se demande pourquoi il pleurniche, non ?

— Il a toutes les raisons de le faire, il me semble. Ils ont dû perdre une sacrée somme en vendant trop tôt.

— Bien sûr. Mais ce genre d'investisseurs a l'habitude de prendre des risques et de faire des erreurs sans aller pleurer ensuite sur l'épaule des journalistes. Et comme par hasard, le même Sven Israelsson se retrouve à la tête de Northern Explore qui est également une filiale de Kallis Mining. Il faut un peu de temps avant d'obtenir une concession minière et l'autorisation de l'exploiter, mais une fois que tout est réglé, Northern Explore devient une entreprise à un milliard de couronnes. Sven Israelsson est chimiste dans une petite société. Comment peut-il du jour au lendemain se retrouver président de Northern Explore ? Il y a quelque chose qui ne colle pas. Alors je me dis la chose suivante : il a facilement pu falsifier les résultats des forages d'essai ou escamoter ceux qui faisaient état de résultats positifs. Je pense que Kallis Mining s'est servi de Sven Israelsson pour se débarrasser de l'un des plus gros actionnaires de sa filiale. Ils ont dû laisser filtrer les résultats négatifs à Quebec Invest. Quebec Invest panique et vend ses parts, de peur d'avoir à subir des pertes trop importantes quand le marché boursier réagira à la nouvelle. Aussitôt que

Quebec Invest met en vente, l'action chute. Un mois plus tard Northern Explore annonce les résultats positifs des forages tests. Ça suffit pour que le DG de Quebec Invest aille pleurer dans la presse et déclare que sa société estime peu probable de travailler avec Kallis Mining dans l'avenir, vous ne trouvez pas ? Ils savent qu'ils se sont fait rouler dans la farine mais ils ne peuvent rien prouver. Si quelqu'un de Kallis Mining ou bien Sven Israelsson avait acheté des actions avant que la nouvelle des résultats positifs soit publiée, il y aurait eu délit d'initié. Je crois que c'est en guise de remerciement que Sven Israelsson a obtenu un poste de directeur, avec tout ce que cela impliquait en termes de salaire et de primes. Et d'ailleurs… »

Rebecka fit une courte pause pour ménager son effet.

« … il s'est acheté une Audi flambant neuve au mois de novembre. À ce moment, l'action Northern Explore avait augmenté de plus de trois cents pour cent par rapport au cours qu'elle avait avant de baisser en flèche.

— Une nouvelle voiture…, dit Alf Bjönfot songeur en se levant de son canapé et en coinçant le téléphone portable entre son oreille et son épaule le temps de mettre ses chaussures. Ils s'achètent toujours une nouvelle voiture.

— Oui. Je sais.

— On se voit dans un quart d'heure, dit Alf Björnfot en enfilant sa veste.

— Où ça ?

— Chez Israelsson, bien sûr. Vous avez l'adresse ? »

Sven Israelsson habitait dans une maison en bois, peinte en rouge, sur Matojärvigatan. Des enfants avaient entrepris de creuser une grotte dans une congère devant chez lui. Les pelles jetées au sol témoignaient d'un travail interrompu précipitamment la veille par le programme jeunesse à la télévision ou le dîner.

Sven Israelsson était un homme d'une quarantaine d'années, ce qui surprit Rebecka. Elle s'attendait à quelqu'un de plus âgé. Il avait d'épais cheveux bruns auxquels se mêlaient quelques mèches grises. Il était sec et musclé comme un nageur ou un coureur de fond.

Alf Björnfot présenta Rebecka et lui-même en annonçant à la fois leurs noms et leurs fonctions. Procureur et substitut du procureur, ce qui suffisait en général à effrayer les gens. Sven Israelsson n'eut pas l'air effrayé du tout. L'expression qui passa fugitivement dans son regard était d'une autre nature. On aurait dit du découragement. Comme s'il s'était attendu à ce que tôt ou tard des représentants de la loi viennent lui demander des comptes. Il se ressaisit rapidement.

« Entrez, dit-il. Vous pouvez garder vos chaussures. La neige, ça ne salit pas.

— Vous travaillez pour la S/A Skandinavisk Grundämneanalys, commença Alf Björnfot quand ils furent assis à la table de la cuisine.

— C'est exact.

— Qui appartient pour moitié au groupe Kallis Mining.

— Oui.

— L'hiver dernier vous avez été nommé à la tête du conseil d'administration de la S/A Northern Explore, une filiale de Kallis Mining. »

Sven Israelsson acquiesça.

« L'automne dernier, la société Quebec Invest a cédé une grande part des actions qu'elle possédait chez Northern Explore. Savez-vous pourquoi ?

— Je l'ignore. Je suppose qu'ils ont eu peur et qu'ils ont préféré ne pas attendre les derniers essais de forages pour vendre. Ils ont dû se dire que le titre allait s'écrouler si les dernières analyses se révélaient négatives.

— Le directeur général de Quebec Invest a dit dans une interview qu'il n'envisageait pas de travailler avec Kallis Mining dans l'avenir. Pourquoi croyez-vous qu'il ait dit ça ?

— Je ne sais pas.

— Au mois de novembre vous vous êtes acheté une Audi neuve, dit Alf Björnfot. Où avez-vous eu l'argent ?

— Est-ce que je suis accusé de quelque chose ? demanda Sven Israelsson.

— Pour l'instant pas officiellement, répondit Alf Björnfot.

— Certains détails dans cette affaire suggèrent un délit d'initié caractérisé ou en tout cas une complicité dans ce type de délit », expliqua Rebecka.

Elle matérialisa un espace de cinq centimètres entre son pouce et son index.

« Je suis à "ça" de découvrir qui a acheté des actions dans le court laps de temps qui s'est écoulé entre le moment où Quebec Invest a vendu ses parts et l'annonce des résultats positifs, dit-elle. En général les achats d'actions liés à un délit d'initié se font par petits lots, répartis entre plusieurs intermédiaires. Comme ça, l'opération reste quasiment invisible en cas de contrôle de routine par l'inspection des finances. J'ai l'intention d'examiner de près tous les achats effectués durant cette période. Et si je trouve votre nom ou celui de quelqu'un appartenant au groupe Kallis Mining parmi les acheteurs, vous pouvez vous attendre à une mise en examen. »

Sven Israelsson se tortilla un peu sur sa chaise. Il avait l'air de se demander ce qu'il allait répondre.

« Mais il y a plus grave, poursuivit Alf Björnfot. Je dois vous poser une question. Je vous saurais gré de ne pas mentir. Rappelez-vous que nous avons d'autres moyens de contrôler l'information. Est-ce qu'un journaliste du nom d'Örjan Bylund est venu vous poser des questions sur cette affaire ? »

Sven Israelsson réfléchit quelques instants avant de répondre.

« Oui, dit-il, finalement.

— Que lui avez-vous dit ?

— Rien. Je lui ai conseillé d'aller voir Kallis Mining. »

Et Inna Wattrang était chargée de communication pour Kallis Mining, songea Rebecka Martinsson.

« Örjan Bylund a été assassiné, annonça Alf Björnfot sans ménagement.

— Qu'est-ce que vous racontez ? répliqua Sven Israelsson, incrédule. Il a fait un infarctus.

— Malheureusement, non, reprit le procureur. Il a été assassiné quand il a commencé à creuser dans cette affaire. »

Sven Israelsson blêmit. Il s'accrocha des deux mains au bord de la table.

« Calmez-vous. Nous ne pensons pas que vous ayez quelque chose à voir avec son assassinat. Mais vous devez comprendre que l'affaire est sérieuse. Vous ne croyez pas que vous feriez mieux de tout nous dire ? Maintenant ? Je vous assure que vous vous sentirez soulagé. »

Sven Israelsson hocha la tête.

« Il y avait un jeune homme au laboratoire, dit-il au bout d'un moment. Nous avons appris qu'il donnait des informations à Quebec Invest.

— Comment l'avez-vous découvert ? » demanda Alf Björnfot.

Sven Israelsson sourit, ironique.

« Par hasard. Il était chez lui en train de parler sur son téléphone fixe avec le DG de Quebec Invest. Son portable était dans sa poche, il avait oublié de le verrouiller et il a rappelé le dernier numéro qu'il avait composé et qui était celui d'un de ses collègues. Le type en a entendu assez pour comprendre de quoi il s'agissait.

— Et vous, qu'avez-vous fait ?

— Le gars qui a entendu cette conversation m'en a parlé. Au moment opportun, nous nous sommes servis du traître pour diffuser de fausses informations.

— Lesquelles ?

— C'était une période décisive pour la Northern Explore avec ces forages tests qui étaient en cours dans la région de Svappavaara. On commençait à se dire que Northern Explore n'allait rien trouver sur le site. Ils avaient déjà effectué de très nombreux carottages à sept cents mètres de profondeur. Ils ont dépensé une fortune. Pour finir, ils ont essayé de forer à presque mille mètres. C'était la tentative de la dernière chance à cet endroit. Tout dépendait de ces derniers résultats. Il faut avoir de très gros moyens pour effectuer des tests. La plupart des petites sociétés minières ont tout juste les moyens de survoler les sites en avion avant d'envoyer une expédition à pied prendre quelques prélèvements sur place.

— Et finalement, on a trouvé de l'or à Svappavaara.

— Oui, avec une densité de cinq grammes par tonne, ce qui est beaucoup. Deux pour cent de cuivre aussi. Alors j'ai trafiqué un rapport en indiquant qu'on n'avait rien trouvé et qu'il était peu vraisemblable qu'on découvre à cet endroit des densités suffisantes pour justifier l'implantation d'une mine. Et j'ai fait en sorte que la taupe ait accès à l'information. Quebec Invest a vendu ses parts dans la S/A Northern Explore une heure après.

— Qu'est-il arrivé à la taupe ?

— Je suis allé le voir. Après cette conversation, il a donné sa démission et personne n'a plus entendu parler de lui. »

Alf Björnfot réfléchit quelques instants sans rien dire.

« Quelqu'un chez Kallis Mining est-il au courant de cette affaire de taupe et de fausses informations ? »

Sven Israelsson hésita à répondre.

« Le journaliste Örjan Bylund a été assassiné, Inna Wattrang aussi, insista le procureur Björnfot. Nous ne pouvons pas exclure que les deux événements soient liés. Plus vite on saura la vérité, plus on aura de chances d'arrêter celui qui a fait ça. »

Alf Björnfot se cala au fond de sa chaise et attendit. L'homme assis en face de lui avait une conscience. Le pauvre.

« Je suppose que Diddi Wattrang et moi avons eu cette idée ensemble », dit enfin Sven Israelsson.

Il leur envoya un regard suppliant.

« À l'entendre c'était la chose la plus juste du monde. Il m'a dépeint Quebec Invest comme une entreprise malhonnête. Et il m'a confirmé ce que j'ai souvent pensé, c'est-à-dire que ces investisseurs étrangers n'ont en réalité aucune intention de créer des mines dans la région. Tout ce qui les intéresse, c'est de gagner de l'argent, le plus vite possible. Ils font du commerce avec des permis et des concessions mais ce ne sont pas des entrepreneurs. Même quand ils découvrent un gisement rentable, il ne se passe rien. Les droits sont vendus et revendus mais personne n'exploite quoi que ce soit. Quand ce n'est pas parce qu'il manque de l'argent – il faut au moins deux cent cinquante millions de couronnes pour démarrer une mine – c'est parce que l'envie n'y est pas. Et puis tous ces investisseurs étrangers n'en ont rien à faire de notre pays. Ils se fichent de créer des emplois pour les gens qui vivent ici. »

Sven Israelsson eut un petit sourire en guise d'excuse.

« Et puis il disait que Mauri Kallis était originaire de la région. Qu'il avait à la fois la volonté d'agir et l'argent pour le faire. Et surtout, une âme d'entrepreneur. En se débarrassant de Quebec Invest, les chances que la mine soit exploitée étaient multipliées par cent. J'ai repensé à tout cela par la suite. Chaque jour, j'y ai pensé. Mais même avec le recul, il me semblait que ce que nous avions fait était moralement défendable. C'était Quebec Invest les méchants dans l'histoire. C'était eux qui avaient mis un espion chez nous. Ces salauds. Nous nous sommes contentés d'escroquer les escrocs. De voler les voleurs. Ils n'avaient que ce qu'ils méritaient. Et il n'y avait aucun risque qu'ils nous dénoncent car en nous dénonçant ils se dénonçaient eux-mêmes. »

Sven Israelsson se tut. Rebecka Martinsson et Alf Björnfot le regardaient tandis qu'il prenait conscience que tout était terminé. L'idée commençait seulement à faire son chemin dans sa tête. Il allait perdre son travail. Il serait mis en examen. Les gens parleraient.

« Quand on m'a proposé un poste de directeur, dit-il en essuyant furtivement les larmes qui lui montaient aux yeux, j'ai seulement pensé que c'était une preuve supplémentaire que Kallis Mining allait investir dans la région. S'implanter ici. Mais quand j'ai reçu l'argent… dans une enveloppe, sous le manteau… ça m'a fait une sale impression. J'ai acheté la voiture et tous les jours quand je m'asseyais au volant… »

Il s'interrompit et secoua la tête.

L'homme avait une conscience, songea Alf Björnfot à nouveau.

« Eh bien ! s'exclama Alf Björnfot quand Rebecka et lui furent sortis de la maison de Sven Israelsson.

— Il faut que nous appelions Sven-Erik et Anna-Maria pour leur raconter, dit Rebecka. Il faut qu'ils entendent Diddi Wattrang dans le cadre d'une enquête pour délit d'initié.

— Anna-Maria m'a appelé tout à l'heure. Diddi Wattrang est au Canada. Mais je vais l'appeler de toute façon. Quand nous aurons réuni les informations sur la vente des actions, nous demanderons son aide à la police canadienne pour l'arrêter.

— Qu'est-ce que vous comptez faire maintenant ? demanda Rebecka. Voulez-vous venir avec moi à Kurravaara ? J'ai promis à mon voisin Sivving Fjällborg de lui faire ses courses. Il va m'inviter pour le café. Je crois qu'il serait content de vous connaître. »

Sivving apprécia la visite. Il aimait bien voir de nouvelles têtes. Le procureur et lui découvrirent très vite que s'ils n'étaient pas cousins, ils avaient de nombreuses connaissances communes.

« Vous êtes drôlement bien installé », lui dit Alf Björnfot avec un regard autour de lui dans la chaufferie.

Bella était couchée sur sa couverture, un regard affligé posé sur les convives qui, assis à la table en formica, se régalaient d'un festin de pain Wasa, de beurre et de fromage.

« Je trouve que c'est plus simple d'habiter ici, dit Sivving avec philosophie en trempant sa biscotte dans le café. De quoi est-ce qu'on a besoin pour vivre ? D'un lit et d'une table. J'ai la télévision aussi, même s'il n'y a pas grand-chose d'intéressant à voir. Quant aux vêtements, j'ai tout en deux exemplaires et ça me suffit. Il y en a qui se contentent d'encore moins mais je trouve bête d'être coincé chez soi parce qu'on fait sa lessive. Les caleçons et les chaussettes, j'en ai quand même cinq paires de chaque. »

Rebecka rit.

« Je trouve que c'est déjà beaucoup trop, dit-elle avec un regard lourd de sens vers les chaussettes trouées et les caleçons défraîchis qui étaient suspendus sur le fil à linge.

— Ah, les femmes, répliqua Sivving, riant aussi, cherchant du regard le soutien d'Alf Björnfot. Qui s'intéresse à ce que je porte sous mes vêtements ? Maj-Lis était pareille, elle faisait toujours très attention à ce que ses sous-vêtements soient impeccables. Ce n'était pas pour moi qu'elle le faisait. Non, c'était au cas où elle se ferait renverser par une voiture et où elle atterrirait à l'hôpital !

— Elle avait raison, s'esclaffa Alf Björnfot. Imaginez la tête du médecin qui tombe sur un type avec des sous-vêtements sales et des chaussettes trouées !

— Allons, Rebecka ! dit Sivving. Sois gentille d'éteindre cet ordinateur ! On essaye de passer un bon moment ensemble.

— J'ai bientôt fini », répondit Rebecka, distraitement.

Elle était en train d'examiner les finances de Diddi Wattrang.

« Maj-Lis était votre épouse, demanda Alf Björnfot.

— Oui, elle est morte d'un cancer il y a cinq ans.

— Regardez ça, dit Rebecka en tournant l'ordinateur portable vers Alf Björnfot. Diddi est à découvert à chaque fin de mois. Moins cinquante, moins cinquante. Et c'est comme ça depuis des années. Mais juste après que la Northern Explore a trouvé le gisement d'or, sa femme a immatriculé un Hummer à son nom.

— Encore une voiture, dit le procureur.

— Moi ça me plairait bien comme voiture, dit Sivving. Ça va chercher dans les combien un truc comme ça, sept cent mille couronnes ?

— Diddi Wattrang a commis un délit d'initié. La question est de savoir si la mort d'Inna Wattrang a quelque chose à voir avec ça.

— Elle a peut-être menacé de le dénoncer », suggéra Alf Björnfot.

Puis, s'adressant à Sivving :

« Alors votre femme et vous étiez voisins avec la grand-mère paternelle de Rebecka ?

— Oui. Et Rebecka a habité là presque toute son enfance.

— Ah bon ? Pourquoi ? Vos parents sont morts quand vous étiez enfant, Rebecka ? » lui demanda Alf Björnfot avec une totale absence de tact.

Sivving se leva précipitamment.

« Est-ce que quelqu'un a envie d'un œuf dur ? J'en ai dans le frigo. Je les ai fait cuire ce matin.

— Mon père est mort un peu avant mon huitième anniversaire, dit Rebecka. Il conduisait un engin forestier. Il était dans la forêt, c'était l'hiver et il y a eu une fuite dans le système hydraulique. On n'a jamais su exactement ce qui s'était passé parce qu'il était seul là-bas. On suppose qu'il est sorti du tracteur, qu'il a voulu tripoter la durite et qu'elle a lâché.

— Oh merde ! Du liquide hydraulique bouillant.

— Mmm, et puis la pression aussi. L'huile a giclé sur lui. Je crois qu'il est mort sur le coup. »

Rebecka haussa les épaules. Comme pour dire que c'était arrivé il y a longtemps. Qu'elle avait pris de la distance avec l'événement.

« Il a été négligent et stupide, dit-elle avec légèreté, mais je suppose que les gens sont comme ça, parfois. »

Sauf que lui n'en avait pas le droit, pensa-t-elle en gardant les yeux fixés sur l'écran de son ordinateur. J'avais besoin de lui. Il aurait dû m'aimer assez pour ne jamais être négligent et stupide.

« Ça aurait pu arriver à n'importe qui, déclara Sivving qui n'avait pas l'intention de laisser Rebecka dire du mal de son père devant un étranger. On est fatigué, on sort de sa cabine, il fait froid – ce jour-là il faisait moins vingt-cinq. Il devait être stressé aussi. Si la machine tombe en panne, on ne gagne plus d'argent.

— Et ta mère ? demanda Alf Björnfot.

— Ils ont divorcé un an avant la mort de papa. J'avais douze ans quand elle est partie. Elle vivait dans l'archipel d'Åland. Elle s'est fait écraser par un camion. Moi je vivais chez ma grand-mère. »

C'est la fin de l'hiver. Rebecka va avoir douze ans. Elle est sortie avec d'autres enfants du village pour jouer à sauter d'un tas de paille sous un hangar et directement dans la neige. Elle est mouillée jusque dans le milieu du dos et ses bottes lapones sont pleines de neige. Il faut qu'elle rentre à la maison se changer.

À la maison, c'est chez grand-mère à présent. Après la mort de papa, elle est allée vivre chez maman, mais ça n'a duré qu'un an. Maman était souvent absente pour son travail. Au début, c'était un peu compliqué. Maman la déposait chez grand-mère, pour aller travailler, ou juste parce qu'elle était fatiguée. Et quand elle revenait la chercher, elle était souvent de mauvaise humeur. Elle en voulait à grand-mère alors que c'était elle qui lui avait demandé de garder Rebecka.

Ce jour-là, Rebecka entre dans la cuisine avec ses vêtements trempés et maman est là. Elle est de très bonne humeur. Elle a les joues roses et a fait teindre ses cheveux chez un vrai coiffeur, et pas chez une amie comme d'habitude.

Elle raconte qu'elle a rencontré un homme. Il habite dans l'archipel d'Åland et il veut que maman et Rebecka viennent vivre chez lui.

Maman dit qu'il a une très belle maison. Et qu'il y a plein d'enfants dans le quartier où il habite. Rebecka aura un tas de camarades.

Rebecka sent une douleur dans son estomac. La maison de grand-mère est très jolie aussi. C'est là qu'elle veut habiter. Elle ne veut pas aller vivre ailleurs.

Elle regarde sa grand-mère. Grand-mère ne dit rien, mais elle garde les yeux fixés sur ceux de Rebecka.

« Jamais », dit Rebecka.

Et aussitôt qu'elle ose laisser le mot franchir ses lèvres, elle sent à quel point elle pense ce qu'elle vient de dire. Elle n'ira jamais avec sa mère nulle part. Elle est chez elle à Kurravaara. Et sa maman n'est pas quelqu'un sur qui on peut compter. Un jour elle est comme aujourd'hui – et tous les amis de Rebecka disent qu'elle est belle et bien habillée et gentille parce qu'elle discute avec les filles dans la cour de récréation. Rebecka a entendu l'une d'elles soupirer en la regardant : « Qu'est-ce que j'aimerais avoir une mère comme elle, capable de comprendre les choses. »

Mais cette fille ne la connaît pas comme Rebecka la connaît. Elle ne l'a pas vue quand elle reste couchée toute la journée sans rien faire et que Rebecka est obligée de vivre de sandwiches. Ou quand Rebecka n'ose rien toucher en sa présence parce qu'elle l'accuse de maladresse.

Aujourd'hui, maman fait tout ce qu'elle peut pour convaincre Rebecka de l'accompagner. Elle parle de sa voix la plus suave. Elle essaye de la prendre dans ses bras mais Rebecka la repousse. Elle tient bon. Dit non de la tête. Obstinément. Maman tente d'obtenir l'appui de grand-mère en disant :

« Grand-mère ne peut pas te garder en permanence, et c'est moi ta maman. »

Mais grand-mère se tait. Et Rebecka comprend que c'est sa manière de dire qu'elle est de son côté.

Après avoir été gentille pendant incroyablement longtemps, sa mère change brusquement d'attitude.

« Eh bien fais ce que tu veux, dit-elle à Rebecka d'un ton cinglant. Puisque tu t'en fiches de moi. »

Et elle se met à parler de toutes les heures supplémentaires qu'elle a dû faire depuis la mort de papa pour payer de nouveaux anoraks à Rebecka chaque hiver. Et elle dit à sa fille que si elle n'avait pas dû s'occuper d'elle, elle aurait pu faire des études.

Rebecka et grand-mère se taisent et se taisent et n'en finissent pas de se taire.

Elles se taisent encore bien après que maman est partie. Rebecka vient tenir compagnie à grand-mère dans l'étable. Tient la queue de la vache pendant qu'elle la trait. Comme elle faisait quand elle était petite. Elles ne se parlent pas. Mais quand Mansikka rote, elles éclatent de rire toutes les deux.

Et ensuite tout redevient presque comme d'habitude.

Maman déménage. Elle envoie à Rebecka des cartes postales dans lesquelles elle lui raconte à quel point tout est merveilleux là-bas, à Åland. Rebecka sent le pincement du manque dans son cœur en lisant les cartes. Mais maman ne dit nulle part que sa fille lui manque. Ni même qu'elle l'aime. Elle parle des sorties en bateau qu'elle fait avec son nouveau compagnon, des pommiers et des poiriers qui poussent sur leur terrain, d'une randonnée.

L'été suivant, elle reçoit une lettre. Tu vas avoir un petit frère ou une petite sœur, lui écrit sa mère. Grand-mère lit la lettre. Elle est assise à la table de la cuisine. Elle a posé sur son nez une paire de lunettes de lecture que grand-père avait achetées à la station-service.

« *Jesus siunakhoon ja Jumal varjelkhoon*, dit-elle après avoir terminé de lire. Jésus nous bénisse et Dieu nous garde. »

Qui m'a dit qu'elle était morte ? se demande Rebecka. Elle a oublié. Elle a presque tout oublié de cet automne-là. Seuls quelques rares détails lui reviennent.

Rebecka est allongée dans l'alcôve de la cuisine. Jussi n'est pas couché à ses pieds, parce que grand-mère et Maj-Lis, la femme de Sivving, sont assises à la table de la cuisine, et dans ces cas-là Jussi se couche toujours au-dessous. C'est seulement quand grand-mère part pour l'étable ou qu'elle s'en va dormir que Jussi monte sur le lit de Rebecka.

Maj-Lis et grand-mère pensent que Rebecka s'est endormie mais ce n'est pas vrai. Grand-mère pleure dans un torchon de cuisine. Rebecka sait que c'est pour ne pas faire de bruit et pour ne pas la réveiller.

Elle n'a jamais vu ni entendu sa grand-mère pleurer, même pas à la mort de grand-père. Ça lui fait très peur et elle ne se sent pas bien du tout. Si grand-mère pleure c'est que le monde est en train de s'écrouler.

Maj-Lis lui murmure des paroles de consolation.

« Je ne crois pas que c'était un accident, dit grand-mère. Le chauffeur prétend qu'elle le regardait droit dans les yeux quand elle a avancé au milieu de la route. »

« Ça doit être terrible de perdre ses deux parents aussi jeune », dit Alf Björnfot.

Sivving était toujours planté à côté du réfrigérateur, les œufs dans les mains, avec l'air de ne plus se souvenir de ce qu'il voulait en faire.

Quand je pense à la période qui a suivi, j'ai honte, songea Rebecka. Je voudrais avoir les bonnes images dans la tête. Une petite fille au bord d'une tombe, les joues baignées de larmes en train de jeter des fleurs sur un cercueil. Des dessins de maman au ciel ou quelque chose comme ça. Mais j'étais complètement indifférente.

« Rebecka », dit sa maîtresse.

Comment s'appelait-elle, déjà ? Eila !

« Rebecka, dit Eila. Tu n'as toujours pas rendu ton devoir de mathématiques. Tu te rappelles de quoi nous avons parlé hier ? Tu te rappelles que tu m'as promis de te remettre à travailler sérieusement ? »

Eila est gentille. Elle a des cheveux bouclés et un joli sourire.

« J'essaye, mademoiselle, répond Rebecka. Mais je n'arrête pas de penser que ma mère est morte et je n'arrive pas à me concentrer. »

Elle baisse les yeux pour donner l'impression qu'elle pleure. Mais ce n'est pas vrai.

Eila se tait et lui caresse doucement les cheveux.

« Là… là… Ça va aller. Tu te rattraperas plus tard. »

Rebecka est contente. Elle n'a pas envie de faire des maths. Et elle n'est plus obligée.

Une autre fois. Elle s'est cachée dans le bûcher de grand-mère. Le soleil filtre à travers les planches de la paroi. Voiles de poussière qui flottent dans un rai de lumière.

Lena, la fille de Sivving, et Maj-Lis la cherchent. « Rebecka ! » crient-elles. Elle ne répond pas. Elle veut qu'elles continuent à la chercher jusqu'à la fin des temps. Elle est furieuse et déçue quand elles arrêtent d'appeler.

Une autre fois encore. Elle joue au bord du lac. Elle fait semblant de taper sur des clous avec un marteau. Elle fabrique un radeau. Elle descend le Torneträsk. Elle sait qu'il s'écoule dans le fleuve Torne qui lui-même se jette dans la Baltique. Elle navigue sur son radeau le long des côtes finlandaises. Jusqu'à l'archipel d'Åland. Elle laisse le radeau et elle fait de l'autostop jusqu'à la belle maison de l'homme. Elle sonne à la porte. Le gars lui ouvre. Il ne comprend pas ce qu'elle fait là. « Où est maman ? lui demande-t-elle. — Partie se promener », répond-il. Rebecka court aussi vite qu'elle peut. Il faut faire vite. Elle agrippe maman à la dernière seconde, juste avant qu'elle traverse la route. Le camion les frôle à fond de train. Elle est sauvée !

Rebecka l'a sauvée. « J'aurais pu mourir, dit maman, ma petite fille ! »

« Je ne me rappelle pas avoir été triste, répondit Rebecka à Alf Björnfot. J'habitais ici avec ma grand-mère. Il y avait des tas d'adultes formidables dans mon entourage. Je crois que j'ai un peu abusé de la situation. Je sentais que les gens avaient pitié de moi et que cela me rendait intéressante. »

Alf Björnfot la regarda d'un air incrédule.

« Mais ma petite fille, dit-il. Ils avaient toutes les raisons du monde de te plaindre. Et tu méritais qu'on s'intéresse tout particulièrement à toi.

— Tu racontes n'importe quoi, la gronda Sivving. Tu n'as pas du tout abusé de la situation. Et puis arrête de penser à tout ça. C'est loin, maintenant. »

Ester Kallis était assise par terre dans sa chambre sous les combles à Regla, les bras croisés autour des genoux, occupée à rassembler son courage.

Il fallait absolument qu'elle aille à la cuisine pour chercher la casserole de macaronis qui l'attendait.

L'épreuve lui semblait insurmontable. La maison et le parc étaient envahis de gens et une activité fébrile régnait de tous les côtés. On avait loué du personnel de service et un chef pour préparer les repas. La cour était pleine d'hommes en armes munis de talkies-walkies. Elle avait entendu le responsable de la sécurité, Mikael Wiik, parler avec eux sous sa fenêtre entrouverte à l'instant.

« Je veux qu'il y ait des vigiles armés à la grille d'entrée quand ils arriveront. Ce n'est pas nécessaire, mais nous devons tranquilliser les invités. Vous comprenez ? Ce sont des gens qui voyagent souvent dans des endroits dangereux, mais même quand ils sont chez eux, en Allemagne, en Belgique ou aux États-Unis, ils ont l'habitude d'avoir beaucoup de gardes du corps autour d'eux. Je veux deux hommes à la grille et deux hommes devant la maison au moment où ils entreront. Nous prendrons nos positions stratégiques une fois qu'ils seront à l'intérieur. »

Il fallait vraiment qu'elle aille chercher cette casserole de pâtes. Il ne servait à rien de tergiverser.

Ester descendit l'escalier du grenier, passa devant la porte de Mauri et s'engagea dans le grand escalier en chêne qui menait dans le hall.

Elle foula le tapis persan du vestibule, passa devant son reflet dans l'immense miroir du dix-huitième sans le regarder et pénétra dans la cuisine.

Ebba Kallis parlait grands crus avec le cuisinier qui avait été engagé pour l'occasion, tout en donnant des instructions au personnel de service. Ulrika Wattrang se trouvait devant la grande table de cuisine avec son plateau en marbre, où elle arrangeait un bouquet dans un énorme vase. Les deux femmes ressemblaient à des gravures de mode avec leurs robes d'après-midi d'une coupe simple et élégante et leurs tabliers par-dessus.

Ebba tournait le dos à Ester quand elle entra. Ulrika la vit arriver et leva les sourcils pour signaler sa présence. Ebba se retourna.

« Ah, bonjour Ester, dit-elle d'une voix aimable accompagnée d'un sourire gêné. Je ne t'ai pas mis de place à table, j'ai pensé que tu n'aurais pas envie de dîner avec nous. Ça va beaucoup parler affaires… ce sera terriblement ennuyeux. Malheureusement Ebba et moi sommes contraintes d'y assister. »

Ulrika leva les yeux au ciel pour montrer à Ester à quel point la corvée lui était pénible.

« Je venais juste chercher mes macaronis », murmura Ester, les yeux baissés.

Elle sentait des picotements sous ses pieds. Elle était incapable de regarder Ulrika dans les yeux.

« Mais tu vas évidemment manger la même chose que nous ! s'exclama Ebba. Nous te ferons monter un plateau avec une entrée, un plat et un dessert.

— La veinarde ! Je ne pourrais pas avoir ça aussi ? dit Ulrika. Comme ça je pourrais me régaler en regardant tranquillement un film dans ma chambre. »

Elles éclatèrent toutes les deux d'un rire un peu forcé.

« Je viens seulement chercher mes macaronis », répéta Ester avec obstination.

Elle ouvrit le réfrigérateur et en sortit une grosse casserole de macaronis froids déjà cuits. Une bonne dose de glucides.

Ester effleura Ulrika. Elle ne put l'éviter parce que Ulrika était devant la porte du réfrigérateur. Elle était livide. Avec un gros trou au milieu de la figure.

Une voix. Celle d'Ebba ou celle d'Ulrika.

« Qu'est-ce que tu as ? Ça ne va pas ? »

Si, si, elle allait bien. Elle avait juste besoin de remonter dans sa chambre au grenier.

Elle monta les escaliers avec peine. Quelques instants plus tard, elle était assise sur son lit. Elle mangea ses macaronis froids avec les doigts directement dans la casserole parce qu'elle avait oublié de prendre une fourchette. Elle ferma les yeux et vit Diddi Wattrang qui dormait dans le lit conjugal. Il était tout habillé mais Ulrika lui avait retiré ses chaussures quand il était rentré la nuit dernière. Elle vit Mikael Wiik placer ses hommes autour de la maison. Il ne s'attendait pas à ce qu'il y ait des problèmes, il voulait juste que les invités voient les gardes du corps et qu'ils se sentent en sécurité. Elle vit Mauri faire les cent pas dans son bureau, nerveux à cause du dîner de ce soir. Le loup était descendu de l'arbre.

Elle ouvrit les yeux et regarda sa toile représentant le lac de Torneträsk.

« Je t'ai laissé tomber, songea-t-elle. Je suis partie à Stockholm. »

Ester prend le train pour Stockholm. Sa tante vient la chercher à la gare. Elle ressemble à une star de cinéma. Ses cheveux raides de Lapone sont permanentés et laqués à la Rita Hayworth. Ses lèvres sont peintes en rouge écarlate et sa robe est moulante. Elle porte un parfum lourd et sucré.

Ester a rendez-vous à l'école d'arts plastiques pour un entretien. Elle est en anorak et en baskets.

À l'académie Lovén, ils ont déjà vu les dessins de son examen d'admission. Elle est douée, mais beaucoup trop jeune. C'est pour ça que le comité de direction veut la rencontrer.

« N'oublie pas de parler, lui recommande sa tante. Ne reste pas assise sans ouvrir la bouche. Au moins, réponds quand ils te poseront des questions. Tu me le promets ? »

Ester se sent un peu abrutie. Elle promet. Il y a tellement de choses à voir et à entendre : le hurlement puis le crissement de la rame de métro quand elle entre dans une station, des panneaux de signalisation partout, des affiches publicitaires. Elle essaye de lire pour comprendre ce qu'ils cherchent à vendre mais elle n'a pas le temps de les voir. Les talons de sa tante sont comme des baguettes de batterie qui tapent sur le trottoir à un rythme effréné, zigzaguant entre les piétons qu'Ester n'a pas non plus le temps d'observer.

Les personnes rassemblées pour l'auditionner sont au nombre de cinq. Trois hommes et deux femmes. Ils ont tous plus de cinquante ans. On prie sa tante d'attendre dans le corridor. Ester est invitée à entrer dans une salle de conférences. De grandes toiles sont accrochées sur tous les murs de la pièce. Les travaux réalisés par Esther pour son examen d'entrée sont appuyés contre un mur.

« Nous aimerions parler avec toi de tes tableaux », dit gentiment l'une des deux femmes.

C'est elle la directrice. Ils lui ont tous serré la main en déclinant noms et fonctions, mais Ester ne s'en souviendra pas. Elle se rappelle seulement que la femme qui lui parle en ce moment a dit tout à l'heure qu'elle était directrice de l'académie.

Il n'y a qu'une seule peinture à l'huile. Elle s'appelle *Une nuit d'été* et on y voit le lac de Torneträsk et une famille en train de monter dans une barque. La scène est éclairée par le soleil de minuit et des essaims de moustiques bourdonnent autour des personnages. Un petit garçon et son papa sont déjà assis dans la barque. La maman tire sur le bras d'une petite fille qui ne veut pas monter à bord du bateau. La fillette pleure. Sur son visage passe l'ombre d'un oiseau volant dans le ciel. En arrière-plan se découpe la montagne encore couverte de neige par endroits. Ester a peint l'eau en noir. Elle a amplifié les reflets de la lumière en surface et quand on concentre son regard sur eux, on a l'impression que le lac est plus près que la famille, alors que dans la composition de l'image, c'est la famille qui est au premier plan. Elle est contente du résultat obtenu avec ces reflets exagérés. Cela donne au lac un aspect vaste et menaçant. Sous la surface on distingue une tache blanche qui pourrait aussi être le reflet d'un nuage.

« Vous n'avez pas l'habitude de la peinture à l'huile, n'est-ce pas ? » demande l'un des messieurs.

Ester secoue la tête, puisque c'est la vérité.

« C'est un tableau intéressant, dit la directrice, gentiment. Pourquoi la petite fille ne veut-elle pas monter dans la barque ? »

Ester hésite à répondre.

« Elle a peur de l'eau ? »

Ester hoche la tête. Pourquoi devrait-elle le leur dire ? Cela gâcherait tout. L'ombre blanche sous l'eau est le cheval blême qui se réveille en cette nuit de solstice. Quand elle était petite, elle avait emprunté un livre à la bibliothèque de l'école qui parlait du cheval blême. Dans son tableau, le cheval nage sous l'eau, attendant qu'un enfant tombe pour pouvoir l'emporter au fond et le dévorer. La petite fille sait que c'est elle qu'il attend. L'ombre de l'oiseau qui passe sur son visage est celle d'un oiseau de mauvais augure. Les parents ne voient que le nuage dans le ciel. On a promis au garçon qu'on le laisserait ramer et il voudrait qu'on parte.

Ils sélectionnent d'autres dessins. Il y a celui de Nasti le hamster dans sa cage. Les dessins au crayon de la maison de Rensjön, à l'extérieur et à l'intérieur.

Ils lui posent des tas de questions. Elle ne sait pas ce qu'ils veulent entendre. Que pourrait-elle bien leur dire de plus ? Ils ont ses dessins sous le nez, ils n'ont qu'à regarder. Elle n'a envie ni d'expliquer ni d'analyser, alors elle répond par monosyllabes et commence à s'ennuyer.

Sa mère et sa tante discutent avec passion dans sa tête.

Maman : « C'est normal de ne pas avoir envie de parler de ses dessins. En général, on ne sait pas soi-même d'où ils sont venus. Et on n'a pas forcément envie de le savoir. »

Ma tante : « Tu sais, quelquefois, il faut savoir donner un peu pour recevoir. Dis quelque chose, Ester, sinon ils vont finir par se demander si tu n'es pas demeurée. Tu veux entrer dans cette école, n'est-ce pas ? »

Ils regardent son dessin de chiens qui chient. C'est Gunilla Petrini, la conservatrice du musée, qui a choisi les dessins qu'Ester devait envoyer. Et elle aimait beaucoup celui-là.

C'est Musta, bien sûr, qui recouvre ses excréments de neige avec ses pattes arrière, l'air arrogant.

Il y a aussi le pointer du voisin, Herkules. Un chien de chasse raide à l'allure martiale. Le torse puissant et le museau concave. Pour une raison bizarre, quand il avait besoin de faire sa crotte, il lui fallait obligatoirement un petit sapin. Il ne pouvait pas déféquer sans se coller l'arrière-train contre un tronc d'arbre. Ester est assez fière de la justesse avec laquelle elle a réussi à reproduire l'expression dans ses yeux, un mélange de plaisir et d'effort, et l'attitude de son corps, le dos recourbé et la croupe appuyée au petit conifère.

Il y en a un qu'elle a fait de mémoire d'après une scène vue sur un trottoir à Kiruna. C'est une femme qui traîne son pékinois au bout d'une laisse. On ne voit que les jambes de la femme, de grosses jambes au-dessus d'une paire de chaussures à talons. Le pékinois est accroupi pour faire sa crotte. Mais apparemment sa maîtresse en a eu assez d'attendre et elle s'est remise à marcher. Ester a aussi représenté le chien de dos, en position de défécation, ses pattes arrière laissant deux traces parallèles sur le trottoir.

Ils lui posent une nouvelle question. Dans sa tête, sa tante la bouscule, impatiente.

Mais Ester reste muette. Que veulent-ils lui faire dire ? Qu'elle s'intéresse aux crottes de chien ?

Sa tante veut savoir comment s'est passé le rendez-vous. Comment Ester le saurait-elle ? Elle déteste toutes ces palabres. Pourtant elle a essayé. Par exemple quand ils lui ont demandé de parler des portraits de Nasti. Elle comprend qu'ils cherchent un sens profond aux dessins. Sa captivité. Son petit corps sans vie. Tout ce qu'elle a trouvé, c'est l'explication de son père : ils sont très fragiles. Dans la montagne, ils arrivent à se débrouiller, mais il suffit qu'ils soient mis en contact avec quelqu'un qui a un rhume… Ils l'avaient tous regardée d'un air perplexe.

Maintenant, elle se sent stupide. Elle pense qu'elle a été trop bavarde alors qu'elle sait qu'*eux* trouvent qu'elle n'a presque rien dit.

Son entretien s'est très mal passé. Elle s'en rend compte, à présent. Elle n'entrera jamais dans cette école.

Ester Kallis posa la casserole vide à côté du lit. Elle n'avait plus qu'à rester là à attendre. Elle ne savait pas très bien quoi.

Je verrai bien, songea-t-elle. C'est comme tomber. Ça se passe tout seul.

Il ne fallait pas allumer la lampe. Pas se faire remarquer.

En bas, ils dînaient. Comme un troupeau de rennes en train de paître. Inconscient de la présence des loups qui leur bloquent toutes les issues.

Dehors il faisait nuit noire. C'est un soir sans lune. Qu'elle garde les yeux fermés ou qu'elle les laisse ouverts ne faisait aucune différence. La seule lumière dans sa chambre venait de l'éclairage extérieur.

Les morts se rapprochaient. Ou peut-être était-ce elle qui s'approchait. Elle reconnut plusieurs personnes de la famille de sa mère qu'elle n'avait jamais rencontrées.

Inna. Plus proche qu'on aurait pu le penser. Peut-être se faisait-elle du souci pour son frère. Mais il n'y avait plus rien à faire pour lui. Ester devait avant tout s'occuper de son propre frère.

Récemment, Inna était venue dans la chambre d'Ester. Son visage était moins tuméfié. Les hématomes avaient changé de couleur. De rouges et bleus ils étaient devenus verts et jaunes.

« Tu n'as pas envie de sortir ton matériel et de faire mon portrait ? avait-elle demandé à Ester. Maintenant que je suis en couleurs. »

Elle avait changé depuis quelque temps. Elle ne sortait plus le week-end. Elle était moins gaie. Parfois, elle venait passer un moment avec Ester dans son grenier.

« Je ne sais pas ce que j'ai, disait-elle. Je suis fatiguée de tout. Fatiguée et déprimée. »

Ester l'aimait bien comme ça. Déprimée.

Pourquoi faudrait-il toujours être content ? avait-elle eu envie de demander à Inna.

Chez ces gens-là, il fallait être gai et insouciant et avoir des tas de relations. C'était ça le plus important.

Mais au moins, Inna n'imposait cela qu'à elle-même. Elle laissait Ester tranquille.

Dans ce domaine, Inna ressemblait à la maman d'Ester.

Elles me laissent toutes les deux être ce que je suis, se dit-elle. Maman. Elle avait promis à ses professeurs d'essayer de la convaincre de mieux travailler à l'école. D'apprendre les mathématiques et l'écriture. « Et puis, elle ne parle jamais à personne, disaient-ils. Elle n'a pas de camarades. »

Comme si c'était une sorte de maladie.

Mais sa mère l'avait laissée tranquille. Elle l'avait laissée dessiner. Elle ne lui avait jamais demandé si elle voulait inviter des amis à la maison. Pour elle c'était naturel d'être seul.

À l'école de dessin, c'était autre chose. Il fallait faire semblant de ne pas être seul. Pour mettre les gens à l'aise et leur éviter de se sentir coupables.

Ester entre à l'académie Lovén à Stockholm. Gunilla Petrini a des amis qui rénovent leur appartement à Jungfrugatan dans le quartier d'Östermalm. Du coup, ils vont passer l'hiver en Bretagne. La jeune Ester peut s'installer dans l'une des chambres, cela ne pose aucun problème. Les ouvriers arrivent tôt le matin et quand Ester rentre de l'école, ils ont fini leur journée.

Ester a l'habitude d'être seule. À l'école, elle n'avait pas de meilleure amie. Elle a vécu les quinze premières années de sa vie en marge des autres, passé les sorties en plein air toute seule dans son coin avec son déjeuner de tartines. Elle a vite renoncé à espérer que quelqu'un vienne s'asseoir à côté d'elle dans le car scolaire.

C'est sans doute de sa faute. Elle ne sait pas aller vers les gens. Sans doute parce qu'elle pense qu'ils la rejetteront si elle essaye. Ester passe les récréations toute seule. Elle n'engage la conversation avec personne. Les autres élèves sont déroutés par la différence d'âge, et ils se disent pour se déculpabiliser qu'elle a sûrement des amis avec qui elle sort pendant ses loisirs. Ester se réveille seule. Elle s'habille et prend son petit déjeuner seule. Quand elle part pour l'école, elle croise parfois les hommes en bleu qui viennent faire les travaux dans l'appartement. Ils hochent la tête et disent bonjour, mais pour Ester ils pourraient aussi bien venir d'une autre planète tant elle se sent loin d'eux.

Elle ne souffre pas particulièrement de son isolement à l'académie. Elle peint d'après pose de modèles vivants et apprend beaucoup en regardant le travail de ses camarades plus âgés. Quand ils sortent prendre un café, elle reste en général dans l'atelier pour regarder leurs dessins. Elle se demande comment celui-ci est parvenu à une telle légèreté dans le trait et comment celui-là a réussi à obtenir ces couleurs.

Quand elle n'est pas en cours, elle se promène. C'est facile d'être seul à Stockholm. Personne en la voyant passer ne peut deviner qu'elle est différente. Ce n'est pas comme à Kiruna où tout le monde connaît tout le monde. Ici des tas de gens marchent dans la rue pour se rendre à un endroit ou à un autre. C'est un soulagement pour elle de disparaître dans la foule.

Dans le quartier d'Östermalm il y a des vieilles dames avec de ces chapeaux ! Elles sont encore plus amusantes que les chiens. Le samedi après-midi, Ester les suit, son bloc à la main. Elle les croque rapidement, esquisse en quelques traits de crayon leurs corps frêles, leurs jambes enfermées dans d'épais bas de nylon et leurs jolis manteaux. Entre chien et loup, elles disparaissent comme des lapins apeurés.

Ester rentre chez elle et dîne de quelques tranches de pain noir. Quand elle a fini de manger, elle ressort. Les soirées d'automne sont tièdes et d'un noir de velours. Elle traverse les ponts de la ville.

Un soir, elle regarde un parking de camping-cars depuis le pont Västerbron. Pendant une semaine, elle revient tous les soirs pour observer une famille qui habite là. Le père fume, assis à l'extérieur sur une chaise pliante. Les familles qui vivent là ont mis leur linge à sécher entre deux camping-cars. Les enfants jouent au football. Ils se parlent en criant dans une langue qu'elle ne connaît pas.

Ester là solitaire voudrait se rapprocher de ces gens qui lui sont étrangers. Elle pourrait garder leurs enfants. Plier leur linge. Les accompagner dans leur voyage à travers l'Europe.

Elle essaye d'appeler chez elle mais la conversation est laborieuse. Antte lui demande à quoi ressemble Stockholm. Elle entend à sa voix qu'elle est déjà devenue une étrangère pour lui. Elle voudrait lui dire que Stockholm n'est pas mal du tout. Que l'automne y est joli avec tous ces feuillus qui se dressent vers le ciel bleu comme de gentils géants, leurs feuilles jaunes, grandes comme la main d'Esther, qui tombent sur les trottoirs avec un crépitement. Elle aimerait lui parler de la petite boutique de fleurs au coin de sa rue où on lui permet de rester, juste pour regarder. Mais elle sait que ce n'est pas ce qui l'intéresse.

Quant à maman, elle semble être sans cesse occupée. Ester a du mal à trouver un sujet de conversation qui ne lui donne pas l'impression que sa mère est sur le point de raccrocher.

Enfin, l'hiver arrive. Il pleut et il vente à Stockholm. Les vieilles dames ne se montrent presque plus. Ester peint une série de paysages. Des montagnes et des falaises. À différentes saisons et dans différentes lumières. La conservatrice Gunilla Petrini rapporte quelques toiles chez elle pour les montrer à ses amis.

« Il y a une atmosphère de désolation dans ces tableaux », commente l'un d'entre eux.

Gunilla Petrini est obligée d'en convenir.

« Ses dessins sont particuliers. Mais ce que je trouve magnifique c'est qu'elle n'ait pas peur de nous montrer un paysage désolé. On sent qu'elle est totalement en paix avec l'insignifiance de l'être humain face à l'univers et à la nature. Son travail ressemble à ce qu'elle est dans la vie. »

Elle leur montre d'autres dessins. Ils notent la maîtrise de son coup de crayon. Combien d'artistes peuvent se prévaloir de cette qualité aujourd'hui ? C'est comme si Ester arrivait tout droit d'une autre époque. Ils ont l'impression de retrouver les miroirs d'eau de Gustaf Fjæstad, les forêts enneigées de Bror Lindh. Les invités de Gunilla Petrini reviennent sur le sujet de la désolation dans ses natures mortes.

« La solitude ne la dérange pas, décrète son mari.

— C'est un avantage pour une artiste », fait remarquer quelqu'un.

Le couple Petrini raconte l'histoire d'Ester. La femme internée qui a fait un enfant avec un autre patient. Un Indien. Ils expliquent que la petite fille au physique d'Indienne a été élevée dans une famille d'accueil lapone.

Un vieil homme parmi les convives regarde les tableaux. Plusieurs fois, il doit remonter ses lunettes sur son nez. Il tient une galerie au centre de Stockholm dans le quartier où habite Ester. Il est réputé pour son flair et le talent qu'il a pour acheter des toiles avant que la cote des peintres monte en flèche. Il possède plusieurs Ola Billgren et il a acquis des toiles de Karin Mamma Andersson avant tout le monde. Il a accroché un Gerhart Richter gigantesque au mur de son salon. Gunilla Petrini savait ce qu'elle faisait en l'invitant ce soir. Elle vient remplir son verre.

« Ses chaînes de montagnes sont très intéressantes, dit le galeriste. Vous avez remarqué qu'il y a toujours une fente, une crevasse, une gorge ou une vallée dans le paysage ? Regardez ! Là, là, et encore là.

— Comme s'il y avait un autre monde à découvrir de l'autre côté, dit quelqu'un.

— Narnia, peut-être ? » dit un autre, se croyant amusant.

Et puis la décision est prise. Ester aura sa propre exposition à la galerie. Gunilla Petrini sauterait de joie sur place si elle le pouvait. Sa découverte va faire sensation. L'âge d'Ester. Son passé.

Rebecka avait raccompagné Alf Björnfot au studio qui lui servait de pied-à-terre dans Köpmangatan. Il n'avait pas envie d'aller se coucher tout de suite. Pas assez fatigué pour s'endormir. Trop ému aussi. Il avait été content de cette visite chez le voisin de Rebecka. Il se sentait des affinités avec ce Sivving Fjällborg qui avait choisi de s'installer dans sa chaufferie.

Lui aussi se sentait bien dans la petite garçonnière qu'il avait à Kiruna, où il y avait tout ce qu'il fallait et rien de plus. C'était reposant. Dans son appartement à Luleå, c'était tout autre chose.

Ses skis étaient appuyés au mur dans l'entrée. Autant les préparer tout de suite. Ainsi il serait fin prêt pour partir demain. Il posa les planches à l'envers entre deux chaises, dont il protégea l'assise avec du papier absorbant. Puis il fit couler de l'acétone sur les semelles, attendit trois minutes et l'essuya.

Il avait eu le temps de refarter ses skis, de trier la pile de linge qui traînait sur le canapé et de faire la vaisselle quand le téléphone sonna.

C'était Rebecka Martinsson.

« J'ai jeté un coup d'œil aux ventes réalisées par Kallis Mining ces derniers mois, dit-elle.

— Vous êtes au bureau ? demanda Alf Björnfot. Vous n'êtes pas censée vous occuper d'un chat en ce moment ? »

Rebecka ignora sa question et poursuivit :

« Kallis Mining a revendu, en très peu de temps, un grand nombre de titres d'entreprises dans lesquelles ils étaient actionnaires minoritaires, un peu partout dans le monde. Le parquet du Colorado a ordonné une enquête préliminaire à l'encontre d'une filiale du groupe Kallis Mining pour comptabilité frauduleuse. La filiale en question aurait dépensé cinq millions de dollars dans l'achat de mobilier et de fournitures. Le parquet soupçonne une fausse facturation. L'argent n'a pas été retrouvé chez le soi-disant vendeur en Indonésie mais sur un compte en Andorre.

— Ah oui ? » dit Alf Björnfot à tout hasard.

Il avait l'impression que Rebecka s'attendait à ce qu'il tire une quelconque conclusion de ses propos. Mais il n'avait pas la moindre idée de ce qu'elle aurait dû être.

« Il semble que Kallis Mining ait eu besoin de liquidités. Mais qu'ils n'aient pas voulu attirer l'attention en libérant du capital. C'est pour cela qu'ils ont vendu de petits volumes dans différents endroits du monde. Et ils ont retiré tous leurs actifs dans cette société au Colorado. Et versé l'argent sur un compte en Andorre. L'Andorre étant connu pour avoir un secret bancaire fort. Alors je me pose la question : pourquoi Kallis Mining a-t-elle besoin de libérer des fonds ? Et pourquoi transférer l'argent en Andorre.

— Je vous le demande !

— L'été dernier, trois ingénieurs ont été tués par un groupe de miliciens en sortant de la mine que possède Kallis Mining au Nord-Ouganda. Immédiatement après, Kallis Mining y a stoppé toute activité à cause de la situation politique devenue trop instable. Le climat n'a fait qu'empirer depuis lors et la mine est tombée entre les mains de diverses factions armées qui se la disputent. Ce qui est d'ailleurs le cas de plusieurs mines dans la partie nord du pays. En janvier, les choses se sont un peu améliorées. Le général Kadaga a pris le contrôle de la plupart des régions minières du Nord-Ouganda. Joseph Kony et son Armée de résistance du Seigneur, la LRA, se sont retirés dans le sud du Soudan. D'autres groupes armés sont repartis au Congo où ils continuent à se battre entre eux. »

Alf Björnfot entendit Rebecka feuilleter une liasse de papiers.

« Et c'est là que ça devient vraiment intéressant. Le Président et le général Kadaga sont en conflit depuis longtemps. Il y a plusieurs années Kadaga a été renvoyé de l'armée. Depuis il reste loin de Kampala, de peur que le Président le fasse mettre en prison et condamner pour quelque crime. De cette façon, le Président serait débarrassé de lui. Kadaga s'est débrouillé comme il a pu avec une armée qui au fil du temps s'est réduite comme peau de chagrin. Et puis tout à coup, il semble que le nombre de ses soldats ait augmenté et que son armée ait pris le pouvoir sur une grande partie du nord de l'Ouganda. Le journal *New Vision* a fait paraître un article dans lequel le président Museveni accuse un homme d'affaires hollandais d'avoir apporté une aide financière au général Kadaga. L'homme d'affaires s'appelle Gerhart Sneyers et il est propriétaire de l'une des exploitations minières qui ont été contraintes de fermer. Sneyers dément bien entendu ces accusations. Il les réfute comme des rumeurs sans fondement.

— Ah, vraiment ? dit Alf Björnfot à nouveau.

— Moi je crois que Mauri Kallis et Gerhart Sneyers, peut-être avec l'aide d'autres hommes d'affaires étrangers, ont décidé de soutenir Kadaga. Ils sont nombreux à être sur le point de perdre leurs concessions dans cette région. C'est pour cela que les fonds doivent être libérés le plus discrètement possible. Ils financent sa guerre, contre la promesse qu'il laissera leurs mines en paix. Ils espèrent sans doute pouvoir relancer les exploitations si la situation se stabilise. Et si c'est une banque en Andorre qui verse de l'argent à la LRA, l'identité du payeur est protégée par le secret bancaire.

— Est-ce qu'il y a moyen d'obtenir des preuves de tout cela ?

— Je ne sais pas.

— Bon. Pour le moment nous avons une suspicion de délit d'initié contre Diddi Wattrang. On va commencer par là », conclut Alf Björnfot.

Les invités de Mauri Kallis arrivèrent vendredi, un peu après vingt heures. Plusieurs voitures aux vitres teintées remontèrent l'allée du haras. Les agents de sécurité de Mikael Wiik les réceptionnèrent au portail.

Mauri Kallis, son épouse Ebba et Ulrika Wattrang attendaient devant le perron pour les accueillir. Les convives étaient Gerhart Sneyers, propriétaire d'exploitations minières et pétrolières et porte-parole de l'African Mining Trust, Heinrich Koch, P-DG de la Gems and Minerals Ltd, Paul Lasker et Viktor Innitzer, tous les deux propriétaires de mines au Nord-Ouganda, et enfin, l'ex-général Helmuth Stieff. Gerhart Sneyers avait entendu ce qui était arrivé à Inna Wattrang et dit à quel point il était désolé.

« L'œuvre d'un maniaque, sans doute, répondit Mauri Kallis. Je n'arrive toujours pas à croire que c'est vraiment arrivé. Elle était une collaboratrice loyale et une amie de la famille. »

Entre deux poignées de main, il demanda à Ulrika :

« Est-ce que Diddi se joindra à nous pour dîner ?

— Je ne sais pas, répondit Ulrika tout en servant un verre à Viktor Innitzer. Je ne sais pas du tout. »

Je ne suis pas un drogué. Diddi s'était souvent répété cette phrase ces six derniers mois. Un vrai drogué se shoote. Il n'était donc pas un drogué.

Lundi, Mikael Wiik l'avait déposé sur la place Stureplan à Stockholm. Il avait fait une virée qui avait commencé dès son arrivée à la capitale et avait duré jusqu'à son retour à Regla en taxi le vendredi. Il venait de se réveiller dans le noir, les cheveux humides de transpiration. Ce n'est qu'en allumant la lampe de chevet qu'il comprit qu'il se trouvait dans sa chambre, à Regla. Il n'avait des journées et des nuits qui venaient de s'écouler qu'un souvenir fragmenté. Des images sans rapport les unes avec les autres. Une fille qui rit trop fort sur un tabouret de bar. Des types avec qui il engage la conversation et qu'il accompagne à une soirée. Son reflet dans le miroir des toilettes quelque part, Inna dans sa tête au moment précis où il mouille un morceau de papier hygiénique sur lequel il fait tomber quelques gouttes d'amphétamines avant d'en faire une petite boule qu'il avale. Une piste de danse enfumée dans un entrepôt. Des centaines de mains levées. La moquette du salon dans le pied-à-terre de la société à Stockholm sur laquelle il émerge d'un sommeil comateux. Quatre personnes qui dorment, assises sur le canapé. Il ne les a jamais vues de sa vie.

Après cela il suppose qu'il a appelé un taxi. Il croit se souvenir que c'est Ulrika qui l'a aidé à sortir de la voiture et qu'elle pleurait. Mais peut-être confond-il avec une autre fois.

Il n'était pas un drogué. Mais si quelqu'un le voyait en ce moment fouiller dans l'armoire à pharmacie, il pourrait aisément le croire. Il jeta le paracétamol, le sparadrap, le thermomètre et le spray nasal par terre à la recherche de benzodiazépine. Il chercha dans les tiroirs et derrière un bureau remisé à la cave, mais cette fois, Ulrika avait réussi à dénicher toutes ses planques.

Il devait bien y avoir un truc quelque part. À défaut de psychotropes, de la coke, et s'il n'y avait pas de coke, au moins du shit. Il n'avait jamais été très attiré par les hallucinogènes, mais là il se serait contenté d'une pipe d'herbe ou d'un comprimé d'ecstasy. N'importe quoi pour régler son compte au serpent noir qui se promenait dans sa tête et lui vrillait l'âme.

Il trouva une bouteille de sirop pour la toux dans le réfrigérateur.

Il la vida en longues gorgées. Et sentit une présence derrière lui. La jeune fille qui s'occupait de son fils.

« Où est Ulrika ? » lui demanda-t-il.

Elle répondit à sa question en regardant le flacon qu'il avait dans la main.

Merde ! Le dîner. Le dîner de Mauri.

« Que pensez-vous de Mauri Kallis ? » demanda-t-il à la jeune fille.

Comme elle ne disait rien, il répéta sa question avec plus d'insistance :

« Répondez franchement ! »

Il lui pressa l'épaule comme s'il pouvait en extraire une réponse.

« Je vais vous demander de me lâcher, dit-elle d'une voix extrêmement ferme. Lâchez-moi, je vous dis.

Vous me faites peur et vous me faites mal et ça ne me plaît pas du tout.

— Pardonnez-moi. Pardon, pardon. Je dois… je ne peux plus… »

Il n'arrivait plus à respirer. C'était comme si sa trachée s'était rétrécie subitement, comme s'il respirait à travers une paille.

Le flacon de sirop tomba sur le carrelage de la cuisine et se brisa. Il tira sur son col, affolé.

La jeune fille se dégagea. Il se laissa tomber sur une chaise. Essaya de reprendre sa respiration.

Peur ? Elle avait dit « peur » ? Qu'est-ce qu'elle connaissait à la peur ? Rien du tout.

Il se souvint du jour où il avait parlé de Quebec Invest à Mauri. Quand il lui avait communiqué les révélations de Sven Israelsson sur la taupe au sein de la SGAB.

« Le type leur donne les résultats des analyses à l'avance », avait-il dit à Mauri.

Mauri était devenu très pâle. Il était dans une colère noire. On voyait qu'il était furieux sans qu'il ait besoin d'ouvrir la bouche.

Il en fait une affaire personnelle, songea Diddi. Mauri se vantait toujours d'être « business business ». Alors qu'en réalité, derrière les apparences, il y avait un homme bourré de complexes d'infériorité pour qui tout était un affront insupportable.

Mauri avait décidé qu'ils tourneraient cette situation à leur avantage. Si les forages donnaient des résultats positifs, ils feraient passer à l'espion l'information inverse et au moment où Quebec Invest vendrait et ferait tomber le cours des actions, ils les rachèteraient.

Il chargea Diddi de s'en occuper et de faire en sorte que son nom ne soit pas mentionné.

C'est totalement sans danger, disait Mauri. Qui irait les dénoncer ? Pas Quebec Invest en tout cas.

Diddi avait hésité. Si c'était si sûr, pourquoi Mauri ne le faisait-il pas lui-même ?

Mauri lui avait fait un grand sourire.

« Parce que je n'ai pas ton talent pour embobiner les gens. Nous aurons besoin de l'aide de Sven Israelsson. »

Puis il avait énoncé la somme qu'allait représenter la part de Diddi. Au moins un demi-million de couronnes, à son avis. Directement dans sa poche.

La question était réglée. Diddi avait besoin d'argent.

Deux semaines auparavant, Inna s'était confrontée à lui. C'était la dernière fois qu'elle était venue à Regla. Ils somnolaient tous les deux, assis sur un banc du côté sud de sa maison, le dos appuyé au mur, le visage levé vers le soleil printanier.

« C'est Mauri, n'est-ce pas ? lui avait-elle demandé. C'est lui qui est derrière cette magouille avec Quebec Invest ?

— Ne te mêle pas de ça, avait répliqué Diddi.

— J'ai l'intention de faire ma petite enquête, avait riposté Inna. Je crois que Sneyers et lui soutiennent Kadaga. Je crois qu'ils ont l'intention de faire tomber Museveni. Peut-être de le faire assassiner.

— Inna, si tu m'aimes un peu, ne mets pas ton nez dans ces histoires », l'avait-il supplié.

Mauri Kallis et ses invités allèrent se dégourdir les jambes avant de passer au dessert. Viktor Innitzer en profita pour demander au général Helmuth Stieff quelles chances le général Kadaga avait de garder le contrôle de la région minière au Nord-Ouganda.

« Le Président ne le permettra pas, affirma le général. Ces mines représentent des ressources essentielles pour le pays et il déteste Kadaga qu'il considère comme un ennemi. Dès que les élections seront passées, il renverra ses troupes là-bas. Et ceux de la LRA feront la même chose. Leur départ n'était que conjoncturel.

— En ce qui nous concerne, intervint Gerhart Sneyers, nous avons besoin que la paix revienne si nous voulons recommencer à exploiter les mines. Il nous faut de l'électricité, des infrastructures en bon état. Il serait naïf de croire que Museveni nous laissera revenir. Il y a des mois que toute activité a cessé dans la région. Combien de temps encore pensez-vous pouvoir retenir vos investisseurs et leur faire croire qu'il s'agit simplement d'une phase d'entretien général et de maintenance du site ? Les problèmes au Nord-Ouganda ne vont pas s'arranger parce que nous restons là à attendre. Museveni est cinglé. Il met ses opposants politiques en prison. S'il parvient à prendre le contrôle sur les mines, il ne faut surtout pas vous imaginer qu'il va nous les rendre. Il prétendra que nous les avons abandonnées et qu'elles sont de ce fait redevenues la propriété de l'État. Les Nations unies et la Banque mondiale laisseront faire sans lever le petit doigt. »

Heinrich Koch pâlit. Ses actionnaires lui collaient aux basques, comme ceux de Mauri. En outre, il avait immobilisé tellement d'argent personnel dans Gems and Minerals Ltd qu'il n'échapperait pas à la faillite s'il devait perdre la mine.

Ils allaient débattre librement le lendemain des options qui leur restaient. Gerhart Sneyers leur avait clairement fait comprendre qu'ils n'étaient pas là pour jouer les diplomates. Ils devaient se faire confiance mutuellement et parler ouvertement. Par exemple, il fallait décider qui prendrait la place de Museveni si celui-ci devait… se retirer. Et ce qui se passerait aux prochaines élections présidentielles si le président sortant ne se présentait pas.

Mauri observait Heinrich Koch, Paul Lasker et Viktor Innitzer. Ils regardaient Gerhart Sneyers, pleins d'admiration, formant un cercle attentif autour de lui. Une bande de collégiens autour du caïd de la cour de récréation.

Mauri Kallis avait confiance en Sneyers. Il s'agissait d'assurer ses arrières. Koch et Innitzer en particulier lui mangeaient dans la main. Ce que Mauri n'avait nullement l'intention de faire.

Il avait pris la bonne décision en s'adressant à Mikael Wiik pour régler ce problème avec le journaliste Örjan Bylund. Mikael Wiik s'était révélé être l'homme de la situation, à la hauteur de ce que Mauri espérait quand il l'avait engagé.

C'était au moment où Diddi avait pété les plombs qu'il était devenu menaçant.

Diddi Wattrang fait les cent pas dans le bureau de Mauri. Nous sommes le 9 décembre. Mauri et Inna rentrent tout juste de Kampala. Mauri est un autre homme. Après le rendez-vous avec la ministre des Finances il était furieux, mais à présent il est tout à fait calme.

Assis sur le coin de son bureau, il parle à Diddi avec un demi-sourire.

« Tu comprends, Diddi. Cet Örjan Bylund pose un tas de questions sur Kallis Mining et cette affaire avec Quebec Invest. Je suis dans la merde, maintenant. »

Diddi serre le poing contre son ventre. Comme s'il avait des aigreurs d'estomac.

Mauri tente de l'apaiser.

« Personne ne peut rien prouver, bien sûr. Quebec Invest ne dira rien parce qu'ils sont aussi coupables que nous. Ils seraient foutus si on venait à apprendre ce qui s'est passé. Et ils le savent ! Sven Israelsson le sait aussi, sans compter qu'il est partie prenante. Calme-toi. Et laisse passer la vague.

— C'est toi qui oses me dire de me calmer ! » fulmine Diddi.

Mauri hausse les sourcils, surpris. Diddi n'a pas pour habitude de se mettre en colère. La dernière fois qu'il l'a vu dans cet état, c'était le jour où il s'était présenté dans sa chambre d'étudiant pour lui réclamer de l'argent. À l'époque où cette Espagnole l'avait plaqué. Toute une vie avait passé entre-temps.

« Ne va pas t'imaginer que je porterai le chapeau si l'histoire venait à se savoir, grogne Diddi. Tu peux être sûr que je n'aurai aucun scrupule à te dénoncer.

— Je t'en prie, répliqua Mauri, glacial. Mais pour l'instant, je te demande de sortir. »

Mauri inspire longuement après que Diddi a claqué la porte derrière lui. Il est inquiet. Mais il ne se laissera pas gagner par la panique. C'est un homme pragmatique et réfléchi.

Et ce sont des qualités fort utiles quand on est à la tête d'une société et qu'on a affaire à un journaliste qui vient fourrer son nez partout. En creusant un peu, il n'est pas très compliqué de prouver que c'est Mauri qui a acheté les actions Northern Explore après que Quebec Invest les a remises sur le marché, ni qu'il les a revendues tout de suite après la publication du rapport indiquant la présence d'un gisement d'or. Et si on s'intéresse par la même occasion aux mouvements de fonds de diverses filiales de son groupe et qu'on découvre qu'ils atterrissent tous sur un compte en Andorre, le torchon brûle. Si enfin on parvient à mettre la main sur un marchand d'armes trop bavard qui révèle que des armes livrées à Kadaga ont été payées à partir d'un compte en Andorre…

À la première occasion, Mauri dit à son chef de la sécurité :

« J'ai un problème. Et j'aurais besoin d'un homme loyal, avec vos compétences, pour le résoudre. »

Mikael Wiik ne fait pas de commentaire. Il se contente d'acquiescer. Le lendemain, il communique à Mauri un numéro de téléphone.

« Il s'agit d'un professionnel, dit-il, sans plus de détails. Vous direz que vous avez eu le numéro par un bon ami. »

Il n'y a pas de nom inscrit sur le morceau de papier. Seulement un numéro de téléphone. Le code du pays est celui de la Hollande.

Mauri a l'impression de jouer dans un film de série B en composant le numéro le jour suivant. Une femme lui répond : « Allô ! » Mauri écoute sa voix, son intonation. Il est nerveux, son oreille est attentive aux bruits dans la pièce où se trouve son interlocutrice. Celle-ci a un léger accent. Sa voix est enrouée. Une fumeuse d'une quarantaine d'années originaire de Tchécoslovaquie ?

« J'ai eu votre numéro par un ami, dit-il. Un bon ami.

— La consultation coûte deux mille euros. Ensuite nous vous ferons un devis. »

Mauri ne cherche pas à marchander.

Mikael Wiik envoya les gardes du corps manger à tour de rôle. Il n'y avait rien à redire sur l'organisation de la réunion. Les Suédois qu'il avait engagés avaient de l'admiration pour lui. Ils lui enviaient sa place auprès de Mauri Kallis. Il faut dire qu'il avait un super job. Il eut l'impression de sentir aussi un changement d'attitude chez les hommes de Sneyers. Ils étaient devenus plus respectueux.

« *Nice place*, dit l'un d'eux avec un geste qui englobait tout le haras.

— Encore mieux que de recevoir la médaille du mérite de la main du ministre de la Défense français », dit un autre.

Ils étaient donc au courant. Et c'est ça qui les avait rendus aussi respectueux tout à coup. Cela signifiait aussi que Sneyers avait pris des renseignements sur Mauri Kallis et sur ceux qui l'entouraient.

Ils avaient raison. Il préférait travailler pour Kallis que pour les forces spéciales.

« Ça a dû être chaud, là-bas. Les Français n'octroient pas une médaille facilement à un étranger.

— C'est le chef de notre unité qui a eu une médaille », se défila Mikael Wiik.

Il n'avait pas envie de parler de ça. Sa compagne devait parfois le secouer la nuit pour le réveiller. « Tu étais en train de hurler, lui disait-elle. Tu réveilles toute la maison. »

Il se levait. Trempé de sueur.

Les souvenirs l'assaillaient. Attendant qu'il soit endormi. Ils ne s'étaient pas adoucis avec le temps. Au contraire. Les sons étaient plus nets, les odeurs plus fortes.

Certains bruits avaient le pouvoir de le rendre à moitié fou. Une mouche par exemple. Il pouvait passer un après-midi entier à les chasser hors de la maison de campagne de son amie. Il préférait rester en ville l'été à cause des mouches.

Des nuages de mouches. Il est au Congo-Kinshasa. Dans une ville proche de Bunia. Le régiment de Mikael Wiik est arrivé trop tard. Ils trouvent les habitants découpés en petits morceaux devant leurs maisons. Des corps sans vêtements. Des enfants éventrés. Trois membres de la milice coupable de ces exactions sont assis le dos appuyé au mur d'une maison. Ils ne sont pas repartis avec les leurs. Trop abrutis de drogues. Ils réalisent à peine qu'on s'adresse à eux. Ils ne sont incommodés ni par la fétide odeur de mort, ni par la nuée vrombissante des mouches énormes qui recouvrent les cadavres.

L'officier de l'unité tente de se faire comprendre en plusieurs langues, anglais, allemand, français. « Levez-vous ! Qui êtes vous ? » Ils restent assis, appuyés contre le mur. Les yeux dans le vague. Finalement l'un d'entre eux soulève son arme posée par terre à côté de lui. Il a à peine douze ans. Il prend son arme et est tué sur-le-champ.

Ensuite ils tuent ses deux acolytes. Et ils les enterrent. Dans le rapport il est consigné que tous les miliciens ont disparu avant leur arrivée sur les lieux.

Ça pouvait être la pluie sur les carreaux. Quand elle se mettait à tomber au milieu de la nuit alors qu'il dormait, c'était le pire. Il se mettait à rêver de la mousson.

Il pleut à verse pendant des semaines. L'eau dégouline sur le flanc des montagnes et emporte la terre rouge. Les reliefs sont érodés, les routes se transforment en fleuves de boue.

Mikael Wiik et ses compagnons d'armes se disent en plaisantant qu'ils n'osent pas retirer leurs bottes de peur que leurs orteils restent à l'intérieur. La moindre ampoule devient immanquablement une plaie tropicale. La peau se boursoufle, blanchit et tombe en lambeaux.

Le GPS et la radio tombent en panne. Leur équipement électronique n'est pas fait pour ce genre de pluie. Il n'y a pas moyen de les mettre à l'abri.

Ils opèrent sous commandement français sur ordre de l'OTAN. Il s'agit de sécuriser une route et ils sont bloqués devant un pont. Mais où sont passés les Français ? Leur unité n'est composée que de dix hommes et ils attendent des renforts. Les Français sont supposés sécuriser l'autre côté du fleuve mais on ignore combien de soldats il y a là-bas. Plus tôt dans la journée, on a aperçu trois silhouettes en tenue de camouflage disparaissant dans la jungle.

Le sentiment inconfortable qu'ils sont cernés par les miliciens commence à les envahir.

Mikael Wiik sortit un paquet de cigarettes de sa poche et le tendit aux hommes de Sneyers.

Ce jour-là, ça s'était terminé par une fusillade. Il ignore combien il en a tué. Il se rappelle seulement de la peur qu'il a ressentie quand les munitions ont commencé à manquer et qu'il s'est souvenu des histoires qu'on leur avait racontées sur ce que ces cinglés avaient coutume de faire à leurs ennemis. Ça le réveille encore la nuit. C'est après cet épisode qu'ils ont eu droit à une médaille.

C'était une drôle de vie. Quand ils se rendaient dans une ville entre deux missions, ils traînaient dans les bars à longueur de journée. Ils savaient qu'ils buvaient trop mais ils n'avaient encore jamais eu à gérer ce degré de réalité. De petites Africaines qui n'étaient encore que des enfants venaient se frotter à eux, « Mister, mister », et on pouvait les avoir pour une poignée de cacahuètes. Mais avant ça, on voulait pouvoir picoler tranquillement avec ses camarades. Alors on les chassait comme des chiens et on prévenait le patron qu'on irait boire ailleurs si on ne pouvait pas avoir la paix. Le patron les fichait dehors.

On pouvait en avoir autant qu'on voulait dans la rue de toute façon. Même quand il pleuvait comme vache qui pisse, elles attendaient, collées contre le mur de l'établissement, et on les embarquait dans sa chambre d'hôtel en partant se coucher.

Un soir, dans un bar, Mikael Wiik avait rencontré un major retraité de l'armée allemande. C'était un homme d'environ cinquante ans qui après sa carrière dans l'armée avait monté une société de sécurité et de protection rapprochée. Mikael avait déjà entendu parler de lui.

« Tenez ! Prenez ça. Pour le jour où vous en aurez marre de crapahuter dans la boue », lui avait dit le major en lui tendant une carte de visite sur laquelle ne figurait qu'un numéro de téléphone. Rien d'autre.

Mikael Wiik avait souri et il avait secoué la tête.

« Prenez-la, avait insisté l'Allemand. On ne peut jamais savoir de quoi demain sera fait. Il s'agit de missions ponctuelles et courtes. Très bien payées. Et bien plus faciles que ce que vous faites ici. »

Mikael Wiik avait glissé la carte dans sa poche, principalement pour mettre fin à la discussion.

« Mais ces missions ne sont pas sous l'égide des Nations unies, je présume », avait-il plaisanté.

Le major avait ri poliment, pour lui montrer qu'il ne lui tenait pas rigueur de sa remarque. Puis il lui avait donné une claque dans le dos et il était parti.

Trois ans après, quand Mauri Kallis était venu le voir pour lui dire qu'il avait un problème dont il fallait s'occuper « sérieusement », Mikael avait contacté le major allemand pour l'informer qu'un ami à lui avait besoin de ses services. Le major lui avait communiqué un numéro de téléphone où Mauri pourrait appeler.

C'était étrange d'imaginer que ce monde-là existait toujours. Un monde de conflits, de seigneurs de la guerre, de drogues, de malaria, de gamins aux yeux vides. Heureusement il n'en faisait plus partie.

Je me suis retiré à temps, songea Mikael Wiik. Il y en a qui ne réussissent jamais à revenir à une vie normale. Moi, j'ai une compagne, une vraie femme avec un vrai travail. Et j'ai un appartement et un nouveau métier. Je gagne ma vie et je suis tranquille.

Si je n'avais pas donné ce numéro à Mauri Kallis, il se le serait procuré autrement. Et puis je ne suis pas censé savoir pour quoi il l'a utilisé ! Ni même s'il s'en est servi. Je lui ai donné ce numéro début décembre. Bien avant la mort d'Inna. Et puis elle... Ce n'était pas le travail d'un professionnel. Tout est tellement... embrouillé.

Mauri Kallis transfère cinquante mille euros sur un compte à Nassau, Bahamas. On ne lui envoie aucun reçu, ni accusé de réception, ni confirmation que le travail qu'il a commandé a bien été exécuté. Rien. Il a demandé à ce que le disque dur d'Örjan Bylund soit effacé mais il ignore si ça a été fait.

Une semaine après qu'il a versé l'argent, il lit dans le *Norrländska Socialdemokraten* que le journaliste Örjan Bylund est décédé. L'article semble indiquer qu'il est mort des suites d'une maladie.

Ça avait été si facile. Maintenant, il n'y avait plus qu'à continuer, songeait Mauri Kallis en souriant. Sa femme était en train de trinquer avec son voisin de table, Gerhart Sneyers.

Avec Inna ça avait été plus dur. Il avait réfléchi à une centaine de solutions différentes pendant la semaine qui avait précédé. Mais il était chaque fois parvenu à la même conclusion. Il n'y avait pas d'autre option.

C'est le jeudi 30 mars. Dans vingt-quatre heures, Inna Wattrang sera morte. Mauri se trouve chez Diddi. Diddi est au lit, dans sa chambre à coucher.

Ulrika est venue sonner à la porte d'Ebba et de Mauri. Elle pleurait, elle était en pull-over, n'avait pas pris le temps de mettre son manteau. Elle tenait l'enfant dans ses bras, enveloppé dans une couverture comme s'ils avaient été des réfugiés.

« Il faut que tu viennes le voir, dit Ulrika à Mauri. Je n'arrive pas à le réveiller. »

Mauri n'a pas envie de l'accompagner. Après l'affaire Quebec Invest et ce que Diddi lui a dit sur Örjan Bylund, ils ne se voient plus. Et surtout pas en tête à tête. Depuis qu'ils sont devenus une association de malfaiteurs, ils font tout ce qu'ils peuvent pour ne pas se croiser. Leur culpabilité partagée ne les a pas rapprochés, elle les a éloignés encore plus.

Maintenant il est dans la chambre de Diddi et il le regarde dormir. Il n'essaye pas de le réveiller. Pourquoi le ferait-il ? Diddi est couché dans la position du fœtus.

Mauri se sent empli d'une irritation féroce.

Il se demande, en jetant un coup d'œil à sa montre, combien de temps il va devoir rester ici avant de pouvoir rentrer chez lui. Combien de temps aurait-il passé dans la chambre s'il avait essayé de le réveiller ? Pas très longtemps, sans doute.

À l'instant où il s'apprête à s'en aller, la ligne fixe de Diddi se met à sonner.

Pensant que c'est Ulrika qui l'appelle sur l'intercom pour lui demander comment ça se passe, il décroche.

« Oui. »

Mais ce n'est pas Ulrika qui est au bout du fil, c'est Inna.

« Pourquoi est-ce toi qui décroches le téléphone chez Diddi et Ulrika ? » lui demande-t-elle.

Il ne s'aperçoit pas tout de suite que sa voix est différente. Il ne s'en rend compte qu'après. Pour l'instant, il est simplement heureux de l'entendre.

« Salut, dit-il. Où est-ce que tu es ?

— Et toi, *qui* es-tu ? » lui demande-t-elle de ce ton qui ne lui ressemble pas.

Maintenant il l'entend. Que c'est une autre Inna. Peut-être même qu'à ce moment, il a déjà compris ce qui allait se passer.

« Qu'est-ce que tu veux dire ? lui demande-t-il alors qu'il ne veut pas le savoir.

— Ce que je veux dire ? »

Elle respire fort dans l'appareil puis elle se jette à l'eau.

« Il y a quelque temps de cela, un journaliste du nom d'Örjan Bylund s'est mis à poser des questions à propos de la décision que Quebec Invest a prise de sortir du capital de Northern Explore. Il est mort peu de temps après.

— Ah bon ?

— Arrête ! Pas avec moi ! J'ai d'abord cru que c'était Diddi, mais il n'est pas assez intelligent pour ça. Il est juste assez cupide pour se laisser acheter, n'est-ce pas ? Je te connais par cœur, Mauri. Je travaille dans la société. Tu as pris de l'argent sur les comptes du groupe, de grosses sommes ! Les justificatifs de ces dépenses sont fictifs pour la plupart. L'argent disparaît sur un compte secret en Andorre. Et tu sais quoi ? Pendant que tu pompais du fric sur les comptes de la société, le général Kadaga mobilisait ses troupes. Des tas de types peu recommandables l'ont rejoint parce que, tout à coup, il avait trouvé une manne. La loyauté va à celui qui paye, je me trompe ? Dans les journaux que personne ne lit ailleurs qu'en Afrique centrale, on peut voir que des armes traversent les frontières et sont livrées aux troupes de Kadaga. Par avion ! Où Kadaga a-t-il trouvé les moyens de se les procurer ? Lui et ses hommes ont pris le contrôle de la région minière de Kilembe. C'est toi qui les as financés, Mauri. Tu as payé Kadaga et les seigneurs de la guerre qui se sont ralliés à lui. Afin qu'ils protègent ta mine. Pour qu'elle ne soit pas pillée et détruite. Qui es-tu ?

— Je ne sais pas ce que c'est que ces bêtises que tu t'es mises dans la tête…

— Tu sais ce que j'ai fait aussi ? Je suis allée à la rencontre de Gerhart Sneyers à la Foire internationale de l'acier à Bombay. Nous avons bu un verre ensemble et je lui ai dit : "Alors, ça y est, les affaires reprennent pour Mauri et vous en Ouganda ?" Tu sais ce qu'il m'a répondu ?

— Non », répond Mauri en s'asseyant au bord du lit de Diddi qui dort toujours.

La situation est surréaliste. Ceci n'est pas en train d'arriver réellement, lui crie une voix en lui.

« Rien du tout. Il n'a rien répondu du tout. Il m'a juste demandé : "Qu'est-ce que Mauri vous a dit ?" Il m'a fait peur, je t'avoue. Et pour une fois, il ne s'est pas lancé dans une longue tirade sur Museveni qui serait un nouveau Mobutu ou un autre Mugabe. Il n'a pas dit un mot à propos de l'Ouganda, en fait. Je vais te dire ce que je me suis mis dans la tête. Je me suis mis dans la tête que Sneyers et toi vous envoyez plein d'argent et plein d'armes à Kadaga et je me suis mis dans la tête que vous voulez vous débarrasser de Museveni. Je me trompe ? Si tu me mens, je te jure que je vais aller de ce pas raconter tout ce que je sais à un reporter aux dents longues qui découvrira la vérité. »

La peur plante ses crocs dans Mauri telle une bête sauvage.

Il déglutit. Inspire profondément.

« Cette mine appartient à la société, dit-il. Et mon rôle est de la protéger. En tant que juriste, tu as dû entendre parler de la raison d'État ?

— Et toi, tu as dû entendre parler des enfants-soldats, je suppose ? Tu donnes à ces fous furieux de l'argent pour leur drogue et leurs armes. Ces gens que tu payes pour protéger ta propriété kidnappent des enfants après avoir abattu leurs parents.

— Si la guerre civile dans le nord ne s'arrête pas, argue Mauri, si on laisse les conflits perdurer, la population ne connaîtra jamais la paix. Il y aura encore des générations et des générations d'enfants-soldats. Nous avons enfin une chance de faire cesser tout ça. Le Président ne reçoit plus aucune aide internationale. La Banque mondiale a tout gelé. Il est affaibli. L'armée manque d'argent et elle est divisée. Le frère de Museveni est occupé à piller des mines au Congo. Avec un nouveau gouvernement, les enfants de demain deviendront peut-être agriculteurs. Ou mineurs. »

Inna se tait quelques instants. Il se demande s'il a réussi à la convaincre. Quand elle parle à nouveau, sa voix est plus douce. Ils sont comme ces couples qui après avoir essuyé tempête après tempête décident de se séparer, chacun partant de son côté. Et puis ils se mettent à penser à ce qui a été au lieu de penser à ce qui est. Et ils réalisent que tout n'était pas mauvais.

« Tu te souviens du pasteur Kindu ? » lui demande-t-elle.

Mauri s'en souvient. Il était le pasteur du village de mineurs près de la mine de Kilembe. Quand le gouvernement avait commencé ces tracasseries, la première chose qu'il avait faite fut de stopper le ramassage des ordures. Il avait parlé de grève, mais en réalité l'armée faisait barrage aux éboueurs. Au bout de quelques semaines, le village étouffait dans l'odeur aigre-douce des ordures en putréfaction. Les rats avaient envahi les lieux. Mauri, Diddi et Inna s'étaient rendus sur place. Ils n'avaient pas encore compris que ce n'était que le commencement.

« Le pasteur et toi avez fait venir une flotte de camions et vous avez fait évacuer les ordures hors du village, se souvient Mauri avec dans la voix un sourire nostalgique. Quand tu es revenue, tu puais abominablement. Diddi t'a plaquée contre un mur et il t'a douchée avec un tuyau d'arrosage. Les femmes qui faisaient leur ménage se sont toutes mises à leur fenêtre pour regarder la scène. Elles riaient comme des folles.

— Il est mort. Ces hommes que tu payes l'ont assassiné. Ensuite ils ont mis le feu à son cadavre et ils l'ont traîné derrière un pick-up.

— Tu sais bien qu'ils ont toujours fait ce genre de choses ! Je ne te croyais pas aussi naïve.

— Oh, Mauri… J'avais vraiment du respect pour toi. »

Il essaye. Jusqu'au bout, il essaye de la sauver.

« Rentre à la maison, supplie-t-il. Il faut qu'on parle.

— À la maison ? C'est de Regla que tu parles ? Je ne reviendrai jamais dans cet endroit. Tu n'as pas encore compris ?

— Qu'est-ce que tu comptes faire ?

— Je ne sais pas. Je ne sais plus qui tu es. Le journaliste Örjan Bylund…

— Oui, tu me l'as dit. Tu crois vraiment que j'ai quelque chose à voir avec ça ?

— Tu mens, dit-elle avec lassitude. Je t'avais demandé de ne pas me mentir. »

Il entend distinctement le clic quand elle raccroche. On dirait qu'elle appelle d'une cabine téléphonique. Où peut-elle bien être ?

Il faut qu'il réfléchisse. Cette histoire pourrait très mal se terminer. Si la vérité vient à éclater…

Une succession d'images lui traverse l'esprit. Il est devenu persona non grata dans tout l'Occident. Aucun investisseur ne veut plus se compromettre avec lui. D'autres images, pires encore : une enquête. Interpol. Il est traduit devant un tribunal international, accusé de crime contre l'humanité.

Il ne sert à rien de pleurer sur du lait renversé. La question est de savoir ce qu'il va faire maintenant.

Où est-elle ? Une cabine téléphonique ?

Il repense à leur conversation. Il lui semble maintenant avoir entendu quelque chose en bruit de fond…

Des chiens ! Une meute de chiens, hurlant, chantant, aboyant. Des chiens de traîneau. Un attelage sur le point de partir.

Tout à coup, Mauri sait exactement où se trouve Inna. Elle est dans le chalet que la compagnie possède à Abisko.

Il raccroche le combiné avec d'infinies précautions. Il ne veut surtout pas réveiller Diddi maintenant. Il décroche le téléphone à nouveau et essuie soigneusement le combiné dans le drap de lit.

Ester poussa la casserole de macaronis vide sous le lit. Elle serait très bien là-dessous. Elle mit les vêtements noirs qu'elle portait pour l'enterrement de sa mère, un polo et un pantalon achetés chez Lindex.

Sa tante aurait sans doute aimé lui voir porter une robe mais elle n'avait pas eu le courage de le lui ordonner. Ce jour-là, Ester était encore plus taiseuse que d'habitude. Et ce n'était pas uniquement à cause du chagrin. Elle était en colère aussi. Sa tante avait essayé en vain de lui expliquer pourquoi maman ne lui avait rien dit : « Elle ne voulait pas qu'on t'en parle. Elle voulait que tu puisses te concentrer sur ta peinture et ton exposition. Que tu ne te fasses pas de souci. Elle nous avait interdit de te dire quoi que ce soit. »

Et personne ne lui avait rien dit. Jusqu'au dernier moment.

C'est le vernissage de l'exposition d'Ester. La galerie est pleine de gens qui boivent du vin chaud et mangent des biscuits aux épices. Ester ne comprend pas comment ils peuvent regarder les toiles en même temps. Mais ils ne sont peut-être pas venus pour ça. Elle donne deux interviews pour des journaux. On la photographie.

Gunilla Petrini traîne Ester derrière elle pour la présenter à des gens importants. Elle porte une robe et se sent mal à l'aise. Quand elle voit sa tante entrer dans la pièce, elle est heureuse.

« C'est dingue, lui chuchote sa tante, impressionnée, en regardant autour d'elle, avant de faire une grimace en s'apercevant que le vin chaud n'est pas du vin mais une préparation sans alcool.

— Tu as parlé à maman ? » lui demande Ester.

Le visage de sa tante change d'expression. Il y a comme une hésitation, son regard devient fuyant l'espace d'une seconde et Ester lui demande immédiatement :

« Quoi ? Qu'est-ce qu'il y a ? »

Elle voudrait que sa tante réponde : « Rien. »

Mais au lieu de cela, elle dit :

« Ester, il faut que je te parle. »

Elles s'en vont dans un coin de la salle qui est à présent pleine de gens qui s'embrassent et se serrent la main en jetant de temps à autre un coup d'œil aux toiles d'Ester. Il commence à faire très chaud, il y a beaucoup de bruit et Ester n'entend que la moitié de ce que sa tante lui raconte.

« Tu as remarqué qu'elle commence à perdre des choses… n'arrive plus à tenir son pinceau… te laisse peindre ses fonds… ne voulait pas que tu le saches, avec l'exposition, tout ça… maladie dégénérative… les poumons… ne peut plus respirer. »

Ester voudrait demander pourquoi, pourquoi elle n'a rien su. L'exposition ! Comment quelqu'un a-t-il pu penser qu'elle attachait la moindre importance à cette fichue exposition ?

Maman meurt le lendemain de Noël.

Ester a pu lui faire ses adieux. Sa tante et elle ont nettoyé la maison de fond en comble et fait des allers-retours entre Rensjön et l'hôpital de Kiruna. Ester tente de trouver Eatnázan sous le masque rigide de la maladie. Les muscles sous la peau ont cessé de faire leur travail.

Maman arrive encore à parler, mais sa diction est presque incompréhensible et cela la fatigue beaucoup. Elle voudrait savoir comment s'est passé le vernissage.

« Ils ne comprennent rien du tout », dit la tante, méprisante.

L'exposition a fait l'objet de quelques critiques. Elles ne sont pas bonnes. Sous le titre « Jeune, jeune, jeune », un critique d'art écrit qu'Ester est certes très habile pour son âge mais qu'elle n'a rien à raconter. Il n'a pas été touché du tout par ses peintures naturalistes.

Les autres commentaires sont du même acabit. Ester Kallis est une enfant. Pourquoi lui consacrer toute une exposition ? L'une des critiques met en cause à la fois le galeriste et Gunilla Petrini. Elle affirme qu'Ester n'est nullement la jeune prodige pour qui ils voudraient la faire passer et que malheureusement c'est elle qui fera les frais de leur soif de notoriété.

Gunilla Petrini a téléphoné à Ester le jour de la parution du premier article.

« Ne t'occupe pas de ce qu'ils disent. Le plus important, c'est qu'ils aient pris la peine d'écrire une critique sur ton travail. Beaucoup n'ont pas cette chance. Nous parlerons de cela à un autre moment. Maintenant, tu dois t'occuper de ta maman. Passe-lui le bonjour, s'il te plaît. »

« Qu'est-ce vous pensez de celle-là, dit la tante en lisant à haute voix. Le critique dit qu'Ester "a grandi avec les Samis". Qu'est-ce qu'ils veulent dire par là ? C'est comme s'il parlait de Mowgli qui a grandi avec les loups mais qui ne peut pas devenir un loup parce que c'est une question de race. »

Maman regarde Ester avec son visage sans expression qui lui est tellement étranger. Elle se donne du mal pour trouver les mots.

« C'est bien que tu ne portes pas un nom lapon et que tu ne ressembles pas à une Samie, dit-elle d'une voix ferme. Tu comprends ? S'ils avaient su que tu es samie, ils n'auraient pas osé te faire de critiques. Ils auraient dit…

— … que tu es très douée pour une petite Lapone », dit sa tante, terminant la phrase de maman.

Mais maman voudrait s'expliquer mieux que cela.

« Ils auraient dit de ton travail qu'il est le reflet de notre culture pittoresque, mais qu'on ne peut pas appeler cela de l'art. Tu n'aurais pas été jugée selon les mêmes critères. Au début, c'est un avantage. Une publicité gratuite. Mais ensuite, cela empêche d'aller plus loin…

— … que Luleå », enchaîne sa tante en fouillant dans son sac pour prendre son paquet de cigarettes. Elle va bientôt sortir sur le balcon pour s'en fumer une petite.

« Ils pensent peut-être qu'ils ne sont pas capables de comprendre véritablement notre art. Et c'est pour cela qu'ils encensent les artistes médiocres autant que les meilleurs. Ce qui est très bien pour les gens qui n'ont pas de talent, mais toi…

— … tu dois te comparer aux meilleurs, dit la tante, achevant la phrase de sa sœur.

— Ça a été ma prison. Personne n'a jamais pensé que ce que je faisais pouvait intéresser quelqu'un d'autre que les touristes ou bien d'autres Samis. »

Elle regarde longuement Ester qui ne parvient pas à deviner ce qu'elle pense.

« Tu me fais beaucoup penser à notre grand-mère, dit maman enfin.

— C'est vrai, dit la tante. Elle est exactement comme Áhkku. Je l'ai toujours dit. »

Ester entend sa tante se mettre à pleurer.

« Je me souviens, dit maman. Ta tante me disait cela chaque fois qu'elle venait à Rensjön. Alors je te regardais. J'observais ta façon de bouger. Ton rapport avec les animaux et je pensais : "Mon Dieu, on croirait voir ma petite grand-mère." Je regrette que tu n'aies pas eu le temps de la connaître. »

Ester ne sait pas quoi répondre. Dans ses souvenirs les plus anciens, il y a toujours eu deux femmes dans la cuisine. Et la deuxième n'était pas sa tante, de cela elle est sûre. Sa tante n'a jamais porté le bonnet lapon, ni de blouse à fleurs qu'on boutonne devant avec un tablier par-dessus.

Maman est morte. Enfin, pas tout de suite après cette conversation, mais une semaine plus tard, c'était fini. Papa et Antte l'ont ramenée à la maison. Morte, elle est entièrement à eux. Elle est la mère d'Antte, la femme de papa. Ester n'est pas concernée par le partage des biens. Sa tante non plus.

Après l'enterrement, une dispute éclate entre papa et sa tante. Ester les entend crier à travers la porte de la cuisine de la salle communale.

« Cette maison est trop grande pour mon garçon et moi, dit papa. Et puis, que veux-tu que je fasse de cet atelier ? »

Il vient de lui dire qu'il allait tout vendre. Y compris les rennes. Il connaît quelqu'un qui possède un village de vacances près de Narvik et qui a proposé à papa et à Antte de s'associer avec lui et d'avoir un emploi à plein temps.

« Et Ester ? demande la tante, cinglante. Où est-ce qu'elle va aller ?

— Elle a sa vie, se défend papa. Elle étudie dans cette académie maintenant. Que veux-tu que je fasse ? Je ne vais pas aller vivre à Stockholm avec elle ? Et je ne peux pas garder tout ça uniquement pour elle ? Je n'étais pas beaucoup plus vieux qu'Ester quand j'ai dû commencer à me débrouiller seul. »

Le soir, à Rensjön, alors qu'ils sont tous devant la télévision, Antte, sa tante et Ester, papa sort son portefeuille de sa poche, retire l'élastique qui est autour et en extrait vingt billets de cinq cents couronnes pour sa pupille.

« Tu devrais aller voir dans l'atelier s'il y a quelque chose qui t'intéresse », dit-il.

Il roule les billets et les entoure avec l'élastique.

« Non mais je rêve ! s'exclame sa tante en se levant si brusquement que les tasses à café cliquettent dans leurs soucoupes. La moitié de tout ce qui est ici lui appartenait. Dix mille couronnes ! Tu estimes que c'est la part légitime d'Ester ? »

Papa ne répond pas.

Sa tante se précipite dans la cuisine. Elle ouvre les robinets à fond et se met à faire la vaisselle. Ester, Antte et papa l'entendent pleurer à gros sanglots au milieu du vacarme de la porcelaine qui s'entrechoque.

Ester se tourne vers Antte qui est tout blanc, et un peu bleu, à cause de la lumière de la télévision. Elle essaye de se retenir. Elle ne veut pas voir, mais elle s'élève quand même vers le plafond dans la pièce éclairée par l'écran et on dirait qu'elle flotte dans une eau bleue. De là-haut, elle voit Antte et papa. C'est le même téléviseur mais ils sont dans un autre salon, avec d'autres meubles.

C'est un petit appartement. Ils sont vautrés sur un canapé et bullent devant le poste. Antte a quelques années de plus qu'à présent et il est devenu gros. La bouche de papa a un pli amer. Ester sait maintenant que papa espérait trouver une autre femme. Il pensait sans doute qu'il aurait plus de chances d'en rencontrer une en travaillant dans un village de vacances près de Narvik.

Pas de nouvelle femme et pas de village de vacances non plus.

Quand Ester revient dans son corps, elle est dans la cuisine. Sa tante s'est arrêtée de pleurer. Elle fume une cigarette sous la hotte aspirante. Elle s'inquiète de ce qu'il va advenir d'Ester et parle de sa colère contre papa. Puis elle lui parle de son nouveau petit ami.

« Jan-Åke m'a demandé de partir avec lui en Espagne. Il y va l'hiver pour jouer au golf. Je pourrais lui demander de t'inviter pendant que tu es encore en vacances. L'appartement n'est pas très grand, mais on arrivera toujours à s'organiser d'une façon ou d'une autre.

— Ce n'est pas la peine », répond Ester.

Sa tante a l'air soulagé. Sa relation avec ce Jan-Åke ne doit pas être de celles qui s'accommodent de la présence d'une adolescente.

« Tu en es sûre ? Je peux lui demander. »

Ester lui répète que ce n'est pas la peine. Sa tante insiste encore une fois, obligeant Ester à mentir et à prétendre qu'elle veut rendre visite à des amis à Stockholm, des gens qu'elle connaît de l'académie de dessin.

Sa tante choisit de la croire.

« Je te téléphonerai », promet-elle.

Elle souffle la fumée et son regard se perd dans la nuit hivernale.

« C'est la dernière soirée que nous passons dans cette maison, dit-elle. C'est difficile à imaginer. Tu es allée dans l'atelier pour voir ce que tu veux emporter ? »

Ester secoue la tête. Le lendemain, sa tante remplit les bagages d'Ester de tubes de peinture, de pinceaux et de feuilles de papier à dessin de première qualité. Et même de l'argile qui pèse une tonne dans sa valise.

Elles se disent au revoir sur le quai de la gare. Sa tante a déjà son billet, elle veut rentrer fêter le Nouvel

An avec ce type, quel que soit son nom. Ester l'a déjà oublié.

Ester traîne sa lourde valise jusqu'à son appartement de Jungfrugatan. L'appartement est vide et silencieux. Les ouvriers sont en congé pour les fêtes. L'académie n'ouvrira à nouveau ses portes que dans trois semaines. Elle ne connaît personne et ne risque pas de rencontrer quelqu'un d'ici là.

Elle s'assied sur une chaise. Elle n'a pas encore versé une larme sur sa mère. Mais elle pense que ce serait très raisonnable de le faire dans les circonstances actuelles. Alors qu'elle est si totalement seule. Elle n'ose pas pleurer Eatnázan pour l'instant.

Elle reste immobile dans le noir. Elle ne sait pas combien de temps exactement.

Pas maintenant, se dit-elle. Une autre fois. Peut-être demain. Demain c'est le dernier jour de l'année.

Une semaine se passe. Parfois, Ester se réveille et il fait jour dehors. Parfois, elle se réveille et il fait nuit. De temps en temps elle se lève pour mettre de l'eau à chauffer. Elle regarde la casserole en attendant que l'eau bouille. Il arrive qu'elle ne pense pas à retirer la casserole de la plaque et qu'elle regarde l'eau s'évaporer jusqu'à ce qu'il n'en reste plus une goutte. Elle n'a plus qu'à la remplir à nouveau et recommencer.

Un matin, elle se lève et elle a un vertige. Elle se souvient qu'elle n'a rien mangé depuis qu'elle est revenue dans l'appartement.

Elle sort et se traîne jusqu'à la supérette du quartier. Elle déteste être dehors. Elle a l'impression que tout le monde la regarde. Mais elle doit continuer. Il fait gris.

Les troncs sont noirs et humides, les trottoirs sales et glissants. Crottes de chien molles et détritus. Le ciel est bas et lourd. Il est impossible de croire que le soleil se trouve là-haut, quelque part. Impossible d'imaginer que, vu du dessus, le tapis des nuages est un paysage de neige par une belle journée de fin d'hiver.

Une bonne odeur de pain sortant du four et de saucisse grillée lui emplit les narines lorsqu'elle entre dans la boutique. Son estomac se contracte si fort qu'il lui fait mal. Elle a un nouveau vertige, s'accroche au bord d'un présentoir mais n'a le temps de saisir qu'une baguette en plastique dans laquelle sont glissés les noms et les prix des articles. Elle s'effondre par terre, le morceau de plastique dans la main.

Un autre client, un homme, en train de choisir ses surgelés un peu plus loin dans l'allée, pose son panier et se précipite vers elle.

« Qu'est-ce qui vous arrive, mon petit ? » lui demande-t-il.

Il est plus âgé que son père et sa mère sans pour autant être vieux. Il a un regard inquiet et un bonnet bleu, pointu. Quand il l'aide à se remettre debout, elle est dans ses bras pendant un court instant.

« Voilà, venez-vous asseoir par là. Je peux vous apporter quelque chose ? »

Elle acquiesce et il va lui chercher un café et un petit pain tout chaud.

« Eh, doucement ! » s'exclame-t-il en riant, voyant qu'elle engloutit la viennoiserie en trois bouchées et avale le café, trop chaud, d'une seule traite.

Elle voudrait rembourser le monsieur mais s'aperçoit qu'elle n'a pas pris son porte-monnaie. Comment a-t-elle pu partir de chez elle sans penser à le prendre ? Elle fouille ses poches et trouve l'argent que son père lui a remis. Un rouleau de vingt billets de cinq cents couronnes avec un élastique autour.

Elle sort le rouleau de sa parka.

« Nom de Dieu, dit l'homme. Pour le café et la brioche, vous êtes mon invitée. Quant à ces trucs-là, je vous conseille d'en utiliser un seul à la fois. » Il détache un billet du rouleau et le pose dans la main d'Ester. Il met le restant du rouleau dans le fond de sa poche de parka avant de refermer soigneusement la fermeture éclair, comme il l'aurait fait pour un tout petit enfant. Puis il regarde sa montre.

« Ça va aller, maintenant ? » lui demande-t-il.

Ester hoche la tête. L'homme s'en va et Ester achète une quinzaine de brioches et du café et rapporte le tout à l'appartement de Jungfrugatan.

Le lendemain, elle retourne à la supérette à la même heure pour racheter des brioches. Mais l'homme de la veille n'est pas là. Il ne vient pas non plus le jour suivant. Ni celui d'après. Elle retourne au magasin, pleine d'espoir, quatre jours de suite, puis elle renonce.

Elle continue à dormir toute la journée pour faire passer le temps. Quand elle est réveillée, c'est trop dur. Elle pense à sa mère. Elle pense qu'elle est seule au monde. Elle se demande si, à présent, la maison de Rensjön est entièrement vide.

Sa tante l'appelle un jour sur son portable.

« Comment ça va ?

— Ça va, répond Ester. Et toi, comment vas-tu ? »

Au moment où elle pose la question, elle sait que sa tante attend que Jan-Åke soit parti jouer au golf pour pleurer.

C'est étrange, songe Ester. Elle nous manque tellement. Comment se fait-il que nous soyons tous si seuls dans notre deuil ?

« Ça va, répond sa tante. Lars-Thomas n'a pas appelé, évidemment ? »

Non. Son père ne l'a pas appelée. Ester se demande si papa et Antte arrivent à se parler. Non. Papa a réduit Antte au silence avec des phrases comme : « La vie continue », et « D'une façon ou d'une autre, on fera en sorte que ça aille ».

Un matin, elle se lève, et en traversant le vestibule pour se faire du thé, elle se cogne à l'un des ouvriers. Il porte un bleu de travail et une veste matelassée en beaver nylon.

« Vous m'avez fait peur ! s'écrie-t-il. Je suis venu chercher quelques outils. Vous avez vu cette neige ! »

Ester le regarde d'un air surpris. Il a neigé ?

« Il doit déjà y avoir au moins un mètre, dit-il. Regardez par la fenêtre, vous verrez. On devait reprendre les travaux aujourd'hui, mais personne n'a réussi à venir jusqu'ici à part moi. »

Ester s'approche d'une fenêtre. Dehors, c'est un autre monde.

La neige. Il a dû neiger toute la nuit. Ou peut-être encore plus que ça. Elle ne s'est aperçue de rien. Les voitures en stationnement ne sont plus que d'énormes taupinières blanches. Un manteau épais recouvre la chaussée. Les réverbères portent de gros bonnets immaculés.

Elle sort en titubant dans toute cette blancheur. Une maman tracte au milieu de la rue son enfant dans une luge. Un homme en gabardine se déplace en ski de fond au milieu de la route. Ester sourit de voir avec quelle dextérité il parvient à tenir bâton et attaché-case d'une seule main. Il lui sourit à son tour. Tous les gens qu'elle croise lui sourient. Ils secouent la tête pour dire : C'est incroyable toute cette neige ! Tout le monde a l'air de prendre la situation avec bonne humeur. La ville est silencieuse. Il n'y a pas une seule voiture.

Les arbres sont peuplés de petits oiseaux. Ester les entend, maintenant que les voitures se sont tues. Jusqu'ici, elle n'avait vu que des choucas et des pigeons, des corbeaux et des pies.

C'est de la vraie neige fraîche, celle qu'en langue samie on appelle *vahca*. Poudreuse, froide, légère comme de la plume jusqu'au fond. Même en creusant on ne trouve pas de soupe collante en dessous.

Elle rentre à l'appartement une heure plus tard. La tête pleine d'images de neige. Son chagrin a reculé d'un pas.

Il lui faudrait une toile, à présent. Une très grande toile et beaucoup de peinture blanche.

Entre la salle à manger et la cuisine, les ouvriers ont abattu une cloison. Elle est posée par terre, presque d'un seul tenant. Ester la regarde. À l'époque on tendait les murs de tissu.

Dans le couloir sont empilés des sacs de plâtre.

Et tout à coup, c'est comme si elle prenait feu. Elle est prise d'une énergie farouche, court chercher une gâche, tire un lourd sac de plâtre jusqu'à la salle à manger. Elle a chaud, elle transpire.

Elle se sert de ses doigts comme tamis, mélange avec les bras, elle est blanche jusqu'aux coudes.

Si son corps est chaud, sa tête en revanche est pleine de neige froide. De neige. Et de vent qui balaie la montagne. La lumière qui est dans sa tête est d'un gris de brume, presque incolore. On devine à peine quelques branches de bouleau du côté droit du tableau. Au milieu il y a une maman renne et son faon. Ils ont dormi dans un creux de terrain et la neige fraîche les a recouverts pendant la nuit. L'épais tapis blanc les a protégés du froid.

Ester tient délicatement le plâtre au-dessus du grand pan de mur. Elle l'étale avec les mains. Elle travaille en plusieurs fois, le tableau est si grand. Quand le plâtre commence à durcir, il devient crémeux et elle peut dessiner dessus. Elle dessine avec les doigts, se servant de la poussière du chantier pour donner de la matière aux bois de la femelle renne, arrachant des lambeaux de papier peint pour matérialiser les branches des arbres.

Elle met plusieurs jours à réaliser le tableau. Elle travaille avec fougue et acharnement. Quand le plâtre est sec, elle cherche partout dans l'appartement quelque chose qui puisse lui servir de sous-couche. Les peintres ont mis une peinture d'apprêt sur le plafond de la chambre parentale et le pot de peinture est resté sur place. C'est parfait. Après avoir étalé la sous-couche, elle pourra mettre des pigments sans que le plâtre se fissure. Elle va chercher les tubes de maman dans sa valise. Elle peint en plusieurs strates, les premières, fines, très fines avec beaucoup de térébenthine et un tout petit peu de couleur. Pas de peinture à l'huile. Il ne faut aucune brillance. La neige, mate, froide, bleue. Le creux où les bêtes ont dormi : jaune, brun, ombre brûlée. On doit sentir comme ils étaient bien ensemble, sous la neige.

Elle applique des couches plus épaisses, avec moins de térébenthine. Elle attend que ça sèche. Elle dort tout habillée, se lève plusieurs fois pour étaler de nouvelles couches de peinture. Le tableau la réveille quand il est prêt à recevoir une nouvelle couche. Elle tourne autour, avale ce qui lui tombe sous la main dans le garde-manger. Boit du thé. Elle sait qu'elle ne doit pas sortir. Le temps s'est radouci et tout a fondu. Ici, elle ne le voit pas. Elle vit dans un univers enneigé. Elle vit dans son grand tableau blanc.

Et puis un matin, ce n'est pas le tableau qui la réveille mais la conservatrice Gunilla Petrini.

Le trimestre a commencé. La directrice de l'académie de peinture Idun Lovén a téléphoné à Gunilla pour prendre des nouvelles d'Ester. Gunilla Petrini a appelé sa tante. Elle a aussi essayé de joindre Ester mais son portable est éteint. Ester n'a pas pensé à le remettre en charge. Sa tante et Gunilla se sont inquiétées. Gunilla Petrini a téléphoné à ses bons amis qui ont prêté à Ester la chambre qu'elle occupe. Ses amis ont communiqué à Gunilla Petrini le nom de l'entrepreneur qui supervise les travaux de rénovation et il est venu ouvrir la porte de l'appartement. Il reste debout sur le seuil pendant que Gunilla Petrini s'assied, soulagée, au bord du lit d'Ester.

Ils ont eu si peur. Ils ont vraiment cru qu'il lui était arrivé quelque chose.

Ester reste allongée. Elle ne s'assied pas dans le lit tout de suite. À la seconde où Gunilla Petrini l'a réveillée, le monde réel est revenu. Elle ne veut pas se lever. Elle n'a pas la force de tenir sur ses jambes et de porter le deuil de sa maman.

« Je croyais que tu étais dans ta famille, dit Gunilla Petrini. Qu'est-ce que tu as fait ici, tout ce temps ?

— J'ai peint », répond Ester.

Et en disant cette phrase, Ester sait que ce paysage de neige est son dernier tableau. Elle ne peindra plus.

Gunilla Petrini veut voir ce qu'elle a fait. Ester se lève et elles vont ensemble dans la salle à manger. L'entrepreneur les suit.

Ester regarde le tableau et se dit avec soulagement qu'elle a réussi à le terminer. Elle n'en était pas certaine mais elle le découvre maintenant.

Tout d'abord, Gunilla Petrini ne dit rien. Elle fait le tour de l'immense tableau posé sur le sol. La maman renne et le faon sous la neige. Puis elle se tourne vers Ester. Son regard est interrogatif, perplexe, étrange.

« C'est toi et ta maman, n'est-ce pas ? » dit-elle.

Ester ne répond pas. Elle détourne les yeux du tableau.

« C'est beau », dit l'entrepreneur avec une émotion sincère. Un peu grand peut-être. Il regarde d'un air dubitatif la porte puis la fenêtre, secoue la tête, désolé.

« Je dois emporter ce tableau, dit Gunilla Petrini d'une voix qui n'admet pas le refus. Et je le veux en un seul morceau. Vous abattrez un mur s'il le faut. »

Où est-ce que je vais aller, maintenant ? se demande Ester.

La certitude qu'elle ne peindra plus pèse sur son âme comme une ancre.

Plus de peinture. Plus d'académie de peinture.

Dans une chambre de l'hôtel Vanadis, Anna-Maria Mella et Sven-Erik discutaient. La pièce était aménagée de façon traditionnelle avec une moquette et un couvre-lit en synthétique avec un motif à fleurs.

« Demain, on ira interroger les parents d'Inna Wattrang. Et on réessayera d'obtenir quelque chose de son frère Diddi. Je me demande ce qui a pu se passer dans ce chalet à Abisko. Il y a tellement de détails qui ne collent pas. Pourquoi portait-elle de la lingerie fine sous son survêtement de sport, par exemple ? »

Inna Wattrang fouille dans son sac de voyage. Nous sommes le 14 mars. Sa conversation au téléphone avec Mauri date de la veille. Elle n'a pas envie d'y penser maintenant.

Dans deux heures et cinq minutes, elle sera morte.

Je trouverai un autre boulot, se dit-elle.

Elle pense à Diddi aussi. Il faut qu'elle arrive à le joindre. Elle va appeler Ulrika.

Je ne peux plus fermer les yeux, songe-t-elle.

Elle va rester clean pendant un mois, plus d'alcool et plus de drogue à partir de la semaine prochaine, et elle recommencera à s'entraîner. Elle a mis quelques vêtements de sport dans sa valise mais s'aperçoit qu'elle a oublié de prendre des sous-vêtements adéquats. Tant pis. Elle gardera ceux qu'elle a sur elle. Il faudrait juste qu'elle pense à les rincer.

Elle n'a plus qu'à enfiler les chaussures de trail.

Elle court en suivant une trace de motoneige sur le lac Torneträsk. Les propriétaires des cabanes sont couchés à plat ventre sur la glace pour pêcher. Ou assis sur une peau de renne sur la remorque de leurs scooters, le visage tourné vers le soleil. Il fait chaud. Elle transpire. La déception que lui a infligée Mauri s'écoule d'elle en même temps que sa sueur. Elle se sent forte.

C'est beau ici, se dit-elle. Il y a une vie en dehors de Kallis Mining.

La montagne sur l'autre rive du lac brille d'une belle couleur rose dans le soleil de l'après-midi. Une ombre bleue flotte dans les combes et les ravines. Quelques houppes de nuages sont restées accrochées aux sommets. On dirait que les montagnes ont mis des bonnets de laine.

Tout va s'arranger, se dit-elle.

Quand elle rentre, le soleil est sur le point de se coucher. On a l'impression qu'il s'est crevé sur un pic et que ses entrailles de lumière s'écoulent dans le ciel au-dessus de l'horizon. Elle est si occupée à regarder le soleil qu'elle ne remarque l'homme qui l'attend devant le chalet qu'en arrivant dans la cour.

Tout à coup, il est là en face d'elle, dans son imperméable clair trop léger pour la saison.

« *Excuse me ?* », dit-il. Puis il lui explique qu'il est en panne sur la route avec sa voiture et que son téléphone ne capte pas.

Est-ce qu'il peut lui emprunter le sien ?

Elle sait qu'il ment. Elle comprend immédiatement qu'elle est en danger.

À cause de ce teint bronzé en profondeur. De cet imperméable qui jure avec le décor. De cette grimace qui se prétend un sourire et de ces yeux sans expression. Et enfin à cause de la manière qu'il a de s'approcher d'elle petit à petit tout en lui parlant.

Elle n'a pas le temps de réagir. Il remarque la clé qu'elle tient à la main. Il est près d'elle avant même d'avoir fini sa phrase. Tout va très vite.

L'homme s'appelle Morgan Douglas. Le passeport qui est dans sa poche est au nom de John McNamara.

Morgan Douglas est réveillé au milieu de la nuit entre le 13 et le 14 mars par un appel téléphonique. Sonnerie du téléphone, clic de l'olive de la lampe de chevet, bruissement coutumier des cafards fuyant la lumière. La fille à côté de lui marmonne quelques mots incompréhensibles, se protège les yeux avec son bras nu et se rendort. Au bout du fil, une voix qu'il connaît bien.

La femme lui dit poliment bonjour, lui demande pardon de l'appeller à cette heure indue. Puis en vient très vite à la raison de son appel.

« Nous avons un travail urgent à vous confier. Au nord de la Suède. »

Il est fou de joie d'entendre la voix de la femme. Il s'efforce de répondre le plus lentement possible afin de ne pas sembler trop content. Mais il y a un moment qu'il a de gros soucis d'argent. Il a eu quelques petits boulots ici et là, récupéré de l'argent chez des mauvais payeurs et ce genre de choses, mais c'est à la portée de n'importe quel nègre de faire ça et ça ne paye pas son homme. Enfin il va toucher le pactole et il pourra vivre tranquille pendant un bon moment, trouver un autre endroit où habiter que ce trou à rats.

« Le règlement se fera comme d'habitude par virement sur votre compte après exécution. Carte, informations utiles, photo de la cible et une avance de cinq mille euros pour vos frais de voyage vous attendent au Coffee House de Schiphol. Vous demanderez Johanna et vous direz que c'est de la part de…

— Non. Il me faut tout ça à l'aéroport de N'Djili. Sinon, je n'ai aucun moyen de savoir que ce n'est pas un piège. »

Silence. Mais ça n'a pas d'importance. Elle peut le prendre pour un parano si ça lui chante. La vérité c'est qu'il n'a pas d'argent pour se payer le billet de Kinshasa à Amsterdam. Il n'a pas l'intention de le lui dire.

« Pas de problème, sir, dit-elle au bout de quelques secondes. Nous agirons selon votre souhait. »

Elle met fin à la communication et lui transmet les salutations du major. Ça lui fait plaisir. Elle s'adresse à lui avec respect. Eux savent ce que cela veut dire d'avoir été parachutiste dans l'armée britannique. Il y a tellement de gens qui ne comprennent pas. Qui n'ont jamais connu ça.

Morgan Douglas s'habille et se rase de près. Il y aura bientôt tant de taches de vieillissement sur le miroir qu'il ne se verra plus dedans. Le robinet crachote bruyamment une eau qui commence toujours par être marron. Un matin, en se levant pour pisser, il est tombé sur un gros rat qui s'est paresseusement retourné pour le regarder avant de s'aplatir et de disparaître sans se presser en se glissant sous la baignoire.

Une fois prêt, il réveille la fille qui dort toujours et lui demande de partir.

« *You have to leave* », lui dit-il.

Elle s'assied, à moitié endormie au bord du lit, il ramasse ses vêtements par terre et les lui lance. Tout en les enfilant elle dit d'une voix plaintive :

« *My little brother. He must go to doctor. Sick. Very sick*[1]. »

Bien sûr, elle invente cette histoire de petit frère et de médecin, mais il ne fait pas de commentaire. Il lui donne deux dollars.

« *You have a little something for me, yes*[2] ? » dit-elle avec un regard vers la chaise où elle l'a vu poser sa pipe en verre hier soir. Mais il l'a déjà roulée dans un bout de tissu et cachée sous ses vêtements. Il va devoir prendre tout ce dont il a besoin sur lui, et dans ses poches. Il est obligé de laisser sa valise ici s'il ne veut pas que le type de la réception lui fasse des histoires et l'accuse de vouloir partir sans payer sa note, ce qui est d'ailleurs son intention. C'est un hôtel de merde et ils n'ont pas fait le ménage une seule fois depuis qu'il est arrivé. Ils peuvent toujours courir pour qu'il paye la chambre.

« Non, je n'ai rien », répond-il en la poussant devant lui, hors de la chambre.

1. « Mon petit frère. Doit aller chez le médecin. Malade. Très malade. »

2. « Tu as un petit quelque chose pour moi, oui ? »

Dans l'escalier, il lui intime le silence en posant le doigt sur ses lèvres. Le portier dort, assis derrière son comptoir, il a sûrement un autre travail pendant la journée. Le gardien de nuit n'a pas l'air d'être là non plus. Il doit dormir quelque part.

Le néon bourdonne, diffusant par intermittence sa lumière froide.

« *I'll stay here*, chuchote la fille. *Until tomorrow. It's not safe on the streets, you know*[1]. »

Elle pointe le doigt vers un fauteuil dans un coin du hall lugubre. Il est tellement fatigué que les ressorts ont transpercé la toile.

Morgan Douglas hausse les épaules. Si le type de la réception se réveille avant elle il lui prendra son argent, mais après tout ce n'est pas son problème.

Il prend un taxi pour l'aéroport. Après deux heures d'attente, il voit arriver un homme qui ressemble à un attaché d'ambassade. Il n'y a pas beaucoup de monde dans l'aéroport. L'homme en costume va droit vers lui et lui demande si par hasard ils n'auraient pas une connaissance commune.

Morgan répond ce qu'il a pour consigne de répondre et l'intermédiaire lui tend une enveloppe A4, tourne les talons et s'en va dans le même mouvement.

Morgan Douglas ouvre l'enveloppe. Toutes les informations sont à l'intérieur, ainsi qu'une avance en dollars et non en euros. C'est parfait. Son avion décolle dans une heure et demie. Et c'est un long voyage.

---

1. « Je reste ici. Jusqu'à demain. C'est pas sûr dans les rues, tu sais ? »

Il a juste le temps de faire une course. Pour le voyage. Et pour se donner du courage pour le travail qui l'attend. Il va devoir être sur le pied de guerre pendant les prochaines soixante-douze heures. Et il a besoin de ça pour remplir sa mission.

Il prend un taxi et se fait conduire dans une banlieue proche de l'aéroport. Il fait encore nuit quand il arrive chez son dealer qui n'a pas le temps de lui dire « Pas de crédit ! » que Morgan Douglas lui glisse déjà quelques dollars par l'entrebâillement de la porte.

Quand le jour se lève et que l'air se met à gondoler comme du verre fondu, Morgan est à bord de l'avion pour Amsterdam. Speedball. Le remède miracle contre les crampes aux mollets. Rien que du bonheur. Il y a longtemps qu'il ne s'est pas senti aussi bien.

À l'aéroport d'Amsterdam, il s'achète deux bouteilles de Smirnoff et boit la première pendant le vol pour Stockholm. Quand les autres passagers se lèvent de leurs sièges, il les imite.

Il est ailleurs. Des gens vont et viennent. Quelqu'un lui prend le bras.

« Mr John McNamara ? Mr John McNamara ! »

Une hôtesse de l'air.

« *Boarding time, sir. The plane to Kiruna is ready for take-off*[1]. »

Une heure et demie plus tard, il est devant un lavabo et il s'asperge la nuque. Il est temps de reprendre ses

1. « Embarquement, monsieur. L'avion pour Kiruna est prêt à décoller. »

esprits. Il se sent horriblement mal. Malgré tout, il est bien arrivé à l'aéroport de Kiruna. Il loue une voiture et se remémore ses instructions. « Autoroute E10 vers le nord. » Il va régler cette affaire vite fait, bien fait. Il aurait besoin de quelque chose pour se requinquer, pour redescendre.

Morgan Douglas regarde Inna Wattrang. Il a froid aux pieds. Ça fait une éternité qu'il poireaute. Il commençait à s'inquiéter. À s'imaginer que la voiture n'allait pas vouloir démarrer pour repartir. Mais maintenant elle est là. Identique à la photo qu'il a d'elle. Un peu plus d'un mètre soixante-dix, entre soixante et soixante-dix kilos. Pas de problème. Elle a la clé de la maison à la main.

Il parle et gesticule afin de s'approcher d'elle à grands pas rapides, sans attirer son attention.

En un instant, il la rejoint. Il la contourne et passe son bras gauche autour du cou de la jeune femme. Il la soulève juste assez pour que la douleur l'oblige à se hisser sur la pointe des pieds.

Elle a l'impression que sa nuque va se briser si elle perd le contact avec le sol, elle piétine nerveusement tandis qu'il l'emmène, en soulageant son poids avec une hanche.

Il l'entraîne vers le chalet. Elle note machinalement qu'elle ne le gêne même pas pour avancer. De sa main libre, il ouvre la porte. Elle n'a même pas senti qu'il lui avait pris la clé des mains.

Elle songe qu'elle ne l'encombre pas plus qu'un sac à main. Ce type n'est pas un déséquilibré. Ce n'est pas non plus un violeur.

C'est un professionnel.

Il jette un regard autour de lui dans l'entrée, et quand il choisit de bifurquer vers la cuisine, il glisse légèrement. La neige a formé une semelle de glace sous ses chaussures. Il se rétablit rapidement et jette Inna sur une chaise. Il est derrière elle, la pression de son bras sur sa glotte se fait plus forte et elle entend qu'il déroule un morceau de ruban adhésif.

Tout va incroyablement vite. Il attache ses poignets aux accoudoirs et ses chevilles aux pieds de la chaise. Il ne coupe pas l'adhésif, se sert d'un long morceau allant d'une main à l'autre puis jusqu'aux pieds et laisse le restant du rouleau par terre quand il a terminé.

Il se campe face à elle.

« *Please*, dit-elle. C'est de l'argent que vous voulez ? J'ai… »

Elle n'a pas le temps de finir sa phrase. Reçoit un coup de poing dans le nez. C'est comme s'il avait ouvert un robinet. Un sang chaud se met à couler sur son visage et dans sa gorge. Elle déglutit encore et encore.

« Quand je pose une question, tu réponds. Sinon, tu fermes ta gueule, compris ? Et si tu n'es pas capable de la fermer, je te la fermerai avec du chatterton. Tu pourras toujours essayer de respirer par le nez avec tout ce sang. »

Elle hoche la tête et avale une nouvelle gorgée de sang. Elle a la sensation que son cœur bat quelque part entre ses oreilles.

Morgan Douglas regarde autour de lui. Il l'aurait tuée sur-le-champ si une partie de sa mission n'était pas de savoir si elle a parlé de… à… merde… c'était quoi le nom déjà ? Un nom allemand. Il faut qu'il regarde dans l'enveloppe.

Il a pour consigne de la terroriser, pour la faire parler. C'est plus facile de faire peur à une femme en lui montrant une photo de ses gosses, mais il n'y avait pas de photo d'enfant dans l'enveloppe. Il arrivera bien à lui faire peur quand même. Il en aura vite fini avec elle.

Il fouille dans les tiroirs de la cuisine à la recherche d'un couteau et n'en trouve pas.

Il retourne dans l'entrée. Une lampe est posée sur le guéridon du vestibule. Il la débranche et arrache le cordon. Il en profite pour retrouver dans l'enveloppe le nom qu'il cherchait. « Gerhart Sneyers » et « Ouganda ».

Il traîne Inna et la chaise près d'une prise électrique.

Elle le regarde avec des yeux écarquillés tandis qu'il sépare les fils, les dénude avec les dents, tortille les fils de cuivre et enroule l'un des deux autour de sa cheville.

« J'ai de la coke de première qualité dans mon sac à main », dit-elle précipitamment.

Il s'interrompt un instant dans sa tâche.

« Il est où ton sac ? lui demande-t-il.

— Dans l'entrée. »

Il emporte le sac avec lui dans les toilettes. Par habitude. Il a pris un tas de saloperies dans un nombre incalculable de toilettes un peu partout. Quand il vivait à Londres, il terrorisait les gamines en se faisant passer pour un flic en civil, il les plaquait contre un mur alors qu'elles sortaient de chez leur dealer, il leur piquait leur drogue en leur posant toujours les mêmes questions : « Est-ce que vous avez vu des armes dans la maison ? » « Combien étaient-ils ? » Il jouait les bons flics et les laissait filer après leur avoir demandé pourquoi elles faisaient ça à leur corps et conseillé d'aller se faire désintoxiquer. Ensuite il filait vers les toilettes les plus proches et s'envoyait toute la marchandise.

À présent, il creuse dans le sac Prada d'Inna Wattrang comme un fourmilier dans une termitière. Il lui prend son téléphone. Encore une vieille habitude. Voler tout ce qui peut être revendu. Enfin, il tombe sur trois petits morceaux de papier blanc repliés sur eux-mêmes. De joie et de soulagement, son cœur s'accélère. De la bonne neige bien pure. Il se fait deux lignes sur un miroir de poche et sniffe le tout, inutile d'économiser. En deux secondes, il est de nouveau au top.

Il se regarde dans la glace. Il est calme et lucide.

Morgan Douglas retourne dans la cuisine. Il trouve la jeune femme en train d'essayer de se débarrasser de l'adhésif qui lui immobilise les poignets. Ce qui est évidemment impossible. Elle le prend pour un débutant, ou quoi ? Il branche le fil électrique dans la prise. Mais au moment où il va lui demander si elle a raconté ce qu'elle sait à quelqu'un, il chancèle à nouveau. La neige sous ses chaussures et sous celles d'Inna a fondu, rendant le sol glissant.

Cette fois, il tombe pour de bon et se retrouve les quatre fers en l'air. Il pense à l'eau et au fil électrique, et se débat comme un poisson pour se relever, terrifié à l'idée de s'électrocuter.

Inna Wattrang éclate de rire. Enfin peut-être qu'en réalité elle pleure mais le bruit qui sort de sa bouche fait penser à un éclat de rire. Elle ne peut plus s'arrêter. Les larmes coulent sur ses joues.

C'était tellement drôle de le voir déraper sur le sol comme si quelqu'un avait soudain tiré un tapis sous ses pieds. Et ses gesticulations frénétiques pour se relever ! Un vrai numéro de clown. Impayable ! Elle a un fou rire. Elle est en pleine crise d'hystérie. Elle s'échappe de la terreur et se réfugie dans la folie. Son rire démentiel est un exutoire.

Il a peur. Et sa peur le rend furieux. Il parvient enfin à se remettre debout et se sent stupide. Et elle rit toujours. Il n'a plus qu'une idée en tête : la faire taire. Il ramasse le fil électrique et le pose sur sa gorge. Le courant la traverse jusqu'à la cheville. Elle s'arrête de rire aussitôt, sa tête est projetée vers l'avant, ses doigts se crispent. Il tient bon, elle s'est tue. Quand il retire le fil, la tête de la jeune femme continue d'aller d'avant en arrière. Ses mains s'ouvrent et se referment. Elle vomit sur la veste de son jogging.

« Ça suffit », dit-il d'une voix forte parce qu'il vient de se rappeler qu'il ne lui a pas encore posé la question à propos de ce Sneyers.

La chaise bascule. Il s'écarte de justesse. Les yeux d'Inna sont révulsés, ses mâchoires cisaillent dans tous les sens et il met quelques secondes à comprendre qu'elle est en train de se mâcher la langue.

« J'ai dit : ça suffit ! » crie-t-il en lui donnant un coup de pied dans le ventre.

Mais elle ne s'arrête pas et il réalise qu'il est temps d'en finir. Tant pis, il rapportera qu'elle n'a rien dit à personne.

Dans le salon. Il a remarqué un tisonnier dans le serviteur de cheminée. Il va le chercher. Quand il revient, elle convulse toujours, couchée sur le dos, attachée à la chaise. Il lui transperce le cœur avec le tisonnier.

Il est sûr qu'elle meurt sur le coup. Pourtant ses muscles continuent de se contracter.

Il regarde autour de lui, envahi par le sentiment désagréable d'avoir merdé. La consigne était que sa mort passe pour un crime crapuleux. Il ne fallait pas qu'elle ait l'air d'avoir connu son meurtrier. Et on ne devait pas retrouver son cadavre dans la maison.

Tout cela n'était pas très heureux mais pas non plus une catastrophe. Il n'y a pas trop de désordre dans la cuisine et le reste de la maison est impeccable. Il aura vite arrangé ça. Il regarde l'heure. Il a encore du temps devant lui. Dehors il fera bientôt nuit. Il jette un coup d'œil par la fenêtre. Il y a un chien qui court en liberté. Il en a vu plusieurs depuis son arrivée. S'il la laisse quelque part en plein air, l'une de ces bêtes la trouvera et il risque d'avoir la police aux fesses avant d'avoir eu le temps de prendre son avion. Il faut trouver une solution… Soudain il pense aux petites cabanes sur patins qu'il a remarquées sur la glace. Il n'aura qu'à la porter à l'intérieur de l'une d'elles quand il fera suffisamment noir. Quand on la retrouvera, il sera loin d'ici.

Elle a cessé de bouger.

Ce n'est qu'à ce moment qu'il découvre où sont rangés les couteaux. Ils sont posés sur une plaque magnétique accrochée au mur à côté de la plaque de cuisson. Parfait. Il va pouvoir la détacher.

À la nuit tombée, Morgan Douglas porte Inna Wattrang jusqu'à une arche sur la glace. Il y a une trace de scooter des neiges bien visible et on y marche facilement. Forcer la serrure de l'arche ne présente aucune difficulté. Il l'allonge sur une couchette à l'intérieur. Il s'éclaire avec une lampe de poche prise dans le placard à balais du chalet. Il dissimule le cadavre sous plusieurs couvertures. En s'éclairant avec la lampe, il constate qu'il y a une tache de sang sur l'épaule de son imperméable. Il le retire. En ouvrant une trappe dans le sol de la cabane, il découvre un trou recouvert par une mince pellicule de glace qu'il brise avec le pied. Il pousse le manteau dedans. Il partira avec le courant.

Ensuite il retourne au chalet pour faire le ménage. Il sifflote en passant la serpillière sur le linoléum de la cuisine. Il fourre l'ordinateur d'Inna Wattrang, le scotch roulé en boule, la serpillière et le tisonnier dans un sac-poubelle qu'il emporte avec lui dans la voiture.

Sur le chemin entre Abisko et Kiruna, il s'arrête un instant au bord de la route. Sort de la voiture. Le vent s'est levé. Il fait un froid terrible. Il se dirige vers la lisière de la forêt dans l'intention de jeter le sac avec l'ordinateur et le reste mais il tombe dans un fossé et s'enfonce dans la neige jusqu'à la taille, alors il renonce et lance le sac-poubelle de toutes ses forces en direction des premiers arbres. La neige ne tardera pas à le recouvrir. Personne ne le retrouvera jamais.

Il jette aussi le téléphone portable d'Inna Wattrang. Quelle idée stupide de l'avoir pris !

Il a toutes les peines du monde à ressortir du fossé. Il retourne jusqu'à la voiture à quatre pattes et réussit tant bien que mal à épousseter la neige sur ses vêtements.

Sa mission est terminée. Mais putain ce qu'il peut faire froid dans ce pays.

Rebecka était repassée un moment au bureau après avoir raccompagné Alf Björnfot chez lui. Quand elle était rentrée chez elle, Boxeuse lui avait sauté dessus dès qu'elle avait ouvert la porte, plantant ses griffes pointues dans son collant Wolford. Elle s'était dépêchée d'enfiler son jean et une vieille chemise. À vingt-deux heures trente, elle avait téléphoné à Anna-Maria Mella.

« Je vous réveille ?

— Non, je ne dormais pas encore, la rassura Anna-Maria. Je suis couchée dans des draps tout propres à l'hôtel en train de me réjouir d'avance à la perspective du petit déjeuner demain matin.

— Je ne sais pas pourquoi nous, les femmes, aimons tellement les petits déjeuners à l'hôtel ! Après tout, ce ne sont que des œufs brouillés, des saucisses bon marché et quelques viennoiseries. Ça me dépasse.

— Venez vous installer une petite semaine à la maison avec mon Jules et mes enfants et vous comprendrez. Il y a du nouveau ? » dit Anna-Maria en s'asseyant dans le lit et en allumant la lampe de chevet.

Rebecka lui raconta l'entretien qu'ils avaient eu avec Sven Israelsson. Elle lui parla de Quebec Invest, de la vente des parts que la société détenait dans la S/A

Northern Explore et de la possibilité que quelqu'un dans le groupe Kallis Mining ait drainé les comptes de la société pour financer des activités militaires en Ouganda.

« Vous pouvez le prouver ? demanda Anna-Maria.

— Pas encore. Mais je suis sûre à quatre-vingt-dix-neuf pour cent d'avoir raison.

— Bon ? Est-ce qu'on a de quoi procéder à une mise en accusation ou à une perquisition ? Ou au moins quelque chose que je puisse aller agiter sous leur nez pour qu'ils me laissent entrer à Regla ? Sven-Erik et moi y sommes allés aujourd'hui et nous avons été refoulés à la grille. On nous a dit que Diddi Wattrang était au Canada mais je crois qu'il est chez lui et qu'il se cache. Je veux l'interroger sur la conversation téléphonique qu'il a eue avec sa sœur la veille du jour où on l'a tuée.

— Diddi Wattrang est soupçonné de délit d'initié. Vous pouvez demander un mandat d'amener à Alf Björnfot puisque c'est lui qui est chargé d'instruire l'affaire. »

Anna-Maria sauta de son lit et enfila son jean tout en continuant à parler à Rebecka, le téléphone coincé entre l'oreille et l'épaule.

« C'est exactement ce que je vais faire et je vais même y aller tout de suite.

— Du calme ! dit Rebecka, amusée.

— Pourquoi devrais-je me calmer ? Ils m'ont mise en colère et ils vont voir de quel bois je me chauffe. »

À peine la conversation avec Anna-Maria terminée, son téléphone sonna à nouveau. C'était Maria Taube.

« Salut Maria, dit Rebecka. Alors, vous êtes arrivés à Riksgränsen ?

— Oh que oui ! Tu n'entends pas le boucan autour de moi ? On ne sait peut-être pas skier, mais on sait lever le coude !

— Je vois. Måns est dans son élément, alors.

— Je suppose. En tout cas, il n'a pas bougé du bar depuis qu'on est arrivés et Malin Norell est accrochée autour de son cou. Je pense qu'il va plutôt bien. »

Rebecka senti un poing glacé se refermer sur son cœur.

Elle s'efforça de garder un ton jovial. De paraître insouciante et légère. Gaie et *normale*. Et de faire montre d'un intérêt poli.

« Malin Norell ? Je la connais ?

— Droit des entreprises. Elle a quitté Winges pour nous rejoindre il y a environ un an et demi. Elle est un peu plus âgée que nous, trente-sept ou trente-huit ans. Divorcée. Une petite fille de six ans. Je crois que Måns et elle ont eu une liaison quand elle est arrivée au cabinet, mais je ne suis pas sûre… Tu viens demain ?

— Demain ? Non, je… Il y a beaucoup de boulot en ce moment… et je ne me sens pas très… Je crois que je suis en train d'attraper un rhume. »

Elle jura intérieurement. Deux mensonges, c'est un de trop. Il ne faut jamais donner plus d'une excuse quand on tente de se sortir d'une situation.

« Quel dommage, dit Maria. J'ai très envie de te voir. »

Rebecka hocha la tête. Il fallait qu'elle mette fin à cette conversation. Très vite.

« À… bientôt, réussit-elle à ânonner.

— Qu'est-ce que tu as ? demanda Maria, inquiète tout à coup. Il est arrivé quelque chose ?

— Non, tout va bien… C'est juste que… »

Rebecka s'interrompit. Sa gorge lui faisait mal. On aurait dit qu'une boule empêchait les mots de passer.

« On se parlera à un autre moment, murmura-t-elle. Je te rappelle.

— Attends ! s'écria Maria Taube. Rebecka ! »

Mais Rebecka avait raccroché.

Elle alla s'appuyer au lavabo de la salle de bains. Elle contempla la cicatrice entre sa lèvre supérieure et son nez.

« Qu'est-ce que tu croyais ? se cracha-t-elle au visage. Hein, franchement, tu t'es regardée ? »

Måns était assis au bar de l'hôtel Riksgränsen. Malin Norell était perchée sur le tabouret à côté de lui. Il venait de lui raconter une blague, elle avait éclaté de rire, sa main s'était posée sur son genou et elle l'avait reprise tout de suite après. Le signal était bref mais clair. Elle serait à lui pour la nuit s'il le voulait.

Il aurait vraiment préféré le vouloir. Malin Norell était jolie, intelligente et amusante. Elle lui avait clairement fait sentir qu'il l'intéressait quand elle était entrée au cabinet. Et il s'était laissé séduire. Il s'était laissé choisir. Leur histoire avait duré quelques semaines. Ils avaient fêté le Nouvel An ensemble à Barcelone.

Mais il n'avait jamais cessé de penser à Rebecka. Il savait qu'elle était sortie de l'hôpital. Il avait essayé de lui téléphoner pendant qu'elle était internée mais elle avait refusé de lui parler. Pendant le temps qu'avait duré sa brève liaison avec Malin Norell, il s'était dit que c'était très bien comme ça. Il avait réussi à se convaincre que Rebecka était trop compliquée, trop dépressive, trop chiante.

Mais cela ne l'avait pas empêché de penser constamment à elle. Alors que Malin et lui réveillonnaient en tête à tête à Barcelone, il avait appelé Rebecka. Profitant de ce que Malin s'était absentée un instant.

Malin était une femme fantastique. Elle n'avait pas pleuré, elle n'avait pas fait de drame quand il avait mis fin à leur relation. Il lui avait servi quelques piètres excuses et elle lui avait fichu la paix.

Et elle était là s'il la voulait. Elle venait de le lui faire comprendre en posant une main sur son genou.

Mais Rebecka allait venir demain.

Normalement, ils devaient aller skier à Åre. Mais Måns avait fait en sorte que ce soit Riksgränsen, finalement.

Il pensait à elle tout le temps. C'était plus fort que lui.

« Aidez-moi, s'il vous plaît », demanda Diddi à la baby-sitter.

Il s'écroula sur une chaise à la table de la cuisine et la regarda, l'air éperdu, tandis qu'elle ramassait les débris du flacon, les jetait à la poubelle et épongeait le sirop pour la toux avec du sopalin.

Il se rendait compte qu'à ses yeux il était un vieil homme. Elle se trompait, mais comment pourrait-il lui faire comprendre ça ?

« Vous devriez peut-être remonter vous coucher », lui conseilla-t-elle.

Il secoua la tête. Mais c'était surtout parce qu'il commençait à entendre des voix. Il ne s'agissait pas de voix imaginaires, mais de souvenirs. D'abord sa propre voix, aiguë et affectée. Haletante et humiliée. Puis la voix douce mais décidée d'une femme africaine. La ministre des Finances ougandaise.

Il haïssait Mauri. Il haïssait ce petit connard prétentieux. Il savait que Mauri avait fait assassiner Inna. Il l'avait compris tout de suite. Mais qu'aurait-il pu faire ? Il ne pouvait pas le prouver. Et s'il faisait tomber Mauri pour criminalité financière, il tomberait avec lui. Mauri était assez malin pour y avoir veillé. Et Diddi devait penser à sa famille.

Il était coincé. C'était la première chose à laquelle il avait pensé quand Inna était morte. Il avait eu du chagrin, bien sûr. Mais le sentiment prédominant avait été une peur panique de ne plus pouvoir échapper à son sort. Le *Titanic* en train de sombrer. Toutes les issues bloquées, le monde qui chavire et l'eau qui s'engouffre de toutes parts.

Il était parti en virée pendant trois jours. Il s'était laissé flotter d'un bar à l'autre, d'une personne à l'autre, d'une soirée à l'autre. Poursuivi par une idée qu'il refusait d'admettre. Inna était morte.

Les détails de ces trois jours et de ces trois nuits lui revenaient peu à peu.

« Je ne peux pas te venger », avait-il avoué à la défunte Inna. Il avait imaginé mille manières de tuer Mauri et de le faire souffrir tout en sachant qu'il n'en mettrait aucune à exécution. « Je ne suis qu'un minable », avait-il dit à sa sœur morte.

Un souvenir précis lui traversa la tête. La voix de la ministre des Finances ougandaise l'avait brusquement fait remonter à la surface.

Il cherchait un moyen de nuire à Mauri. Et il avait fait une folie. Une folie très dangereuse.

Il avait téléphoné à la ministre des Finances en Ouganda. Hier. Ou bien avant-hier ?

Il n'avait eu aucune difficulté à l'avoir au bout du fil. Le nom de Kallis Mining était un sésame qui ouvrait beaucoup de portes. Il lui avait raconté que Mauri Kallis finançait le réarmement de Kadaga.

Elle ne l'avait pas cru.

« Je suis très étonnée par ce que vous me dites, lui avait-elle répondu. Nous avons la plus grande confiance dans la société Kallis Mining. Et nous sommes en excellents termes avec nos investisseurs étrangers. »

Il se souvient de s'être mis en colère. Il était furieux qu'elle doute de sa parole. Déterminé à ce qu'elle le croie, il était devenu bavard et avait dit tout ce qui lui passait par la tête.

« Ils sont en train de fomenter un coup d'État. Ils veulent faire assassiner le président Museveni. Ils réunissent des fonds sur un compte secret. L'argent qu'ils envoient à Kadaga provient de ce compte. *I know this for a fact. He killed my sister. He is capable of anything*[1].

— Un coup d'État ? Qui sont ces gens ? Vous dites n'importe quoi.

— Je ne sais pas qui ils sont. Je connais seulement Gerhart Sneyers ! Il y a lui et Kallis et d'autres. Ils doivent se rencontrer. Pour discuter des problèmes au Nord-Ouganda.

— Qui sont-*ils* ? Excusez-moi mais je ne crois pas un mot de ce que vous me dites ! Où doivent-ils se rencontrer ? Dans quel pays ? Quelle ville ? Je crois que vous inventez tout cela pour jeter le discrédit sur Kallis Mining. Comment voulez-vous que je prenne cette histoire au sérieux ? Quand ? Quand cette pseudo-réunion est-elle censée avoir lieu ? »

Diddi Wattrang pressa les doigts sur ses paupières. La baby-sitter le prit doucement par le bras.

---

1. « Je sais ce que je dis. Il a tué ma sœur. Il est capable de tout. »

« Voulez-vous que je vous aide à monter dans votre chambre ? » lui demanda-t-elle.

Il dégagea son bras, agacé.

Merde. Est-ce que je lui ai dit que la réunion devait avoir lieu ici ? Est-ce que je lui ai dit que c'était ce soir ? Qu'est-ce que je lui ai dit ?

Mme Florence Kwesiga, la ministre des Finances de l'Ouganda, le président Museveni et le général Joseph Muinde sont réunis en assemblée extraordinaire d'urgence.

La ministre vient de faire état de sa conversation avec Diddi Wattrang.

Une théière en fine porcelaine entre les mains, elle verse à ces messieurs du thé avec beaucoup de lait et beaucoup de sucre. Le Président lève une main pour refuser. Le général Muinde accepte. C'est une image amusante que cette petite tasse délicate entre ses grandes mains. Il ne parvient pas à passer l'index dans l'anse et la prend dans le creux de sa main.

« Quelle impression vous a fait ce Wattrang ? demande le Président.

— Il était désespéré et confus, répond Mme Kwesiga.

— Fou ?

— Non. Pas fou.

— J'ai eu confirmation de deux choses, dit le général Muinde. La première : la sœur de Wattrang a bien été assassinée. La nouvelle a été annoncée dans la presse suédoise. La deuxième : l'avion privé de Gerhart Sneyers a demandé une autorisation d'atterrir sur l'aéroport de Schiphol à Amsterdam et sur celui d'Arlanda à Stockholm demain.

— Ce qui nous laisse moins de quarante-huit heures, commente Mme Kwesiga. Qu'allons-nous faire ?

— Nous allons faire ce qu'il faut, réplique le Président. Nous ne savons pas qui, en dehors de Kallis et de Sneyers, est mêlé à cette affaire. C'est peut-être notre dernière chance. Pour se défendre, il faut parfois attaquer l'adversaire sur son terrain. S'il y a une chose que nous avons apprise des Israéliens – et des Américains aussi d'ailleurs – c'est surtout celle-là.

— En ce qui concerne les Américains, les règles sont différentes, il me semble, dit Mme Kwesiga.

— Pas cette fois.

— J'ai fait semblant de ne pas croire un mot de ce qu'il me disait, dit Mme Kwesiga au général. J'ai même ri plusieurs fois. Il a eu l'impression que je ne le prenais pas au sérieux. Il ne s'attend sûrement pas à ce que nous réagissions. De cette façon, même s'il en parle à quelqu'un, ils ne s'inquiéteront pas.

— Vous avez bien fait, dit le général Muinde. Très bien fait. »

Il pose délicatement sa tasse.

« Moins de vingt-quatre heures, dit-il. C'est peu. Nous enverrons un commando de cinq personnes. Ce ne seront pas des hommes à moi. C'est plus prudent au cas où cela se passerait mal. Nous avons un stock d'armes à notre ambassade à Copenhague. Ils atterriront à Kastrup et continueront en voiture jusqu'en Suède. Le passage de la frontière est sans risque entre les deux pays. »

Il se lève avec une légère courbette.

« J'ai pas mal de choses à faire, si vous voulez bien m'excuser… »

Il fait le salut militaire. Le Président hoche la tête, songeur.

Et le général sort de la pièce.

Diddi se joint au dîner donné au haras de Regla au moment du dessert. Tout à coup, il apparaît sur le seuil de la salle à manger. La cravate dénouée pendant autour du cou, la chemise à moitié sortie du pantalon, la veste sur l'épaule, retenue par un doigt. Peut-être a-t-il eu l'intention de la mettre mais c'est resté à l'état de projet et à présent elle traîne derrière lui comme une queue blessée. Tout le monde se tait en le voyant arriver.

« Pardonnez-moi, *excuse me*, je suis désolé. »

Mauri se lève. Il est furieux mais se contrôle.

« Je voudrais que tu sortes d'ici tout de suite », dit-il à Diddi en suédois, le plus aimablement possible.

Diddi reste planté sur le pas de la porte comme un enfant qui vient de faire un mauvais rêve et qui dérange ses parents pendant le repas. Il est très touchant quand il demande poliment en anglais s'il peut parler un instant avec son épouse.

Puis il ajoute en suédois sur le même ton :

« Sinon je vais devoir faire une scène, Mauri. Et je ne me priverai pas de parler d'Inna, si tu vois ce que je veux dire. »

D'un signe de tête, Mauri invite Ulrika à aller rejoindre son mari. Elle prie l'assemblée de bien vouloir l'excuser et quitte la table. Ebba lui lance un bref regard complice.

« Problèmes domestiques », s'excuse Mauri auprès de ses invités.

Ces messieurs sourient. Ils savent ce que c'est.

« Laisse-moi au moins changer de chaussures », se plaint Ulrika quand Diddi lui fait traverser la cour au pas de charge en la traînant derrière lui.

Le froid et l'humidité glacent ses pieds chaussés de fines sandales de chez Jimmy Choo.

Elle pleure. Elle se fiche de la présence de Mikael Wiik qui n'a pas bougé de son poste sur la terrasse devant la maison. Diddi l'emmène loin de la cour principale et surtout il l'éloigne de l'éclairage extérieur.

Elle pleure parce que Diddi fait tout ce qu'il peut pour leur pourrir la vie. Mais elle ne dit rien. Cela ne sert à rien et elle a renoncé à essayer. Mauri le renverra tôt ou tard. Et ils n'auront plus de revenus et nulle part où habiter.

Il faut que je le quitte, se dit-elle. Et ses pleurs redoublent à cette idée. Elle l'aime toujours mais la vie avec lui est devenue intolérable. Elle se demande ce qu'il a encore inventé ?

« Nous devons partir d'ici, lui dit-il quand ils sont suffisamment loin de la maison.

— Diddi, chéri, riposte-t-elle en luttant pour garder son calme. Nous parlerons de cela demain. Je vais retourner manger mon dessert et…

— Tu ne comprends pas, dit-il en lui saisissant les poignets. Je dis que nous devons partir de Regla. Maintenant ! »

Ulrika a déjà vu Diddi faire des crises de paranoïa, mais cette fois, il lui fait vraiment peur.

« Je ne peux pas t'expliquer », lui dit-il avec un tel découragement qu'elle se remet à pleurer.

Leur vie ici était tellement parfaite. Elle adore Regla. Elle adore leur ravissante maison. Ebba et elle sont devenues amies. Ils connaissent des tas de gens sympathiques avec qui ils font des choses amusantes. Ulrika est la femme qui a réussi à mettre le grappin sur Diddi Wattrang. Dieu sait si d'autres ont essayé avant elle. C'était encore mieux que de décrocher une médaille d'or aux Jeux olympiques. Et maintenant, il voudrait qu'elle renonce à tout, il veut détruire tout ce qu'ils ont construit.

Il la serre dans ses bras, murmure dans ses cheveux.

« S'il te plaît, dit-il, s'il te plaît. Fais-moi confiance. Partons tout de suite. Allons dormir à l'hôtel quelque part. Demain, tu pourras me poser toutes les questions que tu voudras. »

Il regarde autour de lui. Il fait nuit noire. On n'entend pas un bruit alentour. Et pourtant, l'angoisse l'étreint.

« Il faut que tu te fasses aider », dit-elle en reniflant.

Il lui promet qu'il le fera si elle accepte de partir avec lui tout de suite. Sans tarder. Il faut qu'ils aillent chercher le petit, qu'ils prennent la voiture et qu'ils s'enfuient.

Ulrika cesse de se battre. Elle fait ce qu'il lui demande en se disant que peut-être il lui expliquera tout demain. De toute façon, le dîner est fichu en ce qui la concerne. Autant échapper au regard que Mauri n'aurait pas manqué de lui faire si elle était revenue en marmonnant des excuses.

Dix minutes plus tard, ils sont assis dans le Hummer flambant neuf en route vers le portail de la propriété. C'est Ulrika qui conduit. Le petit prince dort dans le siège pour enfant à côté d'elle. Cela leur prend deux minutes pour arriver à la grille. Ulrika actionne la télécommande mais le portail ne s'ouvre pas.

« Zut, la pile est morte », dit-elle à Diddi en s'arrêtant à quelques mètres de l'obstacle.

Diddi descend de la voiture. Il s'avance vers le portail dans le faisceau des phares. Elle le suit des yeux. Tout à coup, il tombe face contre terre sans amortir sa chute avec les mains.

Ulrika gémit, excédée. Elle en a marre de tout ça. De ses cuites, de ses évanouissements, de ses gueules de bois et de sa peur. Marre de ses prétextes, de ses déprimes, de ses diarrhées et de ses constipations. De son érotomanie et de son impuissance. Elle en a marre de le voir tomber, parce qu'il est incapable de tenir sur ses jambes. Elle en a marre de devoir le déshabiller et lui retirer ses chaussures. Et elle en a marre aussi de ses insomnies et de ses périodes d'hyperactivité.

Elle reste au volant et elle attend qu'il se relève. Mais il ne se relève pas. Alors une colère terrible s'empare d'Ulrika. Merde ! Elle se dit qu'elle devrait l'écraser, lui rouler dessus et faire marche arrière pour lui passer sur le corps une deuxième fois.

Elle pousse un long soupir et sort de la voiture. Honteuse des terribles pensées qu'elle vient d'avoir, elle s'adresse à son mari d'une voix douce et compatissante.

« Hé ! Mon cœur, lance-t-elle. Qu'est-ce qui t'arrive ? »

Diddi ne répond pas. Ulrika commence à s'inquiéter. Elle court vers lui.

« Diddi, parle-moi ! Qu'est-ce que tu as ? »

Elle se penche sur lui, pose la main sur son épaule et le secoue. Sa main touche quelque chose d'humide.

Elle ne comprend pas. Elle n'a pas le temps de comprendre.

Un bruit. Un bruit ou un mouvement lui fait lever les yeux et tourner la tête. Une silhouette passe devant le faisceau du détecteur de présence qui déclenche l'éclairage. Avant d'avoir eu le temps de mettre la main devant ses yeux, elle est morte.

L'homme qui l'a tuée chuchote dans son casque audio.

« *Male and female out. Car engine running*[1]. »

Il dirige sa lampe de poche vers l'intérieur de l'habitacle.

« *There is an infant in the car*[2]. »

Son interlocuteur qui dirige l'opération répond :

« *Mission as before : everybody. Shut the engine and advance*[3]. »

Ulrika gît sur le gravier, morte. Elle n'aura pas besoin de voir ça.

Debout près de la fenêtre dans l'obscurité de sa chambre, Ester pense :

Pas encore. Pas encore. Pas encore. Maintenant !

---

1. « Homme et femme à terre. Moteur voiture tourne. »
2. « Il y a un bébé dans le véhicule. »
3. « Pas de changement de programme : on a dit tout le monde. Coupez le moteur et continuez l'opération. »

Rebecka est couchée dans la neige devant la maison de sa grand-mère à Kurravaara. Elle porte le vieux blouson bleu en beaver nylon de grand-mère. Elle n'a pas remonté la fermeture éclair. C'est bon d'avoir froid, ça rend plus léger à l'intérieur. Le ciel est noir et constellé d'étoiles. La lune au-dessus de sa tête est d'un jaune maladif. On dirait un visage gonflé, la peau pleine de cratères. Rebecka a lu quelque part que la poussière de lune a une odeur terrible, qu'elle sent la vieille poudre à canon.

Comment peut-on avoir des sentiments aussi forts pour quelqu'un d'autre ? se demande-t-elle.

Comment peut-on avoir l'impression qu'on va mourir parce que cette personne ne vous aime pas. Ce n'est qu'un être humain, rien d'autre.

Tu vois, dit-elle à son dieu. Je ne suis pas du genre à me plaindre et à me lamenter, mais bientôt, je n'aurai plus envie de jouer. Personne ne m'aime vraiment et comme tu vois, j'ai un peu de mal à le supporter. Dans le pire des cas, je vais vivre encore une soixantaine d'années. Comment pourrais-je vivre seule pendant encore soixante ans ?

Tu as vu ? J'ai fait des progrès, quand même ! J'ai

un travail. Je me lève le matin. J'aime manger du porridge avec de la confiture d'airelles. Mais je ne sais pas si cela suffira pour avoir envie de continuer.

Elle entend le crissement des pattes d'un chien dans la neige. Soudain, Bella est à côté d'elle, elle court autour d'elle, saute au-dessus de son corps élancé, lui marche sur le ventre, lui fait mal, la bouscule du bout du museau pour s'assurer qu'elle va bien.

Puis elle se met à aboyer furieusement. Elle fait son rapport à son maître, évidemment. Rebecka s'empresse de se lever, mais Sivving l'a vue. Il se précipite vers elle.

Bella est déjà repartie. Elle traverse l'ancienne prairie en courant, folle de joie, faisant voler la poudreuse.

« Rebecka ! crie-t-il, parvenant mal à dissimuler l'angoisse dans sa voix. Qu'est-ce que tu fabriques ? »

Elle ouvre la bouche pour mentir. Pour prétendre qu'elle est juste en train de regarder les étoiles, mais les mots refusent de passer ses lèvres.

Elle renonce à donner le change. Son corps ne veut pas faire semblant. Elle secoue la tête.

Elle sait qu'il cherche à bien faire. Elle comprend qu'il s'inquiète pour elle. Et puis, qui va rester lui tenir compagnie maintenant que Maj-Lis n'est plus là ?

Elle n'en peut plus. Elle en a assez de le voir chaque jour souhaiter si fort qu'elle soit gaie, espérer que tout aille bien, qu'elle soit heureuse.

Je n'ai pas la force d'être heureuse, a-t-elle envie de lui expliquer. C'est à peine si j'ai celle d'être malheureuse. Mon grand projet dans la vie est d'arriver à tenir debout.

Elle sait que maintenant il va lui proposer d'aller marcher avec lui et Bella. Ou de rentrer boire un café. Dans quelques secondes, il va lui dire ça. Et il faut qu'elle lui dise non, parce que c'est impossible. Et il baissera la tête et elle l'aura rendu triste aussi.

« Je dois y aller, Sivving. Je vais déposer une citation à comparaître chez une dame à Lombolo. »

Le mensonge est si gros et à tel point improbable qu'elle vit quasiment une expérience de sortie hors de son corps en le proférant. Une autre Rebecka se dresse à côté d'elle et lui demande :

« Où es-tu allée chercher un truc pareil ? »

Mais Sivving a l'air de la croire. Après tout, il ne sait pas grand-chose de son nouveau travail.

« Ah ! dit-il.

— Au fait, poursuit-elle. Il y a un chat à la maison. Tu veux bien t'en occuper ?

— Euh, comment ça ? Tu seras partie longtemps ? »

Et tandis qu'elle s'éloigne vers sa voiture, il crie dans son dos.

« Tu ne dois pas te changer, avant ? »

Elle prend la route de Kiruna. Elle n'a pas besoin de se demander où elle va. Elle le sait. Elle va à la station de ski de Riksgränsen.

« C'est quoi, ça ? » demande Anna-Maria Mella.

Sven-Erik Stålnacke, assis à côté d'elle dans la voiture, regarde la première grille du haras de Regla. Dans le faisceau des phares de la Passat, il constate qu'un Hummer est garé de l'autre côté du portail.

« Ce sont les gardes du corps, tu crois ? » dit-il.

Ils arrêtent la voiture. Anna-Maria sort en laissant tourner le moteur.

« Il y a quelqu'un ? » crie-t-elle.

Sven-Erik la rejoint.

« Nom de Dieu de nom de Dieu ! » s'exclame Anna-Maria.

Deux corps sont allongés, face contre terre. Elle plonge la main sous sa veste pour prendre son arme de service.

« Qu'est-ce qui s'est passé ici, bordel ! »

Elle fait un rapide pas de côté pour sortir de la lumière des phares.

« Reste dans l'ombre, recommande-t-elle à Sven-Erik. Et coupe le moteur.

— Non, réplique-t-il. Remonte dans la voiture, allons-nous-en d'ici et appelons du renfort.

— Bonne idée, vas-y, toi, riposte Anna-Maria. Moi, je vais jeter un coup d'œil. »

La première grille n'est là que pour bloquer la route. C'est le portail un peu plus haut dans l'allée qui ferme la propriété. Anna-Maria contourne le pilier mais reste à distance des deux corps. Elle ne s'approchera pas tant qu'ils seront baignés dans la lumière des phares.

« Recule ! dit-elle à son collègue. Il faut que j'aille voir.

— Rentre dans la voiture, gronde Sven-Erik, j'appelle pour demander de l'aide. »

Ils se mettent à se disputer comme un vieux couple.

« Je veux juste jeter un coup d'œil. Va-t'en ou au moins coupe ce putain de moteur ! réplique-t-elle, cinglante.

— Il y a des règles. Reviens dans cette voiture ! » lui ordonne Sven-Erik.

Leur attitude n'est pas professionnelle. Ils y repenseront souvent par la suite. Au fait qu'ils auraient pu se faire tuer à chaque instant durant cette dispute. Chaque fois que dans leur vie de flic on parlera en leur présence des bêtises qu'on peut être amené à faire dans une situation critique, ils repenseront à ce moment.

Pour finir, Anna-Maria s'avance carrément dans le halo des phares. Son SIG-Sauer dans une main, elle pose l'autre sur le cou des deux individus couchés au sol. Pas de pouls.

Elle fait quelques pas titubants vers le Hummer et regarde à l'intérieur. Un siège-enfant. Un enfant. Un petit enfant mort. Tué d'une balle en pleine figure.

Sven-Erik la voit prendre appui sur la vitre de sa main libre. Son visage est devenu d'un gris de cendre. Elle le regarde droit dans les yeux avec un tel désespoir que son cœur se serre.

« Quoi ? » demande-t-il.

Mais en réalité, pas un son n'a passé ses lèvres.

Elle se penche en avant. Tout son corps est secoué par un spasme. Elle le regarde toujours. D'un air accusateur. Comme s'il était responsable de quelque chose.

La seconde d'après, elle a disparu. Tel un renard, elle a traversé le cône de lumière de la Passat et il ignore où elle est partie. Il fait une nuit d'encre. D'épais nuages occultent la lumière de la lune.

Sven-Erik se jette à l'intérieur de la voiture et éteint enfin les phares. Le silence et l'obscurité envahissent tout.

Il ressort et a l'impression d'entendre des pas rapides en direction du haras.

« Bon sang, Anna-Maria ! » s'écrie-t-il.

Mais il n'ose pas crier trop fort.

Alors qu'il s'apprête à courir derrière elle, il se ressaisit et il appelle les secours. Quelle emmerdeuse. La conversation dure environ deux minutes. Il est mort de trouille. Terrifié à l'idée qu'on l'entende. Qu'on lui tire une balle dans la tête. Il reste accroupi à côté de la voiture pendant toute la communication. Tend l'oreille dans la nuit pour essayer d'entendre ce qui se passe. Il enlève la sécurité de son arme.

Après avoir raccroché, il court rejoindre Anna-Maria. En passant, il tente de voir à l'intérieur du Hummer ce qui a pu provoquer une telle réaction chez elle, mais à présent que les phares sont éteints, il ne voit rien.

Il court silencieusement dans l'herbe sur le bas-côté de l'allée. Si sa propre respiration ne ressemblait pas au bruit d'un soufflet de forge, il arriverait peut-être à entendre quelque chose. Il a si peur qu'il a envie de vomir. Mais a-t-il le choix ? Où est-elle, bon Dieu ?

Ester voit quelqu'un dans le miroir. Quelqu'un qui lui ressemble. Si l'on en croit la science, le corps humain ne contient rien de tangible. Chacun d'entre nous n'est qu'un ensemble d'atomes. L'air qui nous entoure est lui-même composé d'atomes. Il est assez remarquable que nous ne passions pas notre temps à traverser les murs ou à nous fondre les uns dans les autres.

Elle s'est engagée. À quoi ? Elle n'en est pas encore très sûre. Mais au tréfonds de sa conscience, elle sait qu'elle s'est engagée. Et son engagement s'est renforcé un peu plus à chaque nouvelle étape. D'abord, elle est venue habiter dans le grenier de Mauri. Ensuite, elle s'est entraînée physiquement. Elle a chargé son corps en glucides. Et à présent c'est sa tête qui doit suivre ses pieds et pas l'inverse.

La tête est mise au repos tandis que les pieds dévalent l'escalier de la cave.

Dans le même temps, cinq hommes avancent vers le haras de Regla. Tous vêtus de noir. Leur chef est celui qu'en pensée Ester a baptisé le Loup. Lui et trois autres sont armés de petits pistolets automatiques. Le dernier est tireur d'élite.

Le tireur d'élite se couche dans l'herbe. Il a Mikael Wiik dans son viseur. Il pourrait même rester debout pour tirer. La cible est parfaitement immobile.

Mikael est toujours sur le perron devant la maison. Il tend l'oreille vers la route. Diddi et sa femme ont quitté Regla en voiture. Une dispute a dû éclater entre Diddi et Mauri. Le moment est on ne peut plus mal choisi, mais Diddi est totalement imprévisible depuis quelque temps.

Il a entendu la voiture s'arrêter devant la deuxième grille et ensuite ils ont coupé le moteur. Il se demande pourquoi ils n'ont pas continué. Peut-être sont-ils en train d'avoir la scène de ménage du siècle dans le Hummer.

Je fais mon boulot, songe Mikael Wiik. Et ça, ce n'est pas mon boulot.

Je ne vais pas m'en mêler, ce n'est pas mon problème. Inna n'est pas mon problème non plus. Tout ce que j'ai fait, c'est de donner ce numéro de téléphone à

Mauri. Ce qui a pu se passer ensuite ne me concerne pas.

Il avait vu le corps d'Inna à la morgue de Kiruna.

L'orifice entrant était horrible.

Il tente de se convaincre que ce n'est pas du travail de professionnel, qu'elle est morte pour une toute autre raison. Une raison qui n'a rien à voir avec Mauri Kallis.

Il inspire longuement. De noires effluves de printemps flottent dans l'air de la nuit. Un vent tiède souffle un parfum de chlorophylle. L'été prochain, il s'achètera un bateau. Il emmènera sa compagne se promener dans l'archipel de Skärgården.

C'est sa dernière pensée. Quand il tombe en avant et touche le carrelage de la terrasse, il est déjà mort.

Le tireur d'élite change de position. Il se rend de l'autre côté de la maison. Les grandes portes-fenêtres donnent sur la salle à manger. Il repère les lieux. Un seul garde du corps, debout contre un mur. Les autres convives sont des canards alignés dans un stand de foire. Il chuchote dans le micro de son micro-casque pour informer ses acolytes que la voie est libre.

Ester coupe l'alimentation générale du haras. En quelques gestes, elle sort les fusibles des trois disjoncteurs principaux et les jette sous une étagère au fond de la cave. Elle les entend rouler et s'immobiliser. L'obscurité devient compacte.

Elle reprend son souffle. Ses pieds connaissent le chemin par cœur. Elle n'a pas besoin d'y voir pour se déplacer. Ils la conduisent sur la piste noire.

Tandis que ses pieds foulent la piste noire, elle est dans un autre monde. Un monde qui est une image sortie de la mémoire mais appartient au présent. Un souvenir à la fois présent et passé.

Elle est assise avec Eatnázan sur le versant d'une montagne. C'est la fin du printemps. Il ne reste que quelques plaques de neige ici et là. Des vols braillards d'oiseaux migrateurs passent sans cesse dans le ciel. Le soleil réchauffe le dos. Ester et sa mère ont déboutonné leurs vestes en laine.

Elles regardent un torrent de montagne en contrebas. Il s'est élargi de plusieurs mètres à cause de la fonte des neiges et son débit est violent. Une femelle renne se jette à l'eau et nage vers la berge opposée. Arrivée sur la terre ferme, elle appelle son faon. Elle meugle et meugle pour le convaincre de traverser et finalement il rassemble son courage et se jette dans le torrent. Mais le courant est trop fort. Le faon n'a pas la force de rejoindre l'autre berge. Il est emporté sous les yeux d'Eatnázan et d'Ester. Alors la femelle renne se jette à l'eau de nouveau et nage pour rejoindre son faon qui dérive. Elle le contourne, le retient contre le courant avec son corps et nage à côté de lui. L'eau est puissante. L'encolure de la maman renne est tendue au-dessus de la surface. Elle ressemble à un appel à l'aide. Quand ils arrivent au bord, la mère nage sur place pour faire barrage au petit jusqu'à ce qu'il réussisse à se hisser sur la berge. Enfin, ils sont tous les deux en sécurité de l'autre côté.

Ester et maman continuent de les observer. Elles sont impressionnées par le courage de cette femelle renne. De la force de son amour pour son petit. De la foi que le faon a en sa mère. Malgré sa peur devant ce torrent furieux, il s'est quand même jeté à l'eau. Elles ne se parlent pas sur le chemin du retour jusqu'à la ferme.

Ester suit sa mère. Elle allonge le pas pour marcher exactement dans les pas d'Eatnázan.

Mauri Kallis demande à ses invités ce qui leur ferait plaisir avec le café. Gerhart Sneyers voudrait un grand verre de cognac. Heinrich Koch et Paul Lasker la même chose. Viktor Innitzer boit du calvados et le général Helmuth Stieff demande un single malt.

Mauri Kallis propose à son épouse de rester assise. Il s'occupera lui même de servir le pousse-café.

« Je vais changer les bougies », dit Ebba en se dirigeant vers la cuisine avec les chandeliers, un peu agacée que le personnel engagé pour la soirée n'ait pas remarqué qu'elles avaient presque entièrement fondu.

Un agent de sécurité monte la garde dans la salle à manger. Il travaille pour Gerhart Sneyers. Quand Mauri se lève et passe à côté de lui, il note avec quelle discrétion l'homme a rempli son rôle. Mauri s'est à peine rendu compte qu'il était resté debout à son poste pendant tout le dîner.

Et c'est sans doute pour cela que l'effet est presque comique quand il s'écroule, emportant dans sa chute une tapisserie du seizième siècle. La scène rappelle à Mauri un garçon qui s'était évanoui pendant la procession de la Sainte-Lucie quand il était en CM2. Mais le souvenir explose dans un bruit de verre brisé. Deux hommes apparaissent à la porte et le pop-pop-pop un peu ridicule des pistolets automatiques munis de silencieux éclate dans la salle à manger.

Tout à coup, toutes les lumières s'éteignent en même temps. Paul Lasker crie de douleur dans le noir. Une femme pousse une série de hurlements hystériques et se tait brusquement. Les rafales de tirs s'interrompent et après quelques secondes, le faisceau d'une lampe de poche se met à balayer la pièce à la recherche de tout ce qui rampe, crie, pleure et s'accroupit pour tenter d'échapper au carnage.

Le général Helmuth Stieff a réussi à s'emparer de l'arme du garde du corps abattu. Il tire en direction de la lumière, quelqu'un tombe et la torche s'éteint.

On n'y voit plus rien. Mauri est couché par terre. Il réalise qu'il ne peut pas se relever. Sa main est humide, sa chemise trempée.

J'ai pris une balle dans le ventre, songe-t-il. Mais très vite, il se rend compte qu'il est simplement aspergé de whisky. Le fait de ne rien voir amplifie les bruits autour de lui. Il entend une voix de femme qui hurle de terreur dans la cuisine, suivie du plop caractéristique d'un coup de feu. Et puis plus rien. Ebba, se dit Mauri, et tout de suite après : il faut que je me tire d'ici. Il ne pense plus à rien d'autre. Fuir.

Il entend les intrus actionner les interrupteurs dans le hall, sans résultat. Tout le haras est plongé dans le noir.

Paul Lasker n'arrête pas de crier. Sous la table deux hommes se rentrent dedans. Ce n'est qu'une question de secondes avant que les tireurs reviennent dans la salle à manger.

Mauri est touché à la hanche. Mais il parvient à se traîner à l'aide de ses mains. Le salon et la salle à manger sont placés en enfilade et sachant que l'armoire où sont rangés les alcools jouxte le poêle en faïence du salon, il en déduit qu'il doit se trouver près de la double porte qui sépare les deux pièces. Il entre en rampant dans celle où, en ce moment, ils devraient être en train de boire café et digestif. Il parcourt deux mètres à peine et il est à bout de force.

C'est alors qu'on pose une main sur son épaule. La voix d'Ester lui murmure à l'oreille :

« Ne dis rien, si tu veux rester en vie. »

Le général tient toujours la salle à manger, une salve à l'aveugle éclate en provenance de la porte, en direction du hall d'entrée. Mais cette fois, un homme à l'abri du chambranle d'un côté éclaire la pièce avec une lampe de poche, tandis qu'un autre tire, caché derrière le montant. Les cris de Paul Lasker cessent. Le général continue de tirer sporadiquement. Il ne doit pas lui rester beaucoup de munitions, bientôt, les tueurs pourront entrer et finir le travail.

Ester parvient à remettre Mauri en position assise contre une causeuse dix-huitième. La tache de sang que sa blessure laisse sur le sofa sera mentionnée dans le rapport de l'enquête préliminaire et donnera lieu à de nombreuses supputations. Ester se penche sur lui et le charge sur ses épaules à la manière des soldats ou des pompiers.

Allez, je vais y arriver, se dit-elle. Un, deux, trois.

Il est moins lourd que ce à quoi elle s'attendait. Le salon communique avec la bibliothèque, qui elle-même communique avec une pièce servant de débarras. Dans cette pièce se trouve une porte donnant sur le jardin. Esther l'ouvre et part dans l'obscurité à grandes enjambées.

Elle connaît le chemin. Elle l'a parcouru souvent les yeux bandés à travers le bois jusqu'au vieux ponton. Elle s'est griffé le visage contre les troncs des arbres de nombreuses fois, mais à présent, elle sait par cœur sa piste noire. Il faut juste qu'elle parvienne à traverser la cour et la pelouse avant d'atteindre la lisière du bois.

Le chef du commando éclaire l'un après l'autre les visages des hommes à terre dans la salle à manger. Le général Helmuth Stieff est mort. Paul Lasker aussi.

Heinrich Koch est à moitié allongé contre un mur. Sa main est une serre inerte crispée sur la tache rouge qui macule son plastron blanc. Il regarde terrifié l'homme au visage fardé de noir, une torche dans la main gauche. Sa respiration est courte et saccadée.

L'homme lève son Glock et lui tire une balle entre les deux yeux. Les deux survivants seront sans doute plus bavards. Viktor Innitzer pousse un cri d'effroi.

À première vue, il est indemne. Il a le dos appuyé contre un mur, les bras croisés sur la poitrine.

Gerhart Sneyers est couché sur le flanc, sous la table.

Sur un signe de tête du chef du commando, l'un de ses hommes attrape les pieds de Sneyers et le traîne jusqu'à son supérieur. Sneyers reste allongé sur le côté, les genoux légèrement relevés, les mains entre les cuisses. La sueur transpire de son front, forme des gouttelettes et coule sur son visage. Il tremble comme s'il avait froid.

« *Your name ?* » lui demande le chef du commando en anglais. Comme il ne répond pas, il repose la question en allemand.

« *Ihr Name ?* Et le nom des autres ?

— Allez pourrir en enfer », répond Sneyers. Quand il desserre les lèvres, le sang coule à flots.

Le chef se penche et le tue également avant de se tourner vers Viktor Innitzer.

« *Who are you ?* Et qui sont les autres ? »

Terrorisé, Innitzer énonce d'une voix aussi claire que possible, dans un dictaphone, son nom et ceux de tous les autres, au fur et à mesure que la lampe de poche éclaire leurs visages sans vie.

« Est-ce que tous ceux qui assistaient à votre réunion sont ici ? lui demande le chef.

— Je ne sais pas… je ne vois pas… vous m'aveuglez avec cette lampe de poche… Je pourrais peut-être… Kallis ! Mauri Kallis !

— Personne d'autre ?

— Non.

— Et où se trouve Kallis, maintenant ?

— Il était juste là ! »

Viktor Innitzer montre, dans le noir, la direction de l'armoire-bar.

Le chef du commando éclaire l'armoire et la porte du salon. Il vise la tête d'Innitzer qui ne lui est plus d'aucune utilité et tire. Puis il fait signe à l'un de ses hommes et ils se précipitent ensemble dans le salon.

Ils balayent la pièce méthodiquement avec leurs lampes de poche se déplaçant dos à dos, en avançant progressivement, comme dans une chorégraphie.

Il leur faudrait plus de lumière, surtout si Kallis a eu le temps de sortir. Il n'y a plus qu'à espérer qu'il soit blessé.

« Allez chercher le Hummer, ordonne le chef dans son micro-casque. Il peut passer partout. Il faut fouiller toute la propriété. »

Anna-Maria Mella vient tout juste de découvrir le cadavre du petit garçon de Diddi Wattrang dans le Hummer. Elle court vers la maison. À vrai dire, elle ne court pas. Il fait trop noir. Elle se déplace aussi vite que possible en levant haut les genoux pour ne pas trébucher sur un obstacle. Elle n'a pas envie de tomber avec une arme à la main dont elle a enlevé la sécurité.

La lumière extérieure est éteinte. Le haras tout entier est plongé dans une obscurité totale.

En approchant de la maison de maître, elle aperçoit le faisceau d'une lampe de poche. Un individu éclaire la route devant lui et court dans sa direction à grande allure. Elle fait un bond sur le côté et se cache dans le fossé. Elle arrache son blouson qui est couvert de bandes fluorescentes et le jette par terre, la doublure vers le ciel. Elle n'a pas le temps de s'éloigner car l'individu l'entendrait. Elle se recroqueville dans le fossé, l'herbe de l'an passé est aplatie et n'offre aucune protection. Heureusement il pousse quelques taillis et broussailles. S'il ne braque pas sa lampe directement sur elle, ça devrait aller.

Au fond du fossé l'eau a la profondeur d'une main. Elle la sent entrer dans ses chaussures et mouiller le bas de son jean. Elle enfonce sa main libre dans la boue et l'étale sur sa figure pour éviter qu'elle ne fasse une tache blanche dans le cas où elle se trouverait dans la lumière de la torche. Il faut qu'elle lève la tête et qu'elle se tienne prête à tirer si le coureur la découvre.

Elle prend son pistolet à deux mains et attend, immobile et sans un bruit. Elle a l'impression que son cœur dans sa poitrine bat comme la cloche d'une église.

Il passe à deux mètres d'elle. Il ne la voit pas. C'est un homme. Elle le suit des yeux et distingue une silhouette à la carrure large. Le son de ses chaussures de sport sur le gravier s'éloigne peu à peu. Était-ce l'un des gardes du corps de Kallis ? Ou bien l'homme qui a tué Diddi Wattrang et sa famille ?

Elle ne sait pas. En tout cas, il se dirige vers la grille et la voiture dans laquelle se trouve un enfant mort. Vers Sven-Erik, aussi !

Elle se lève, laisse son blouson dans le fossé, remonte sur la route, les genoux et les pieds trempés.

À présent, elle court après l'homme en restant sur le côté de la route, dans l'herbe. S'il tente de tirer sur Sven-Erik… Elle sait ce qu'elle a à faire. Elle le tuera d'une balle dans le dos.

L'homme arrive au Hummer. Il s'assied au volant et démarre. Les phares s'allument et tout est soudain baigné dans une lumière froide. Comment deux phares peuvent-ils donner autant de lumière ?

Sven-Erik n'est visible nulle part.

Le type recule. Elle comprend qu'il n'a pas de temps à perdre à faire demi-tour et qu'il va remonter jusqu'à la maison en marche arrière.

Anna-Maria se jette à nouveau dans le fossé. Elle se couche à plat ventre au moment où le 4 × 4 passe à côté d'elle. Puis elle se relève à demi et le suit des yeux. Il ne risque plus de regarder dans sa direction. Toute l'attention du chauffeur est occupée à regarder en arrière. C'est un sacré pilote ! Il roule à fond, en marche arrière, jusqu'au haras. Bon Dieu que ça va vite. Et pas un seul instant il ne dévie de sa trajectoire.

Il lui vient soudain à l'esprit qu'il est assis à côté du bébé tué d'une balle en pleine figure. L'idée est choquante et répugnante. Mais qui sont ces gens ?

« Sven-Erik ! appelle-t-elle à voix basse. Sven-Erik ! » Pas de réponse.

Sven-Erik vient d'appeler du renfort.

Maintenant il progresse vers la maison en marchant dans l'herbe au bord de la route. Il n'y voit rien, mais il a encore la mémoire corporelle des années de chasse aux baies dans la forêt. Il a si souvent traversé les champs après la tombée de la nuit. Et cette fois, il n'est même pas encombré par sa hotte en écorce de bouleau.

Il a adopté instinctivement une démarche ample, souple, peu naturelle, sur des jambes un peu arquées. Il devine plutôt qu'il ne distingue la route d'un côté et les tilleuls de l'allée de l'autre. Lorsqu'il voit l'homme avec sa lampe de poche courir vers lui, il ne se jette pas dans le fossé mais se cache derrière le tronc d'un tilleul, jusqu'à ce qu'il soit passé.

Sans le savoir Anna-Maria et Sven-Erik se croisent. Mais ils courent chacun de leur côté de la route. Anna-Maria poursuit l'homme à la lampe de poche. Sven-Erik marche en sens inverse, vers le haras. Ils sont à peine à quatre mètres l'un de l'autre, mais ils ne se voient pas. Ils n'entendent que leurs propres pas et leur propre respiration.

Elle est dans le jardin. Ester tient fermement la jambe de Mauri d'un côté et son bras de l'autre. Il repose tel un joug sur ses épaules. Juste avant de tourner à l'angle nord de la maison, elle aperçoit la lumière de plusieurs lampes torches à travers les fenêtres du salon. Elle n'a pas beaucoup d'avance sur eux. Mais elle est protégée par l'obscurité. Il s'agit maintenant de se déplacer le plus silencieusement possible. Elle traverse la cour en diagonale, évite de marcher sur le gravier.

Elle doit passer par le verger pour atteindre la forêt. Puis traverser celle-ci jusqu'au vieux ponton. Sept cents mètres de terrain accidenté avec le poids d'un autre être humain sur les épaules. Aussitôt qu'elle aura atteint la lisière du bois, elle pourra ralentir l'allure.

Elle est presque dans le verger quand le Hummer entre dans la cour. Elle le voit arriver comme un gros animal aux yeux rouges, il lui faut une ou deux secondes pour comprendre que ce sont ses feux arrière qu'elle voit. Le véhicule roule en marche arrière.

Elle se retrouve brusquement dans la lumière des phares. Le halo éclaire les silhouettes noueuses des pommiers et elle fait quelques lourds pas de côté pour en sortir. Il faut avancer. Rejoindre sa piste noire. La forêt.

Le chauffeur du Hummer informe ses collègues dans son micro-casque qu'il a deux fuyards en visuel. Il traverse une plate-bande, une pelouse et roule droit sur la pommeraie.

Il est obligé de s'arrêter avant le verger qui est entouré d'un muret en pierre. L'obstacle est infranchissable.

Il recule d'un mètre, tourne le volant, avance à nouveau. Il se sert du véhicule comme d'un projecteur, fouille l'obscurité méthodiquement. Deux de ses collègues sont en route pour le rejoindre. Les deux restants sont allés voir dans les autres maisons. Ils ont tué la baby-sitter qui avait allumé des bougies dans le séjour pour chercher quelque chose à lire dans la bibliothèque, contrariée que la télévision ne fonctionne plus dans sa chambre.

Anna-Maria a la peur au ventre. Le Hummer vient de traverser le jardin et de s'arrêter à l'orée d'un verger. Dans la lumière des phares, elle aperçoit une personne qui en porte une autre sur ses épaules et qui marche vers la forêt. Elle les voit à peine une seconde puis elles sortent du cône de lumière. Le chauffeur du Hummer déplace son véhicule avec dextérité avec l'air de les chercher. Deux individus vêtus de noir le rejoignent, s'arrêtent à côté de la vitre du conducteur et scrutent la pommeraie.

Anna-Maria s'est accroupie et elle retient son souffle. Elle est à peine à vingt mètres d'eux.

Ils ne peuvent pas m'entendre avec le bruit du moteur, se rassure-t-elle.

Ensuite tout va très vite : l'individu qui s'enfuit avec son compagnon sur les épaules apparaît un instant dans la lumière, l'un des hommes debout à côté du 4 × 4 tire une salve de coups de feu. Le deuxième épaule son fusil mais il n'a pas le temps de tirer avant que les fuyards ne s'évanouissent à nouveau dans l'obscurité. Le Hummer recule, se décale, la manœuvre prend quelques secondes.

L'homme au pistolet automatique saute le muret d'enceinte du verger tel un guépard et se lance à la poursuite des deux fuyards infortunés. Le tireur d'élite reste près de la voiture. En position de tir.

Anna-Maria tente de voir quelque chose mais elle ne distingue que des troncs sombres et des branches nues dans l'éclairage blême des phares.

Elle n'est plus capable de réfléchir et ne prend pas le temps de décider ce qu'elle doit faire.

Elle sait seulement une chose, c'est que si elle ne fait rien, les deux individus qui cherchent à s'échapper là-bas dans le noir seront abattus. Et que dans cette voiture avec ses yeux assassins qui se meut comme une machine douée d'une volonté propre, se trouve un petit enfant qu'on a tué.

Et c'est avec une rage désespérée qu'elle se lance vers le Hummer en braquant son arme. Ses pieds touchent à peine le sol. C'est comme dans ces cauchemars où on court encore et encore et où l'on n'arrive jamais nulle part.

Mais elle atteint sa destination et en réalité sa course ne dure que quelques secondes.

Ils ne se sont pas aperçus de sa présence parce qu'ils regardent dans la direction opposée et qu'ils sont concentrés sur les deux fuyards et leur poursuivant. Elle tue le tireur d'élite d'une balle entre les omoplates. Il tombe en avant. En deux grandes foulées, elle est à la hauteur de la vitre du conducteur qu'elle abat d'une balle dans la tête.

Le Hummer cale, mais ses phares restent allumés. Elle ne s'inquiète pas de savoir s'il y a d'autres hommes armés à proximité, elle n'a pas peur, elle saute le muret. S'engage dans le verger. Zigzague entre les pommiers. Prend en chasse le tireur à l'arme automatique qui court derrière la silhouette qui porte un homme sur ses épaules.

Il lui reste sept balles. Pas une de plus.

Sven-Erik se tapit dans l'obscurité quand le véhicule tout-terrain remonte l'allée en marche arrière vers le haras. Il le voit bifurquer vers le muret et s'arrêter devant le verger. Il observe son manège tandis qu'il recule, avance et recommence. Il ne voit pas la personne qui marche péniblement entre les pommiers avec son fardeau humain sur les épaules mais il voit l'homme avec son arme automatique tirer sur quelque chose et sauter par-dessus le mur qui entoure le verger. Il voit aussi l'individu en position de tir à côté du Hummer. Il regarde sa montre et se demande combien de temps les secours vont mettre à arriver.

Il a à peine le temps de comprendre ce qui s'est passé quand il voit le tireur tomber face contre terre et quelqu'un tuer le chauffeur à travers la vitre de la voiture. Ce n'est que lorsqu'il la voit galoper entre les pommiers dans la lumière des phares qu'il réalise que c'est Anna-Maria.

Sven-Erik se redresse. Il n'ose pas l'appeler !

Nom de Dieu ! Mais elle est complètement à découvert ! Elle est folle. Il est furieux contre elle.

Tandis qu'il rumine sa colère, le tireur d'élite se relève. La peur traverse Sven-Erik comme une onde de choc. Il a vu Anna-Maria tirer sur cet homme. Il comprend que le type devait porter un gilet pare-balles.

Et Anna-Maria qui cavale en pleine lumière comme une cible vivante.

Alors Sven-Erik se met à courir. Pour un homme de son âge et de sa corpulence, il se déplace vite et sans bruit. Au moment où le tireur d'élite lève son arme pour mettre Anna-Maria en joue, Sven-Erik s'arrête et lève la sienne. Il n'a pas le temps de s'approcher plus.

Ça va aller, se persuade-t-il.

Il tient son pistolet des deux mains, prend une longue inspiration, sent que son corps tout entier tremble de peur, d'épuisement et de tension nerveuse. Il bloque sa respiration et appuie sur la détente.

L'une des balles du pistolet automatique atteint Ester. Elle la sent pénétrer dans son bras. Un choc d'abord, puis une sensation de brûlure. Elle n'endommage aucune artère. Se fraie un chemin dans le tissu musculaire.

Seuls quelques petits vaisseaux sont rompus. Ils se resserrent sous l'impact. Elle ne va pas saigner tout de suite. La balle traverse son bras et interrompt sa course juste sous la peau de l'autre côté. Ça fait comme un kyste. Pas d'orifice de sortie.

Cette blessure va la vider de son sang. Il ne faut jamais sous-estimer les petites plaies. Mais elle a encore du temps. Elle doit porter Mauri un peu plus loin.

Je m'appelle Ester Kallis. Ceci n'est pas mon destin. C'est mon choix. Je porte Mauri sur mon dos et bientôt nous serons arrivés dans la forêt. Encore quatre cents mètres.

Je ne l'entends pas, mais je ne m'inquiète pas. Je sais qu'il va vivre. Je le porte. C'est le petit garçon que j'ai vu lors de notre première rencontre que je porte sur mes épaules. Le petit garçon de deux ans qui sautait sur le dos d'un homme en train de couvrir notre mère. Son petit dos maigre et blanc dans la nuit. C'est ce petit garçon que je porte.

La douleur dans son bras est lancinante et rouge, sang de bœuf et garance avec du noir tout autour. Je ne dois pas penser à mon bras. Je fais des dessins dans ma tête tandis que mes jambes nous portent sur le chemin que je connais par cœur.

Je dessine Rensjön.

Je dessine plusieurs portraits de maman au crayon, devant la maison, en train de gratter les poils des peaux de renne avec un couteau après qu'elles ont trempé jusqu'à faire pourrir les bulbes.

Je la dessine dans la cuisine, les mains dans la vaisselle et les pensées ailleurs.

Je dessine Musta, volontaire comme toujours, scindant le troupeau de rennes en deux comme s'il le tranchait avec une lame, courant dans leurs pattes, aiguillonnant les traînards d'un discret coup de dents au jarret.

Je me dessine. L'après-midi, quand je peux descendre du taxi scolaire à Rensjön, que le vent me mord les joues et que je cours pour rentrer à la maison. L'été quand je m'assieds sur la plage avec mes feuilles et mes crayons, et que je ne me rends compte que le soir à quel point je me suis fait dévorer par les moustiques. Je pleure tellement et je me gratte si fort que maman est obligée de m'enduire de lotion pour calmer les démangeaisons.

Je reçois des images de Mauri aussi. À cause du contact physique. C'est normal.

Il est assis dans un bureau quelque part dans un autre pays. Pour échapper aux hommes qui nous poursuivent en ce moment et à celui qui les a envoyés, il devra se cacher le restant de ses jours.

Il a des taches de vieillesse sur les mains. Le soleil tape dehors. Il n'y a pas de climatisation, juste un ventilateur. Dans la cour, quelques poules soulèvent la poussière rouge en grattant le sol. Un chat maigre traverse en courant une pelouse desséchée.

Une jeune femme est avec lui. Sa peau est noire et douce. Quand il se réveille la nuit, elle lui murmure des psaumes d'une voix grave. Ça l'apaise. Parfois elle lui chante des comptines dans le dialecte de sa tribu. Mauri et elle ont une fille ensemble.

Cette petite fille.

Je la porte aussi. Elle est encore si petite. Elle ne sait pas encore que c'est mal d'ouvrir et de refermer les portes de la maison sans les toucher.

Je vois un commissariat en Suède. Je vois des dossiers qui s'empilent. Ils contiennent tout ce qu'on a réussi à apprendre sur la mort d'Inna Wattrang et sur tous ces cadavres à Regla. Mais personne n'a été mis en cause. On n'a jamais trouvé les coupables. Je vois une femme qui n'est plus toute jeune, avec des lunettes accrochées autour du cou. Dans un an, elle prendra sa retraite. C'est ce qu'elle est en train de se dire tandis qu'elle charge sur un chariot pour les archives tous ces dossiers, dont chacun lui rappelle l'une de ses enquêtes.

Bientôt nous serons au vieux ponton.

Il faut que je m'arrête un instant, tout devient noir dans ma tête.

Je repars malgré le vertige.

La plaie sur mon bras saigne beaucoup à présent. C'est collant, chaud, désagréable.

Mon fardeau devient plus lourd. Je cours moins vite. J'ai froid et j'ai peur de tomber. J'ai l'impression de marcher dans la neige.

Encore un pas. C'est ce que me disait maman quand nous partions dans la montagne et que je pleurnichais parce que j'étais morte de fatigue. « Allez, Ester. Encore un pas. »

La neige est si profonde. Encore un pas, Ester. Encore un pas.

Ebba Kallis s'étonne elle-même. La fenêtre de la cuisine est entrouverte. Il faisait tellement chaud pendant que le cuisinier engagé pour la soirée préparait le dîner. Quand tout s'éteint et qu'elle entend les coups de feu, elle ne prend pas le temps de réfléchir. Elle se glisse à plat ventre par la fenêtre de la cuisine. Dans la salle à manger, tout le monde hurle. C'est la panique. Un instant plus tard, ils se taisent.

Mais à ce moment-là, elle a déjà atterri sur la pelouse. Elle se relève et court aussi vite qu'elle peut jusqu'au mur qui fait tout le tour de la ferme. Elle descend jusqu'à la plage et marche au bord de l'eau jusqu'au vieux ponton, sans voir où elle met les pieds. Avec ses hauts talons, c'est une gageure. Elle grelotte dans sa robe légère. Mais elle ne pleure pas. Elle pense aux garçons qui sont chez ses parents ce soir et elle continue de marcher.

Arrivée au ponton, elle monte dans le bateau et fouille dans les coffres pour trouver une lampe de poche qui lui permettra de retrouver la clé du moteur. Sinon, elle devra ramer. À l'instant où sa main se referme sur la torche, elle entend quelqu'un marcher près du ponton.

Et elle a l'impression d'entendre : « Ebba » ou bien « Ebba, il... » ou quelque chose comme ça.

« Ester ? » appelle-t-elle tout bas. Elle se redresse dans le bateau et scrute la nuit au-delà du débarcadère.

On ne lui répond pas, alors elle se dit qu'elle a dû rêver et allume la torche.

Ester. Portant Mauri sur ses épaules. Elle ne réagit même pas quand elle reçoit le faisceau de la torche dans les yeux. Ester s'écroule par terre.

Ebba remonte sur le ponton. Elle éclaire Mauri et sa demi-sœur presque sans connaissance.

« Mon Dieu, dit-elle. Mais qu'est-ce que je vais faire de vous ? »

Ester s'agrippe à l'ourlet de sa robe.

« Il faut partir », murmure-telle.

Alors Ebba aperçoit la lumière d'une autre lampe torche entre les arbres.

Elle attrape Mauri par les épaules de sa veste et le traîne le long du débarcadère. Les talons de ses chaussures rebondissent sur les planches. Boum, boum, boum.

Elle le pousse dans le bateau. Il atterrit brutalement au fond. Le bruit est comme un coup de tonnerre dans les oreilles d'Ebba. Elle espère qu'il n'est pas tombé sur la figure. Le faisceau de la lampe est pointé dans sa direction. Elle détache l'amarre et saute à l'eau. Elle pousse le bateau. Dès qu'il est assez loin de la rive, il est pris par le courant et se met à dériver. Ebba est musclée grâce à l'équitation et pourtant, c'est avec peine qu'elle réussit à se hisser à bord.

Elle ramasse les rames, les pose dans les dames de nage. Tout cela fait un vacarme épouvantable. Elle pense constamment : on va se faire tirer dessus, maintenant. Elle commence à ramer. Elle est déjà loin. Elle est sportive et elle garde son sang-froid. Elle sait où elle va emmener Mauri. Elle est assez intelligente pour comprendre que cette affaire doit être réglée sans l'aide de la police et de l'hôpital. En attendant qu'il soit en état de dire lui-même ce qu'il veut faire.

L'homme à la lampe torche qui marche dans les bois n'arrive jamais jusqu'au ponton. Il reçoit un ordre dans son casque lui indiquant que la mission est interrompue. Deux membres du commando ont été tués et les trois autres doivent quitter le haras de Regla. Quand les renforts de police arrivent sur les lieux, ils sont déjà loin.

Il neige à présent. Ester chemine péniblement dans la neige profonde. Elle n'en peut bientôt plus. Elle croit voir quelqu'un un peu plus loin. Quelqu'un qui vient à sa rencontre dans le blizzard et s'arrête à bonne distance d'elle.

Elle appelle sa maman. « Eatnázan ! » crie-t-elle, mais le vent emporte sa voix. Elle perd connaissance.

Elle tombe. La neige la recouvre. En un instant, elle disparaît sous une mince couverture blanche. Et tandis qu'elle est allongée là, elle sent un souffle tiède sur son visage.

Un renne. Un renne domestique qui la pousse du bout de son museau.

Et là-bas c'est bien sa mère qu'elle aperçoit, en compagnie d'une autre femme. Ester ne peut pas les voir vraiment à cause des flocons qui virevoltent devant ses yeux, mais elle sait qu'elles l'attendent et elle sait que l'autre femme est la grand-mère d'Eatnázan. Son Áhkku, son aïeule.

Elle se relève. Grimpe sur le dos du renne. Se couche en travers comme un sac. À présent, c'est un aboiement familier qui déchire le silence. Musta court dans les jambes des deux femmes, là-bas. Il aboie gaiement, avec insistance. Elle doit y aller. Soudain, Ester a peur qu'ils ne repartent sans elle. Qu'ils ne disparaissent.

« Cours, ordonne-t-elle au renne mâle. Cours ». Elle s'accroche à son cou solide.

Et il se met en mouvement.

Il les aura bientôt rattrapés.

Anna-Maria se rend vite compte qu'elle tourne en rond, à tâtons dans une forêt sombre et silencieuse. Il y a longtemps qu'elle s'est arrêtée de courir. Elle ignore depuis combien de temps elle erre ainsi et comprend qu'elle ne trouvera personne de cette façon. Son instinct lui dit avec une quasi-certitude que tout est terminé.

Sven-Erik, songe-t-elle tout à coup. Il faut que je retourne là-bas.

Mais elle ne sait plus très bien où elle est. Elle se laisse glisser au pied d'un tronc d'arbre.

Je vais attendre, décide-t-elle. Il fera bientôt jour.

L'image du petit enfant mort revient la hanter. Elle s'efforce de la repousser.

Gustav lui manque terriblement. Elle a besoin de serrer contre elle son corps tiède.

Il est vivant, se raisonne-t-elle. Ils sont à la maison. Si elle avait encore eu sa parka sur elle, elle aurait pu appeler Robert, son téléphone est dans la poche intérieure, mais la veste est restée dans le fossé.

Elle croise les bras autour de sa poitrine et ferme les doigts très fort autour de ses biceps pour s'empêcher de pleurer. Et tandis qu'elle se tient ainsi recroquevillée et qu'elle serre et serre autant qu'elle peut, elle s'endort comme une pierre. Elle est si fatiguée.

Elle se réveille parce qu'il fait un peu plus clair. Elle se lève, raide et courbatue et se met à marcher vers le haras.

Dans la cour sont garées trois voitures de police et un fourgon de la force d'intervention nationale. Les agents ont sécurisé le secteur et commencent le travail sur le terrain.

Anna-Maria s'approche de la maison, des brindilles dans les cheveux et de la boue sur la figure. Quand ses collègues braquent leur arme de service sur elle, tout ce qu'elle ressent, c'est une immense fatigue. Elle lève les mains et ils lui retirent son pistolet.

« Sven-Erik ? demande-t-elle. Sven-Erik Stålnacke ? »

Un policier la tient par le bras d'une main lâche. Mais la pression de ses doigts se resserrerait instantanément si elle tentait de résister ou de faire des histoires.

Le policier a l'air mal à l'aise. Il a à peu près l'âge de Sven-Erik. Il est plus grand que lui.

« Il va bien mais je ne peux pas vous laisser lui parler, je suis désolé. »

Elle comprend parfaitement. Elle a tué deux personnes et Dieu sait ce qui s'est passé d'autre ici. Elle va évidemment faire l'objet d'une enquête. Mais il faut absolument qu'elle voie Sven-Erik. Peut-être plus pour elle-même, en réalité. Elle a besoin de voir quelqu'un à qui elle tient. Quelqu'un qui tient à elle. Elle voudrait croiser son regard et le voir faire un signe de tête. Un signe que tout va s'arranger.

« S'il vous plaît, insiste Anna-Maria. Ce n'était pas une partie de plaisir, cette nuit. J'ai juste besoin de m'assurer qu'il va bien. »

Le policier pousse un soupir et il cède. Comment pourrait-il refuser ?

« Bon. Venez avec moi. Mais surtout je vous demande de n'échanger aucune information entre vous sur ce qui s'est passé cette nuit. »

Sven-Erik est appuyé à l'une des voitures de police. Quand il voit Anna-Maria approcher, il détourne la tête.

« Sven-Erik », supplie-t-elle.

Il tourne les yeux, la regarde. Elle ne l'a jamais vu dans une telle fureur.

« Toi et tes idées à la con ! vocifère-t-il. Va te faire foutre, Mella ! On aurait dû attendre que les renforts arrivent. Je vais… »

Il serre les poings, tremble de colère et d'impuissance.

« Je démissionne ! » lui crache-t-il au visage.

Au moment précis où il lui dit cela, leurs collègues éclairent avec leur torche le tireur d'élite couché à plat ventre à côté du Hummer. Il a pris une balle dans la tête.

Et moi je lui ai tiré dans le dos, se souvient Anna-Maria.

« Ah ? » dit-elle distraitement en réaction à l'annonce de Sven-Erik.

Il s'assied sur le capot de la voiture et se met à pleurer. Il pense à la petite chatte, Boxeuse.

Il pense à Airi Bylund.

Il se dit que si Airi n'avait pas décroché son mari et demandé au médecin de mentir sur la cause du décès, on aurait autopsié Örjan Bylund, ouvert une enquête et tout ceci ne serait peut-être pas arrivé. Et il n'aurait pas été obligé de tuer un homme.

Il se demande s'il va pouvoir aimer Airi avec ça sur le cœur. Il n'en sait rien.

Et il est infiniment malheureux.

Rebecka Martinsson descend de sa voiture devant l'hôtel Riksgränsen. La nervosité lui vrille l'estomac.

Ça n'a aucune importance, tente-t-elle de se convaincre. Il fallait que je le fasse. Je risque tout au plus une blessure dans mon amour-propre. Et quand elle tente de se représenter son amour-propre, elle ne voit qu'une pauvre chose abîmée, usée et sans la moindre valeur.

Allez, entre !

En arrivant dans le hall, elle constate qu'au bar la fête bat son plein. Un groupe de rock chante une reprise d'un vieux tube du groupe Police.

Elle reste à la réception et téléphone à Maria Taube. Avec un peu de chance, Maria est en pleine aventure amoureuse et elle garde les yeux braqués sur l'écran de son portable, dans l'espoir que l'élu de son cœur décide de lui téléphoner.

Maria Taube répond.

« C'est moi », dit Rebecka.

Elle a du mal à respirer et Maria doit l'entendre à sa voix mais tant pis.

« Tu peux aller voir Måns et lui demander de venir à la réception ?

— Alors, tu es venue ?

— Oui. Mais je ne veux voir personne. Seulement lui. Tu veux être gentille d'aller le chercher ?

— OK, dit Maria, perplexe, avec l'impression soudaine d'avoir loupé un épisode. J'y vais. »

Pourvu que personne d'autre ne vienne entre-temps, songe Rebecka.

Elle a une envie pressante et une soif à boire la mer et ses poissons. Comment va-t-elle pouvoir dire un seul mot avec cette langue qui lui colle au palais.

Elle surprend son reflet dans un miroir et s'aperçoit avec horreur qu'elle porte le vieux blouson bleu en beaver nylon de sa grand-mère. On dirait une marginale SDF qui vit dans les bois, fait pousser des carottes bio et recueille les chats abandonnés.

Elle est à deux doigts de sauter dans sa voiture et de s'enfuir, mais son téléphone se met à sonner. C'est Maria. Elle a mis exactement deux minutes à la rappeler.

« Il arrive », dit-elle, puis elle raccroche.

Il arrive.

Rebecka se sent comme quelqu'un qui vient de tomber dans un aquarium dans lequel nage une anguille électrique.

Il ne lui dit ni « Salut Martinsson », ni rien du tout. Comme s'il avait conscience de la gravité du moment. Il est tellement élégant. Il n'a pas changé. C'est rare de le voir en jean.

Elle prend son courage à deux mains et tâche de ne pas penser à ses cheveux trop longs qui ont besoin d'une coupe, d'une couleur, d'un brushing. Elle essaye d'oublier sa cicatrice. Et ce fichu blouson !

« Viens avec moi, dit-elle. Je suis venue te chercher. »

Elle se dit qu'elle devrait ajouter quelque chose, mais c'est tout ce qu'elle trouve à dire.

Il commence par sourire. Et puis il reprend son sérieux. Mais avant qu'il trouve quelque chose à lui répondre, Malin Norell vient les rejoindre.

« Måns ? dit-elle, son regard allant de lui à Rebecka. Je peux savoir ce qu'il se passe ? »

Il secoue la tête, désolé.

Rebecka ne sait pas à l'intention de qui il secoue la tête. Elle ou la femme qui vient de lui poser une question.

Mais c'est à Rebecka qu'il sourit en disant :

« Il faut que j'aille chercher un blouson. »

Rebecka n'a pas l'intention de le laisser filer maintenant. Elle dit :

« Je te prête le mien. »

Ils sont assis dans la voiture. La neige qui tombe à l'extérieur est comme un rideau blanc. Ils n'y voient pas à un mètre. Rebecka conduit prudemment. Ils ne parlent pas beaucoup. Ils ne parlent pas du tout, en fait. Måns regarde les manches usées du blouson qu'il a sur le dos. C'est probablement le blouson le plus laid qu'il ait vu de sa vie entière.

Puis il regarde Rebecka. Elle ne ressemble vraiment à personne. Elle est folle à lier. Il éclate de rire. Il ne peut plus s'arrêter.

Elle l'accompagne. Rit aux larmes.

Beaucoup plus tard. Elle repose la tête sur son épaule, et elle se met à pleurer. Ça déborde, tout simplement. Il commence par plaisanter et dit :

« Ah bon ? J'ai assuré à ce point-là ? »

Elle est forcée de rire aussi, mais ensuite les larmes reviennent de plus belle.

Alors il la serre très fort contre lui. Il l'embrasse et lui caresse les cheveux, dépose un baiser sur sa lèvre supérieure et sa cicatrice.

« Tout va bien, dit-il. Il faut que ça sorte. »

Et elle pleure jusqu'à la fin des larmes. Et il est plein de bonnes résolutions. Il va s'occuper d'elle. Elle va revenir à Stockholm et reprendre sa place au cabinet. Tout va bien se passer.

Dans la nuit, elle se réveille et elle l'observe. Il dort sur le dos, la bouche ouverte.

Il est là, avec moi, en ce moment, se dit-elle. Il ne faut pas que je le retienne si fort qu'il aura envie de s'enfuir. Je dois juste me réjouir.

Qu'il soit là. En ce moment.

REMERCIEMENTS

Voilà. La moitié de la série est écrite. Je regarde les deux premiers livres et le manuscrit du troisième et j'ai l'impression que c'est quelqu'un d'autre qui les a écrits. Comme toujours, rien n'est vrai. Certaines personnes existent mais ce que j'écris à leur propos est inventé.

Ils sont nombreux à m'avoir soutenue et je voudrais en remercier quelques-uns : le professeur Lennart Edström qui m'a entre autres permis de décrire l'évolution de la maladie de Rebecka, les professeurs Peter Löwenhielm et Jan Lindberg qui m'ont aidée avec les traumatismes corporels et avec mes morts, le docteur Marie Allen avec qui j'ai eu le plaisir de parler de taches de sang et d'échantillons de cheveux, le procureur Cecilia Bergman, le maître-chien Peter Holström et les artistes peintres Anita Ponga, Maria Montner et Camilla Jüllig qui m'ont fait partager leur savoir. Et je tiens à préciser que la famille d'Ester n'est pas celle d'Anita Ponga.

Les erreurs sont toutes de mon fait.

Je remercie aussi : ma rédactrice, Rachel Åkerstedt, une femme aussi merveilleuse que sans pitié. Toutes les personnes délicieuses qui travaillent dans ma maison d'édition. C'est un bonheur chaque fois que je dois m'y rendre.

L'extraordinaire équipe de l'agence Bonnier qui parvient à vendre mes livres dans le monde. Elisabeth Ohlson Wallin et John Eyre pour la couverture originale.

Merci maman, Eva Jensen, Lena Andersson et Thomas Karlsén Andersson pour avoir lu, fait des bonds d'enthousiasme et m'avoir félicitée. J'en avais terriblement besoin. Je ne sais pas comment vous avez fait pour me supporter. Merci à papa et à Mona qui ont lu et vérifié tous les points concernant Kiruna.

Et enfin : merci Per. Le roman est enfin terminé. Prépare-toi. Je vais te sauter dessus.

Du même auteur :

TANT QUE DURERA TA COLÈRE, Albin Michel, 2016.
LE SANG VERSÉ, Albin Michel, 2014.
HORREUR BORÉALE, Gallimard, 2006.

Le Livre de Poche s'engage pour l'environnement en réduisant l'empreinte carbone de ses livres. Celle de cet exemplaire est de :
500 g éq. CO_2
Rendez-vous sur
www.livredepoche-durable.fr

Composition réalisée par NORD COMPO

Achevé d'imprimer en août 2016 en Allemagne par
GGP Media GmbH, Pößneck
Dépôt légal 1re publication : septembre 2016
LIBRAIRIE GÉNÉRALE FRANÇAISE
21, rue du Montparnasse – 75298 Paris Cedex 06

17/5500/2